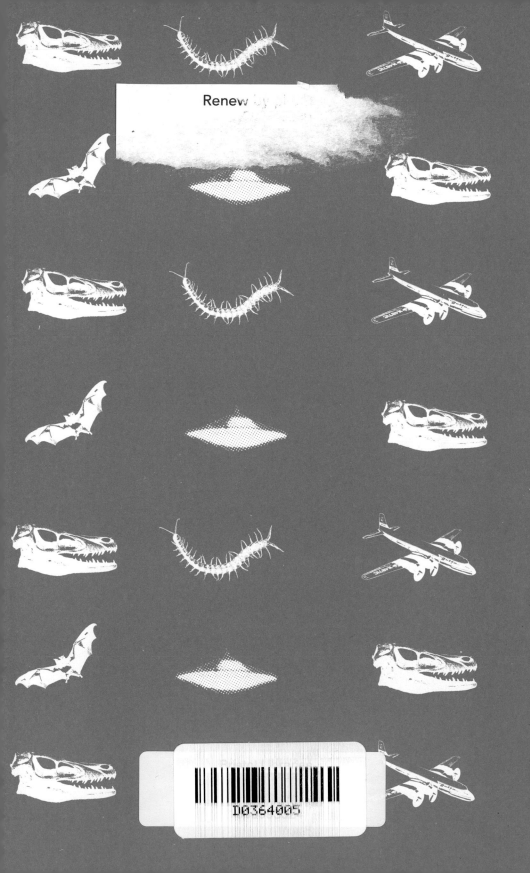

Renew

Los *invitados* de la *princesa*

Esta obra ha obtenido el

PREMIO **PRIMAVERA** DE NOVELA 2012

convocado por Espasa y Ámbito Cultural
y concedido por el siguiente jurado:

Ana María Matute
Ángel Basanta
Antonio Soler
Ramón Pernas
Ana Rosa Semprún

FERNANDO SAVATER

Los *invitados* *de la* *princesa*

*ÁMBITO
cultural

ESPASA

ESPASA ⌾ NARRATIVA

© Fernando Savater, 2012
© Espasa Libros, S. L. U., 2012

Ilustración de cubierta: Luis Doyague
Diseño de cubierta: María Jesús Gutiérrez

Depósito legal: M. 7.720-2012
ISBN: 978-84-670-0702-2

Espasa, en su deseo de mejorar sus publicaciones, agradecerá cualquier
sugerencia que los lectores hagan al departamento editorial por correo
electrónico: sugerencias@espasa.es

www.espasa.com
www.planetadelibros.com

Impreso en España/Printed in Spain
Impresión: Unigraf, S. L.

Espasa Libros, S. L. U.
Avda. Diagonal, 662-664
08034 Barcelona

El papel utilizado para la impresión de este libro es cien por cien libre de cloro
y está calificado como **papel ecológico**

Para ti, princesa.
Y como ingenuo homenaje a
Boccaccio, Chaucer... y Jean Ray.

«*La vida en la tierra sale bastante barata.*
Por los sueños, por ejemplo, no se paga ni un céntimo.
Por las ilusiones, sólo cuando se pierden.
Por poseer un cuerpo se paga con el cuerpo».

W. SZYMBORSKA, Aquí

LUNES

El ala del avión se alzó suavemente, como el aspa de un molino gigantesco a la espera de un caballero iluso que derribar. Comenzaba el descenso. Xabi Mendia volvió a preguntarse por qué milagro él, que sufría vértigo hasta al subirse a un taburete, disfrutaba inmensamente con los paisajes empequeñecidos por el picado de la perspectiva aérea. También gozaba con una visión más próxima y a la altura de sus ojos, del enérgico trasero de la azafata que se bamboleaba sin perder el equilibrio mientras recorría el pasillo para asegurarse de que todo el mundo llevaba el cinturón abrochado y había plegado la mesita delantera. A Xabi le encantaban las mujeres uniformadas, disciplinadamente sensuales. Y casi todas las demás. La megafonía anunció que aterrizarían dentro de diez minutos.

Allá en lo profundo, bajo la superficie verdosa del mar, aparecían manchas más oscuras de escollos y roquedales. Ya estaba muy próxima la costa escarpada de la isla, entrecortada por lo que parecían playas pedregosas y poco hospitalarias. Según había leído en la guía turística (que como era inglesa no ocultaba los detalles menos favorecedores) el aeropuerto de Santa Clara estaba situado sobre el mismo pretil del acantilado y tenía una pista demasiado breve, que solían barrer además vientos adversos. Era fre-

11

cuente que los pilotos tuvieran que intentar el acercamiento varias veces, abortando el aterrizaje en el último momento. A Xabi Mendia eso no le preocupaba, pues del placer de volar le gustaban hasta los sobresaltos.

Pero el avión encontró su camino tras apenas un par de bandazos y machacó sus ruedas contra la pista con firme determinación. Luego circuló con serenidad hacia el edificio central, alejándose del borde del precipicio y de la tentación del mar. Xabi Mendia respondió a la sonrisa profesional de la azafata que los despidió en la puerta del aparato, pensando que debería ser aceptable darles un par de besos —amistosos, claro— cuando el vuelo ha transcurrido felizmente. Al bajar por la escalerilla, la tibieza muy grata de la temperatura y un vago matiz aromático en el aire le recordaron que estaba en noviembre, pero en el hemisferio sur: primavera.

Mientras esperaba junto a la cinta de equipajes, examinó a sus compañeros de viaje. Lo más probable es que alguno o varios de ellos viniesen también al congreso. ¿Quizá aquel tipo gordo, de rostro malhumorado por el cansancio, que examinaba la abertura semitapada por tiras de cuero por donde debían aparecer las maletas como si esperase la salida al ruedo de un toro bravo? Tenía un aspecto fastidiosamente cultural, a juicio de Xabi. En fin, el equipaje se hacía esperar. Por los altavoces anunciaron la cancelación de una serie de vuelos. «Esperar la maleta... la última zozobra», murmuró junto a él un anciano caballero. Mendia le miró de reojo y luego más francamente. No era muy alto, aunque lo parecía por su delgadez. Vestía con traje y chaleco, lo menos adecuado para un largo viaje, y conservaba una abundante cabellera blanca pese a su edad —más de ochenta, probablemente—, la cual había dejado una nevada de caspa en sus hombros. Xabi Mendia se emocionó.

—Perdone. ¿Es usted don Nicolás Nirbano?

El viejo asintió con una breve sonrisa. Luego estrechó la mano casi temblorosa que Mendia le ofreció para darle un fervoroso apretón.

—Yo le admiro... le admiro muchísimo... le he leído desde hace tantos años. Javier Mendia, para servirle.

—Encantado, muy amable. —Su voz era suave y oscura, pero no cascada—. Supongo que viene usted también a este aquelarre que nos han preparado aquí. ¿Es novelista o poeta?

—No, ya quisiera... Soy periodista, vengo a cubrir el congreso para la revista *Mundo Vasco*. Pero encontrarle a usted así, nada más llegar... me ha emocionado cantidad.

—Ya lo veo. Supongo que me daba usted por muerto a estas alturas —rio con discreción, agitando entonces su melena blanca—. A muchos les pasa. Incluso a mí mismo a veces, no crea...

Por suerte para el ofuscado Xabi, que negaba la hipótesis macabra lo mejor que podía pese a que era cierta, en ese momento comenzaron a salir las maletas. Recogió la suya y luego ayudó a Nirbano con la suya, dispuesto a cumplir como un buen chicarrón del norte. De lo cual francamente tenía poco, para su pesar, porque era de estatura algo menos que mediana y con más grasa en la cintura que pelo en la cabeza, ya tan joven. Pero andaba siempre bien tieso y no se arrugaba ante nadie, ni apenas ante el sexo femenino.

Los trámites de la aduana les entretuvieron un poco porque un funcionario escrupuloso revisó su equipaje con morosidad. Mendia tuvo ocasión de recordar entonces que en Santa Clara actuaba un grupo terrorista, aunque últimamente hubiese dado pocos motivos de alarma. Tras la puerta de salida, al principio, no vieron a nadie que pareciese esperarlos a ellos, entre la diversidad de novias, padres y amigos que habían acudido a recibir a otros. Pero al fondo del vestíbulo, en uno de los pocos asientos disponibles, estaba cómodamente repantigado un individuo mal afeitado que jugueteaba con un cartel. Xabi tuvo una escarmentada intuición y se acercó a él hasta poder leerlo: «Nirbano, Lequiem, Mendia». Llamó con un gesto a su compañero y se identificó ante el yacente.

El tipo se puso en pie sin prisas. Consultó su lista:

—Mendia, ¿no? Y Nirbano. Pues me falta uno.

—Estará recogiendo su equipaje...

La sencilla explicación no bastó al enviado. Presa de una súbita urgencia que nada en su actitud anterior hacía esperar, corrió hacia la puerta de salida gritando «¡Lequiem, Lequiem!» como si pidiese socorro. El señor gordo que Xabi había visto antes aguardando en la cinta se aproximó presuroso, arrastrando un maletón más pesado que él. «¡Bingo!», se felicitó Mendia. Tras repasar innecesariamente su lista una vez más, el nativo los condujo hasta un minibús y les recomendó guardar los bultos en la parte trasera, aunque sin hacer el mínimo gesto de ayudarles en la tarea. Después se instalaron en el vehículo, el gordo al lado del chófer para ir más ancho y los otros dos, juntos detrás. Y arrancaron rumbo a lo desconocido.

—¡Menuda suerte han tenido ustedes! —comentó el conductor, casi con reproche—. El suyo ha sido el último.

—¿Cómo que el último? —preguntó el gordo.

—Pues sí, el último vuelo que ha podido aterrizar. Todos los demás están anulados, salidas, llegadas, todo. Ya saben, las cenizas esas del puto volcán.

En efecto, había un volcán en Santa Clara que había entrado impertinentemente en actividad y sus cenizas amenazaban el tráfico aéreo. Mendia estuvo preocupado por el asunto los días anteriores, pero una vez en marcha se había olvidado a medias de ese posible inconveniente.

—¿Quiere usted decir que ya no hay vuelos de regreso? —La voz del gordo mostraba preocupación.

—Ya le digo: ni llegadas ni salidas. Han cerrado al tráfico el aeropuerto.

—Y... ¿hasta cuándo? —se inquietó el gordo.

—¡Yo que sé! —gruñó sádicamente el chófer, mientras propinaba copiosos bocinazos para abrirse paso.

Muy fastidiado, el obeso pasajero se quedó rezongando por lo bajo. Mientras, en el asiento trasero, Xabi Mendia testimoniaba lo mejor que podía su admiración al viejo Nirbano.

—Su ensayo sobre *Moby Dick* es de lo mejor que he leído en mi vida. Melville y la novela total, su angustia trágica... muy bueno, buenísimo. Y también su hipótesis de que Sandokán podría haber sido el hijo del capitán Nemo. ¡De primera! Todo lo suyo me parece de primera...

—Muy amable, amigo Mendia. Pero ya ve usted, son cosas antiguas y de discutible interés. —Se encogió de hombros, con algo de resignada coquetería—. No son crítica literaria, ni verdadera literatura. «Porque eres tibio te vomitaré de mi boca», dijo el Señor... Quise solamente aumentar el placer de quienes ya leen por placer, lo que siempre me condenó a un público reducido, hoy quizá extinto.

—Le aseguro que para mí fueron muy importantes —insistió fervoroso Mendia.

—Pues nada, estupendo, me conformo con eso —remató el anciano sin ocultar el punto de ironía.

En menos de veinte minutos llegaron a su destino. Un portalón bizarro y grandilocuente sobre el que flameaba un rótulo insuperable: Hotel Gran Universo. El chófer les advirtió que era el mejor de Santa Clara.

—No lo dudo —le comentó Nirbano a Mendia en tono sosegado—. Aunque lo de Gran Universo es exagerar un poco. Acepto Gran Hotel Universo o incluso Hotel Microcosmos, pero empeñarse en engrandecer al universo mismo suena demasiado grandilocuente, ¿no?

Recordando que la publicación para la que trabajaba se llamaba *Mundo Vasco*, Xabi prefirió guardar un prudente silencio.

En el vestíbulo había ostentosos carteles que daban la bienvenida «a los participantes del Festín de la Cultura». Otros anunciaban: «Hoy, Jornada Mundial del Bacalao». Tras registrarse en el mostrador correspondiente, se les entregó una bolsa llena de guías turísticas y gastronómicas de la isla, mapas, un libro con fotografías artísticas de amaneceres y atardeceres especialmente vistosos en varios rincones de Santa Clara, sus acreditaciones y bonos de manutención, así como un sobre con la mención «urgente» que los convocaba para dentro de apenas una hora en el Salón Imperial del hotel, donde iban a darles una serie de informaciones importantes.

De los dos géneros de viajeros más radicales, los que protestan por todo y los que disfrutan con todo, Xabi Mendia había elegido siempre el segundo bando. Su divisa podría ser «como fuera de casa, en ninguna parte». La habitación del hotel le pareció suntuosa: no tenía vistas al mar, sino a una calle que evidentemente llegaría hasta el mar antes o después. ¿Acaso no estaban en una isla? De modo que sin dilación se dio una rápida ducha, utilizando como complemento de su aseo el botecito de gel que encontró en el baño (aroma de vetiver, con lo que le gustaba a Xabi el vetiver), se puso una camisa limpia y hasta corbata, para luego lanzarse a la búsqueda del Salón Imperial en el que tendría lugar su primera reunión. Animado por el encuentro con Nirbano, estaba seguro de que iba a conocer a gente destacada, monstruos sagrados (vaya lo uno por lo otro), además de escuchar propuestas y opiniones notables que él sabría resaltar en sus artículos. Finalmente ligaría. Ligar también, desde luego, sobre todo: era la ilusión fundamental que sazonaba siempre sus viajes y a la cual la experiencia de sucesivas frustraciones no le hacía renunciar. Xabi estaba convencido de que el espacio exterior —fuera de su *txoko*— rebosaba de mujeres de acceso fácil y apetencias promiscuas (algunas, por cierto, deliciosamente mayores que él), aunque las que luego él solía encontrar pertenecieran a un género más recatado.

El Salón Imperial estaba en el primer piso y alardeaba de una fastuosidad de baratillo, propia para celebrar banquetes de bodas o bautizos. Era enorme y en él se despistaban ya casi un centenar de personas, que charlaban en sus asientos o formando corros en los pasillos laterales. En la misma puerta se encontraron de nuevo Xabi Mendia y Nicolás Nirbano, que entraron juntos. El anciano no se había cambiado de ropa y mostraba un aire indudablemente fatigado. De inmediato cayó sobre ellos un tipo bajito, colorado y agresivamente desenvuelto.

—Pero bueno, ¡a quién tenemos aquí! ¡Nada menos que el gran Ni-Ni en persona! —Hizo un falso aparte para explicarle a Xabi, en tono no menos jacarandoso—: Llamamos así a don Nicolás por las primeras letras de su nombre y apellido, claro, pero sobre todo porque se las arregla para contradecir a todos por igual, digan blanco o negro. ¡Es una institución, créame! Soy Samuel Futurano, el novelista.

—Javier Mendia, de *Mundo Vasco*, encantado.

Con tono amablemente soñoliento, Nirbano le felicitó por su último libro, *Victoriosa derrota*.

—Muy singular, una obra coral bien desarrollada. Creo que te has superado, Samuel.

El elogiado asintió con cierta suficiencia y se alejó hacia otro recién llegado para chillarle con la misma campechana familiaridad su bienvenida. Xabi Mendia estaba algo escandalizado por la irreverencia con la que se había tratado a su ídolo. Aquel voceras se dirigía a Nirbano como si hablase con un igual o, peor, con un principiante. ¡Vaya maneras! Don Nicolás percibió su desagrado y lo derogó cariñosamente.

—Mire, Mendia, mi maestro Ambrose Bierce aconsejaba que quien desee ser considerado grande por sus contemporáneos debe procurar no ser mucho más grande que ellos. Descuidé tomar esa precaución y aquí me tiene: uno de tantos.

—En cambio usted ha tenido la consideración de elogiar la obra de ese fulano, don Nicolás.

—¡Ah, en eso sí que sigo siempre las indicaciones de Bierce! Fue él quien dijo que la forma más alta y más rara de desprecio es el aplauso al éxito de otro. Añado por mi parte que es la única altanería que pasa inadvertida, por lo que conquista simpatías y lima animadversiones...

Poco a poco, el salón se había ido llenando. La mayoría de la gente denunciaba, por su ropa arrugada, sus rostros mal afeitados (ellos) o despintados (ellas) y con universales bostezos, las huellas fatigosas del viaje. Flotaba en el ambiente la inminencia de una mala noticia, un primer fastidio de alcance aún indeterminado. Xabi Mendia reconoció algunos rostros más populares que célebres, pero no pudo localizar al reciente Premio Nobel de Literatura, el polaco de nombre difícilmente pronunciable cuya presencia se anunciaba como uno de los reclamos del evento. También hizo una breve inspección del personal femenino, sin resultados especialmente alentadores. Claro que, por el contrario, las azafatas de ceñidos uniformes y faldas cortísimas tenían un excelente nivel. En especial una mulata cuyas formas no habría disimulado ni un burka y cuyo único defecto era haberse situado con obstinada firmeza en el rincón más alejado de Xabi. En fin, esperar y ver, o sea, tiempo al tiempo...

Un estrado con varios micrófonos presidía, aún vacío, la reunión. Por fin se decidió a subir a él un personaje rechoncho y calvo que llevaba un rato prodigando sonrisas y apresurados saludos, mientras miraba constantemente su reloj. A Mendia le recordaba bastante a una versión antropomorfa del Conejo Blanco de Alicia. Abrió los bracitos como si quisiera echar a volar y reclamó atención.

—¡Amigas, amigos, buenas tardes! Sean muy bienvenidos a nuestro Festín de la Cultura. Soy Fulgencio, el secretario general y estoy a su disposición para atenderlos en todo lo necesario. Y también en lo innecesario, si se les presenta ese capricho, je, je. Voy a ser muy breve, porque ya sé que todos ustedes están cansados del viaje y la jornada de mañana será más intensa. Pero no tengo más remedio que anunciarles la suspensión de la recepción y cena de gala que teníamos programada para esta noche. La señora presidenta, alma máter de este congreso y anfitriona de todos ustedes, no ha podido aún regresar a Santa Clara para estar con nosotros. Ya saben que de momento el aeropuerto está cerrado por culpa de nuestro viejo y malhumorado Ireneo, el volcán de la isla. No ha tenido mejor ocurrencia que llenar el cielo de una ceniza que dificulta mucho la navegación aérea, vaya modales, ¿eh? —volvió a lanzar su risita nerviosa—. Por cierto, la ascensión por la ladera practicable del volcán es una preciosa excursión que les recomiendo hacer cuando ese gruñón se calme un poco. En fin, que doña Luz Isabel sigue en París, de donde vendrá en cuanto le sea posible hacerlo. Pospondremos la recepción y la cena de gala hasta su regreso, como es natural.

Hubo cuchicheos en la sala, alguna broma a media voz seguida de risitas y no pocas expresiones de inquietud o fastidio. El secretario volvió a aletear para pedir silencio.

—Les aseguro que es un inconveniente menor, el tráfico aéreo se reanudará probablemente mañana o pasado todo lo más. Entre tanto, las sesiones del Festín tendrán lugar como estaba planeado y espero que todos ustedes disfruten de la famosa hospitalidad santaclareña...

—Quiere usted decir que... que estamos atrapados en la isla. —La voz de Lequiem, el gordo pasajero que había acompañado a Mendia y Nirbano, sonó estridente y temblorosa.

—Por favor —insistió en la risa conejil—, cómo se le ocurre... Ya le digo que es algo transitorio, que probablemente mañana mismo estará solucionado. Si no recuerdo mal, señor Lequiem, su apreciada intervención debe tener lugar mañana por la tarde y su partida está prevista para el miércoles. Pues bien, no se preocupe, podrá usted cumplir su programa de viaje con toda normalidad, ya lo verá.

El gordo no se tranquilizó, todo lo contrario. Se había puesto en pie, aflojándose la corbata con la mano como si se ahogara. Los demás le miraban con ese aire de divertida compasión con que consideramos los agobios que aún no tenemos que compartir.

—¡Usted no lo entiende! No puedo quedarme así, en la isla, sin escape...

—Hombre, sin escape no —dijo con airecillo chistoso el secretario—, le queda el barco. Claro que tarda dos días en llegar al continente y no es demasiado confortable, de modo que...

—¿Cuándo sale? —le interrumpió el angustiado.

—¡Caramba! —se notó que el secretario estuvo a punto de utilizar un término más fuerte, porque era evidente que empezaba a sentirse molesto—. Pues mire, hay uno que sale esta misma noche.

Sin añadir palabra, el gordo se abrió paso a tropezones y con pocos miramientos hasta la puerta, dejando tras su desaparición un rastro de rumores, unos curiosos y otros enfadados. El secretario general se secó la frente con el pañuelo, más Conejo Blanco que nunca.

—Bueno, espero que no haya más deserciones, je, je. Cada cual tiene su carácter y los hay originales... ejem. Les aseguro que todos ustedes podrán volver a su casa en el plazo convenido, siempre que lo deseen, claro... A la mayoría de nuestros visitantes les cuesta abandonar Santa

Clara y su marco incomparable... Además de la cena, como el resto de los días, hoy están invitados a todas las consumiciones que hagan en el hotel. ¡Barra libre, ja, ja, ja! Pero cuidado, que mañana les espero en este mismo salón a las diez. ¡Buenas noches y que sean felices! Ejem...

Xabi Mendia tenía pensado quedarse hasta el final del congreso, de modo que no se preocupó por el momentáneo bloqueo aéreo que padecían. Al contrario, lo encontró más bien emocionante, como otra aventura añadida a la aventura fundamental de estar lejos de casa. ¡Estupendo, ya empezaban a pasar imprevistos y cosas raras! Entonces recordó la advertencia de Pío Baroja sobre que a cierta edad uno nunca debería ir a ningún lugar del que no se pudiera volver andando. Bueno, no pensaba atenerse a esa máxima ni ahora ni después. La dificultad de volver se compensaba ampliamente con el placer de marchar... Se despidió de don Nicolás, que estaba visiblemente agotado y prefería retirarse a su habitación sin pasar por el comedor para cenar.

—Quizá pida algo al servicio de habitaciones. De todas formas, suelo cenar ya muy poco... Es la edad, Mendia. ¡Si me hubiera usted visto hace veinte años...!

A Xabi ninguna consideración melancólica sobre el paso del tiempo le cortaba el apetito, de modo que puso rumbo hacia el comedor, lleno de gratas expectativas. Al cruzar el vestíbulo vio a Lequiem gesticulando en el mostrador de la agencia de viajes. Como aún era temprano, se dejó llevar por su instinto periodístico y se acercó a él.

—De modo que nos deja, señor Lequiem.

—Sí, afortunadamente he podido resolverlo. Salgo en el barco dentro de tres horas.

—¿No hubiera sido mejor esperar hasta mañana? Después de todo, también habrá barco la próxima noche...

Resuelta ya su escapatoria, el gordo parecía algo más tranquilo.

—Verá, amigo, es difícil de explicar. Tengo cierto problema con las islas... no soporto verme confinado en ellas. Me ahogan, me... Cuando me apremian, debo irme. Necesito todas las puertas de escape abiertas... Es como la vida, más o menos. Si no supiéramos que podemos dejarla en cuanto queramos, resultaría aún más insufrible. En cierto sentido, de eso iba a tratar mi charla de mañana.

—Pues siento quedarme sin escucharle, de veras. ¿Podría usted resumirme su idea principal? Ya sabe cómo somos los periodistas...

Lequiem le miró un momento, muy serio, y luego se alivió con una sonrisa torcida.

—¿Un resumen? Verá. Creo que la Creación es una zancadilla que Dios le puso a la nada para precipitarnos en el ser.

—Bueno, bueno... —murmuró Mendia, que no era partidario de Leopardi ni de Cioran y sólo aguantaba truculencias metafísicas de don Miguel de Unamuno, por cuestión de paisanaje.

El gordo rebuscó en su cartera y sacó un puñado de hojas sujetas con un clip.

—Mire, es usted un muchacho simpático. Lea esto cuando tenga un rato y quizá entienda por qué me marcho de forma tan aparentemente poco razonable. Hasta luego, hasta... ya volveremos a vernos por ahí.

Se alejó, en busca de su maleta y del barco salvador. Xabi dobló los folios y los metió como pudo en el bolsillo de su chaqueta, mientras pensaba en el misterio de la extravagancia humana. Después, sin darle más vueltas a la cabeza, se dirigió al restaurante y cenó estupendamente.

Cuando se encontró en su habitación, Xabi advirtió por toda clase de síntomas que estaba realmente cansado. El desajuste horario convertía el simple hecho de mantener los ojos abiertos en un esfuerzo casi titánico, que evidentemente sería masoquista empeñarse en prolongar. De modo que se metió en la cama renunciando a la mayoría de sus abluciones rutinarias y apagó inmediatamente la luz, sin hojear siquiera la apetecible novela de Fred Vargas que traía como libro de cabecera. Pero ni la excesiva fatiga ni el *jet-lag* garantizan automáticamente la conciliación del sueño, pues a menudo operan como factores adversos. Xabi tuvo ocasión de comprobarlo.

Media hora más tarde, aún se revolvía inquieto entre las sábanas, sudoroso y algo crispado. Además, la oscuridad potenciaba los diversos rumores del hotel, cuyas paredes no debían de ser precisamente muros babilónicos. El sonido apagado pero nítido de una televisión remota, la descarga de un retrete, la risueña y prolongada despedida de tres amigos en el pasillo, todo le llegaba en sucesión inmisericorde. En la habitación contigua a la suya, justo a la altura de su cabeza y detrás de su almohada, comenzó un íntimo rosario de jadeos y murmullos de los que le fue imposible desentenderse. Crujidos, el *basso ostinato* de un rítmico vaivén... Por encima de los ruidos se alzó una voz congestionada de mujer:

—¡Ay, no! ¡Cochino! ¡Por ahí no! Que no, que no... ¡Qué guarro eres, cariño!

No eran protestas salvo en la forma, en realidad se notaba la voluntad de estímulo.

—¡Por favor, Javier! ¡Marrano, más que marrano! ¡Ay, sigue, sigue!

Encima se llamaba también Javier. Mendia se sintió interpelado, con los nervios y demás órganos de punta. Por un momento tuvo la fortísima tentación de acompañar a la pareja desconocida en su desparrame orgiástico. ¿Por qué no hacerse una buena gallarda? Puesto ya manos a la obra, le asaltó un escrúpulo. Cuando estaba de viaje, hacerse pajas le parecía una especie de renuncia al verdadero encuentro carnal cuya inminencia presentía. ¿Y si mañana...? Frente a las promesas de lo desconocido, los trabajos manuales implicaban cierta dimisión y un poco de desesperanza. La gratificación onanista era elegir la rutina, regresar al hogar: ¡volver a Euskadi! Prefirió contenerse y encender la luz, mientras tras la pared medianera continuaba la envidiable fiesta.

Como ya estaba irremediablemente desvelado, era el momento de buscar consuelo en la lectura. Echó mano a la novela de Fred Vargas, pero entonces se acordó del escrito que le había legado Lequiem antes de su fuga naval. Sintió curiosidad y también que, de algún modo, esas páginas inesperadas correspondían mejor a la hora y la circunstancia de su vigilia. De manera que abandonó el lecho revuelto para buscar en el bolsillo de la chaqueta el manuscrito y comenzó a leer.

COMO UNA CABRA

En la isla. 4 de julio

Excelente, verdaderamente excelente idea escaparme a esta isla. Para ciertas cosas soy un genio: ¡viaja conmigo, *baby!* En el Mediterráneo y en pleno verano nadie puede garantizar tranquilidad suficiente, pero si algo se parece de veras al imposible paraíso del reposo es Leonera. Tradicionalmente rehuida por los incomprensibles alemanes, inencontrable en el mapa por los franceses chovinistas, con precios inasequibles para la devaluada libra de los británicos (¡viva la crisis, pese a quien pese!) y previsiblemente ignorada por los rutinarios hispanos. Un paraíso, ya lo digo, de la ausencia internacional. Precisamente lo que yo necesito. Aquí podré acabar mi libro... en fin, empezarlo al menos, darle un buen empujón. La serenidad sin prisas ni estruendos, el sol permanente, el mar. Podré pasear, podré escribir, leeré todo lo atrasado, engordaré quizá un poco, me pondré moreno, mejoraré. Y olvidaré por fin a Matilde.

7 de julio

Claro, un apartamento de veraneo no tiene las mismas comodidades que la casa de uno en la capital. Pero a veces es un sano ejercicio renunciar a ciertas necesidades que nos hemos ido creando empujados por el consumismo.

Antes vivíamos perfectamente sin muchas de ellas. Los artilugios técnicos son aparentes esclavos, pero en realidad tiranos que nos esclavizan (apuntar esta frase para utilizarla más adelante en algún artículo). Ya dijo el sabio epicúreo que las cosas necesarias son fáciles de conseguir y las cosas difíciles de conseguir no son necesarias.

Con todo, Los Cormoranes es una urbanización confortable, incluso de cierto lujo. Algo retirada del pueblo, pero por ello mismo más tranquila. Nada de motos, qué alivio, ni tampoco parece que haya vecinos escandalosos. De hecho, tengo la impresión de que la mayoría de los apartamentos están desocupados. La crisis, la bendita crisis... Y las vistas son buenas: tras el bosque de pinos (supongo que serán pinos o cosa parecida, la botánica no es mi fuerte) se adivina la proximidad del mar. O sea, que todo va bien. ¿Que la cobertura del móvil es deficiente? Mejor, así no haré ni recibiré llamadas superfluas. No marcha el ADSL, pero para mí el ordenador ha sido siempre, ante todo, una máquina de escribir un poco más sofisticada. Y escribiré, ya lo creo que escribiré. Este alojamiento responde a mis necesidades y, además, mi economía actual no me permite mayor gasto. ¡Adelante, pues! Por cierto, hoy es San Fermín. Lejos de mí todo ese bullicio...

9 de julio

El mobiliario de mi apartamento es sucinto, espartano, incluso desvencijado. ¿Un asco? Puede, pero suficiente. Exceptúo la cama: no la puedo sufrir. Siempre he tenido a gala ser capaz de dormir en cualquier parte. A ver si no: cuando me detuvieron durante la dictadura —era joven, muy joven, los años heroicos... involuntariamente—, pasé varias noches apretujado en un calabozo lleno de colegas mártires. Ellos no pegaban ojo, pero yo me arrebujaba en un rincón y enseguida me quedaba dormido. Hasta me atizaban patadas en las costillas, con la falta de miramien-

tos del compañerismo juvenil, para que dejase de roncar...
O sea, que duermo donde se presente, como Napoleón sobre su tambor. Más de una vez me lo reprochó Matilde,
experta en resentimientos varios: discutíamos ferozmente,
con esa delectación que sólo se obtiene del amor contrariado, y de pronto yo me daba la vuelta y me quedaba frito
como un bebé, antes de acabar la polémica. Ni siquiera
debo considerarlo verdaderamente como motivo de orgullo, porque no lo puedo remediar. Pues bien, en este catre
isleño no consigo pegar ojo. Sin ruidos, sin disputas, aunque también sin sueño. Vueltas y más vueltas, sudando.

Es el calor, desde luego, pegajoso y húmedo, incesante
durante toda la noche. Pero también creo que hay algo
más, una especie de incompatibilidad radical con el col-
chón acrílico, con el silencio inane y ajeno de la casa, yo
que sé... Resulta que he venido aquí para empezar una
vida distinta y de momento lo estoy consiguiendo, aunque
a mi pesar. Porque el viejo yo dormía a pierna suelta y el
hombre nuevo padece insomnio.

10 de julio

Había conseguido por fin un sueño incierto y agobiado
con las primeras luces del día, un reposo de una hora
quizá, o de hora y media, cuando llamaron a la puerta. Sobresalto seguido de blasfemias. Era la asistenta, maldita
sea su estampa madrugadora. Me complace pensar que
también ella se llevó un buen susto ante el espectro horrendo de pelo atribulado y ojos sin vida que le abrió la
puerta en calzoncillos. Por lo visto sus servicios —de horario incompatible con lo que los relajados franceses llaman
grasse matinée— van incluidos en los gastos del apartamento. Es una viuda más bien rechoncha de menos de
cuarenta años y de más de tres hijos, que responde, o res-
ponderá cuando alguna vez la llame, lo que hoy no es el
caso, al nombre de Montse. Como su presencia imprecisa-

mente atareada es fatal para el sosiego de mi alma crea-
dora, me fui a dar un paseo.

Pues, caramba, resulta que el mar está algo más lejos de
lo que yo suponía. Bosque y más bosque, de pinos —ya lo
dije— o de pseudopinos. Anduve bastante rato, media
hora o quizá más, y ya debía de estar a punto de ver la playa,
cuando el calor que aumentaba a razón de tres o cuatro
grados cada diez minutos me hizo desistir de mi aventura.
Un terreno irregular, además, abrupto unas veces y otras
deslizante (por culpa de las agujas de pino que cubren el
suelo, si no me equivoco), poco favorable a la meditación
peripatética. Si Jean-Jacques Rousseau hubiera dado sus
promenades por aquí, en lugar de ensoñaciones sólo habría
conseguido romperse la crisma. No vi ni un alma, claro, *et
pour cause*. Nota curiosa: en algunos tramos de mi peregri-
naje percibí un olor fuerte y desabrido, aunque no totalmente desagradable. Si no fuera un poco absurdo, diría
que huele a queso. Cuando hace años asistí en Normandía
a un coloquio sobre Diderot, un colega —cuyas intenciones evidentes no comentaré— me hizo notar que, cuando
caen las primeras sombras tras el crepúsculo, ciertos árboles (¿castaños?) desprenden un penetrante olor a semen, y
son capaces de convertir cualquier jardín en un perfumado
burdel masculino. Pero de aromas a queso entre vegetales
no he oído nunca nada.

Entre unas cosas y otras, cuando regresé a casa se me
habían pasado las ganas de trabajar (¿las tuve alguna
vez?). Despedí a la acuciosa Montse con un gruñido pre-
tendidamente amable, me di una ducha, releí con escaso
provecho unas páginas sabias de Carlos García Gual sobre
Epicuro, mi ideal inalcanzable, consumí un tetrabrik de
gazpacho, abusé del whisky y acabé enfrascado en una serie de televisión sobre vampiros adolescentes. En fin, otro
día perdido. Discrepo de la consideración entusiasta del
ejercicio físico como potenciador de la salud mental: aburre,

cansa, embrutece, roba fuerzas. Aunque no cabe duda de que últimamente estoy ganando demasiado peso. Bueno, algo habrá que hacer. Pero desde luego, por muchos inconvenientes que tenga la ciudad, no es prudente fiarse del campo.

11 de julio

He dedicado gran parte del día (es decir, de las horas en que no estaba amodorrado por el calor, afanándome en inventar combinaciones refrescantes con más o menos alcohol o sentado a la sombra en el porche escuchando el estruendo metálico de las chicharras) a buscar un título definitivo para mi libro. Sin un título me siento incapaz de comenzar a escribir: es el título el que tira de las páginas sucesivas como la locomotora de los vagones. Para inspirarse o sentirse acompañados, otros ponen sobre su mesa bien visible la foto de la mujer querida; yo necesito poner el título, a la vez origen y meta de mi faena.

Durante meses he venido creyendo que mi libro nonato debía llamarse *Sin miedo ni esperanza*. O sea, una traducción directa de *nec metu nec spe,* el programa estoico para la buena vida (y la muerte, claro). Pero seamos realistas: ¿quién se acuerda hoy de los estoicos? Nadie, y menos de sus ideales. Al lector actual, que es un ave perseguida por demasiados cazadores y ya en grave peligro de extinción, le encanta el miedo: agradece los sobresaltos escritos o filmados, el asesino múltiple o el espectro que sale de la tumba en busca de agradecidas doncellas, las vísceras desparramadas, los alaridos del pánico, la amenaza. Quiere sentirse amenazado, sí, y perseguido y acosado: vivir una agonía en cada página y después cerrar el libro incólume con un escalofrío de satisfacción para irse a tomar su ensalada ecológica y su pan integral. Si no se promete miedo, o, aún peor, si se le asegura que *no* habrá miedo, se va a pastar a otros predios literarios.

¡Y qué decir de la esperanza! La esperanza vende muchísimo. El futuro prometedor, el mañana radiante que canta como un jilguero, la fácil superación de las incapacidades y angustias del presente en catorce lecciones. Cómo conquistar a la hermosa y esquiva vecina, cómo ser feliz en el trabajo, cómo derrotar a la competencia, cómo medrar, cómo dejar de ser imbécil... pasen y lean, todo está al alcance de la mano. El libro es una herramienta, una ganzúa para forzar la puerta blindada del porvenir que contiene todo lo que envidiamos, incluido otro yo menos repulsivo y más convincente. Triunfa el que predica lo que hay que hacer, no el que sobriamente constata que no hay nada que hacer. Quien se declara hostil a la esperanza y se acuerda de Pandora, con el último mal que acecha en la caja fatídica para agravar todos los que ya hay sueltos, ése se convierte en el enemigo público número uno. Y sobre todo, no vende un peine. Declararse sin miedo ni esperanza, así, de entrada, es ahuyentar a la posible clientela.

De modo que hay que buscar un reclamo más astuto, una forma sinuosa de señalar lo que me propongo sin traicionarme ni desanimar al comercio. Mi libro se llamará *Elogio de la eutanasia*. Los elogios son bienvenidos, suenan a puerto en lontananza para guiar al que se marea en la nave de los locos. Y «eutanasia», pese a cierto regusto inevitablemente lúgubre, es palabra prestigiosa porque figura en la lista oficial moderna de derechos a reivindicar contra el oscurantismo opresor. Tiene un matiz heroico pero sin perder su confortable eco anestésico y asistencial. Una combinación genial, irresistible, tras la cual avanzaré poco a poco mis inquietantes mensajes. *Larvatus prodeo*. Que muerdan el anzuelo los perezosos besugos. Tiempo habrá de revelarles que la eutanasia bien entendida empieza por uno mismo... Ahora, con la bandera del título izada, ya sólo me queda ponerme manos a la obra.

12 de julio

La tarea tendrá que esperar, porque no acabo de cogerle el punto. Creo que mi problema es que sé demasiado del asunto en cuestión: como algunos deportistas, estoy dañado por el exceso de entrenamiento. Tanta lectura, tanto darle vueltas a la cabeza... Pensar es útil, claro, pero darle vueltas a la cabeza es contraproducente. Sigo tratando de nadar con el flotador de goma bibliográfico sosteniendo mi barriga para aliviar mi inseguridad, pero debo librarme de él y bracear sin ayuda: mantenerme solo sobre el abismo, sin prótesis, sin citas ni referencias eruditas. ¡Adelante, adelante! Tanto conocimiento me lastra en lugar de ayudarme en la travesía. ¡Fuera salvavidas! Pero, ay, me parece que me hundo, estoy tragando agua... ¡Glub, glub! O sea, que lo dejo otra vez, quiero hacer pie.

De modo que me armo de valor gimnástico y salgo a dar una vuelta por la inasequible naturaleza. El calor se ha aliviado un tanto, a la sombra incluso hace fresquito. Mi desinteresado esfuerzo va a ser recompensado por un aumento de sabiduría. ¡Sí, queda por fin aclarado el misterio del olor a queso! El aprendizaje me ha llegado del siguiente modo.

Siempre me ha costado deambular sin rumbo, de modo que me he propuesto un objetivo a conseguir en mi paseo: ver por fin el mar. Es un poco ridículo llevar varios días en una isla y no haber conseguido verlo todavía. Por tanto, salgo de casa decidido a corregir tan absurda deficiencia. Me guiaré por mi instinto infalible, por mi certero olfato y por una rústica flecha de madera que señala «A la platja». La ruta a través del bosque parece clara, aunque no es cómoda por los impedimentos ya señalados, piedras sueltas dispuestas hábilmente para que tropiece el viandante, agujas de pino deslizantes, etcétera. A despecho de todo, avanzo determinado, incontenible. Me rodea de nuevo, penetrante, agrio, el olor a queso. Pero lo que no logran el pedregullo ni el resto de las incomodidades lo consigue mi vejiga sobrecargada: me aparto del sendero y busco el recato de unos arbustos para miccionar. En ello estoy cuando me sobrecoge una bocanada especialmente intensa de aroma lácteo fermentado, a la par que oigo un discreto crujir de ramas a dos o tres metros sobre mí, en la ladera. ¿Qué será, será? Entre la hojarasca me mira, indiferente y plácido, un rostro con perilla de chivo: es un chivo, precisamente. Tras su breve inspección, se aleja sin prisa monte arriba, como diciéndome que no me teme, pero que tampoco olvida las normas de cortesía prudenciales.

Aclarado: ya sé a quién pertenece el perfume de la dama enlutada y resulta que ni es una dama ni guarda luto. Se trata de una cabra. Mejor dicho, de varias. Las vislumbro entre los árboles trotando cuesta arriba, fragantes y ágiles, la última de ellas seguida por un minúsculo cabritillo negro que se vuelve varias veces para mirarme, como invitándome a acompañarles para jugar. ¿Me gustan a mí las cabras? Francamente, creo que no. Sobre todo así, en directo, espontáneas, crudas. Además, creo que este encuentro tendrá consecuencias. El olfato nos condiciona mucho, incluso sentimentalmente hablando (ahora podría contar de Matilde lo que no puedo contar...), y yo hasta ahora consideraba apetitosa la característica peste del queso de cabra, lo mismo que no deja de azuzarme el gusanillo el relente a urinario de los sabrosos riñones. Pero después de haberlas visto al natural, peludas y barbudas, regando todo a su alrededor de canicas negras, invadiendo el aire con su autoafirmación glandular... bueno, creo que va a costarme mucho disfrutar de una *salade chèvre* en Saint Germain, pese a lo mucho que me han gustado siempre.

Después de estas constataciones, me parece que ya he hecho bastante por hoy y vuelvo a casa rumiando lo visto, es oportuno decirlo (rumiando, cabras, me gustan estos jueguecitos...). Sin embargo, ahora, cuando levanto acta de lo ocurrido, lamento haberme olvidado tan fácilmente del mar. ¿Escribir? Pues no, sigo sin escribir.

14 de julio

Fiesta nacional en Francia. ¡Ah, París! ¡Cuándo volveré a verte, los fuegos artificiales, la locura de la noche festiva, el triunfo de Voltaire, el Pont Neuf, la *salade chèvre*...! No, por favor, mejor nada de quesos. Por cierto, he comentado brevemente con la viuda Montse mi encuentro zoológico. Mientras hacía mi cama, jadeando un poco (tiene un ruidito asmático cuando trabaja, como de fuelle, nada desagradable pero que probablemente se debe a sus eternas prisas), me he dirigido a ella desde el pasillo para matar el rato y entretenerla, como quien pone la radio: «Ayer vi cabras, Montse. Bastantes. Y un cabritillo... ¡más rico!». Sin dejar de airear la sábana, se ha limitado a constatar: «Es que hay muchas. Van y vienen». Animoso, intenté poner el toque de naturalismo humorístico que antaño me hizo apreciado en los círculos sociales: «Pero ¡cómo huelen, eh! Apestan a...». Me estrujé el ingenio pero no estoy en forma y además tampoco ella me inspira, de modo que concluí débilmente: «... a cabra». Se detuvo en su necesaria tarea de ahuecar la almohada y me dirigió una rápida mirada mansa, resignada, como quien los ha visto aún más tontos, pero no pretende juzgar a nadie. Sus ojos son bonitos, verdosos, con alguna chispita dorada... creo.

Luego, ante el ordenador, sequía total. El miedo, la esperanza... De lo primero sé tanto que no me atrevo a escribir nada en contra y para hablar de la otra —en la que no creo—, me falta imaginación hasta para descartarla. Eutanasia... mientras nosotros estamos, ella no ha llegado aún y cuando llegue ya no estaremos. Supongo que este razonamiento impecable, implacable, a Epicuro le dejaba tranquilo y satisfecho. A mí me pone de los nervios. ¡Vaya chorrada! No hay peor chorrada que las chorradas irrefutables.

Y yo ¿qué digo? Quisiera advertir al lector, dar la voz de alarma, pero para eso hace falta un dominio, un sosiego... ¿Cómo dice aquel poema que tanto me gustaba? «Soy capitán de mi alma...». Bueno, pues yo no, ahora lo tengo claro: ni capitán, ni sargento, ni cabo furriel. Todo lo más, soy el reo o, mejor, el cabritillo de mi alma que corre tras ella por el monte arriba y abajo, buscando cobijo y sustento. ¡Como para lanzar advertencias estoy yo! Y además, es 14 de julio, los afrancesados estamos de fiesta, nada, juerga y cohetes, me tomo el día libre.

15 de julio

Jornada horrorosa. De un espanto que no sé aún si ha venido de golpe o si se ha ido acumulando imperceptiblemente hasta revelarse de manera abrumadora. Pero ahora que debo levantar acta de ella, advierto que a fin de cuentas no ha pasado nada. Nada terrible, nada concretamente espeluznante. Me encuentro en la misma dificultad de quienes quieren relatar una pesadilla: por mucho que traten de comunicar las imágenes de su sueño (quizá banales), les será imposible transmitir también la angustia que las acompañaba, que provenía de ellas. Voy a intentarlo, el fracaso está asegurado, iré paso a paso.

Anoche bebí demasiado whisky antes de acostarme. ¿Por qué? La única respuesta que se me ocurre es la que daba a Simone de Beauvoir el viejo Sartre, destrozado por la hipertensión y trastornos cardíacos, cuando ella le reprochaba sus borracheras: «*C'est agréable!*». Sí, es agradable y momentáneamente facilita conciliar el sueño, un rápido y benigno sopor a despecho de los calores nocturnos y las torturas espirituales. Pero dura sólo poco más de tres horas. Entonces me he despertado, palpitante y agobiado: no por la esperanza, claro, sino por el miedo. Desde la cama en la que empapaba las sábanas con mi sudor, la casa me ha parecido demasiado abierta, accesible por todas partes, vulnerable e indefensa. Cualquiera puede entrar, estoy seguro. Cualquiera ha entrado ya, quizá. Escucho pero no oigo nada: sólo el zumbido de la sangre en mis oídos perturbados. Y en vez de tranquilizarme, me da por pensar en la rara soledad que me rodea. ¿Por qué no veo a nadie en el vecindario? ¿Acaso soy el único atrapado en esta urbanización?

Me he vuelto a amodorrar un poco con la llegada de las primeras luces, pero aun así me he levantado tempranísimo. Ni siquiera he desayunado, con lo que me gusta, mi comida predilecta del día. Y no me he duchado. En pantalón corto, sin camiseta, medio desnudo, supongo que lamentable (pero qué más da, si nadie va a verme), me he lanzado al bosque que parecía aún recién lavado y oreado por la mañana. A por el mar, a por el mar...

Recorría el casi inexistente camino a trompicones, aunque con bastante buena velocidad de crucero, cuando me he visto interferido por tres o cuatro cabras. Vale, eran cuatro, pero apestaban como cuarenta. Dos marrones, una negra y otra blanquecina, como leprosa: me han mirado sin curiosidad ni animadversión, pero no han dado muestras de querer apartarse para dejarme pasar. Seguían ramoneando o lo que hagan las cabras cuando están sueltas. Por supuesto, pensé cruzar tranquilamente entre ellas. Después de todo no son leones sino cabras y su cornamenta no era impresionante ni para el más timorato. Que precisamente soy yo. También consideré —mi cabeza es una computadora, voy metiendo datos y procesándolos antes de tomar ninguna resolución— que nada me apetecía menos que tener que afrontar la declaración de hostilidades de una cabra, por desarmada que viniese a mí. De modo que aminoré la marcha, sin detenerme del todo (rendición) ni seguir a paso de carga (desafío). En plena incertidumbre, vaya; mi condición natural últimamente.

Entonces sucedieron dos acontecimientos acústicos. *Primo*, una de las cabras marrones baló sin darse importancia, de la manera más convencional y obvia: beeee... *Secondo*, alguien tosió con energía en los matorrales a la derecha del sendero, a un par de metros de mí. Me sobresalté y volví la cabeza, profiriendo automáticamente un educado «buenos días». Allí estaba el cabrón, y lo digo sin ánimo de ofender. Un corpulento macho cabrío, algo menor que los toros que corren los sanfermines, oscuro y plateado como un todoterreno, dotado de una testuz innegablemente considerable, digna de cualquier ariete, capaz de tumbar la puerta de una fortaleza y no digamos a una personilla como yo. Tenía una perilla mefistofélica y me miraba con ojos amarillentos de fijeza diabólica, por lo que de inmediato recordé que *akelarre* significa en vascuence 'prado del cabrón' y que ésa es la figura preferida por Satán para aparecerse a las brujas que le adoran. Naturalmente no creo en el diablo, aunque su existencia me parece más fácil de probar que la de Dios, pero el caso es que ese bicho artero que me acechaba no resultaba tranquilizador. Hasta ahora estaba seguro de que el demonio era una fábula, pero también ignoraba que las cabras pueden toser y resulta que tosen. Como usted y como yo. Por si me quedaban dudas, el macho cabrío volvió a toser con furiosa carraspera como para aclarar de una vez su garganta y la situación.

Avanzó lentamente hacia mí, sin mostrar sus intenciones. Yo retrocedí sin dejar duda sobre las mías. ¿Por qué? Porque él era él, porque yo era yo, como habría señalado Montaigne. No necesitaba mostrarse agresivo para asustarme, le bastaba con ser lo que era. El resto del rebaño ocupó con mayor determinación el camino, sabiéndose amparado. La cabra negra se tumbó cómodamente en el suelo como Madame Récamier en su *chaise-longue*. ¡Cualquiera pasaba! Es decir, cualquiera menos yo. Asunto resuelto o materia dispuesta, como dicen los mexicanos. Me di media vuelta y regresé a casa, un poco tembloroso. De vez en cuando echaba una mirada por encima del hombro, no fueran a seguirme. Pero ni lo intentaron, tampoco me hacían tanto caso. Durante largo rato me acompañó su indecente olor, como recuerdo y despedida. Y a mí, ¿qué más me da ir o volver? ¿Plantar cara, empezar otra batalla, esta vez contra cabras como un Quijote poco evolucionado? Venga ya, hombre. Si hoy tampoco llego al mar, pues que le den mucho al mar. ¿Qué es el mar? Un sitio donde ahogarse. Pues entonces yo no lo necesito, porque me ahogo en un vaso de agua.

17 de julio

He pasado la mitad de la mañana sentado en el porche, moviéndome sólo lo justo para seguir a la sombra. Montse trajinaba por el apartamento maldito y hasta creo haberla oído canturrear. Yo estoy zombi perdido por fuera, pero por dentro paso episodios frenéticos. De pronto me han entrado ganas de telefonear a Matilde y decirle con tono glorioso que lo estoy pasando de puta madre, que trabajo muchísimo y que me importa un carajo lo que esté haciendo y con quién. Hasta he encendido el móvil y todo, menos mal que sigo sin tener cobertura. Voy cuesta abajo y eso que ya apenas salgo.

Vuelvo a mi mesa de trabajo —no sé por qué la llamo así, la verdad— y al ordenador, imitando a los fantasmas que aun después de fallecidos repiten eternamente los gestos y frecuentan los lugares donde todo tuvo una vez sentido. Sorpresa tiernamente atroz: sobre el tablero inane hay un vaso alto mediado de agua donde languidecen unas florecillas silvestres, cortesía de Montse. Lo que me faltaba. Debo decirle algo, claro. «Gracias por las flores, Montse. Son muy bonitas. Ha sido un detalle muy... bonito». Algo huele a bonito en Dinamarca. Ella me parece que sonríe un momento, sin dejar de barrer. ¿Suspira? Yo qué sé. Sonríe por debajo del leve bigote sudado del labio superior. No es fea, no es fea. Y es amable, pobre mujer.

Pero ahora el triste vaso y sus huéspedes casi mustias se convierten en otra distracción. No logro concentrarme teniendo delante este humilde homenaje, que se me antoja un poco fúnebre. ¿Por qué se ha creído obligada a traerme flores esa señora? ¿Me confunde con su difunto marido, no en sus mejores y supongo que añoradas prestaciones de antaño, sino en su ineficiente estado actual? Acaba de distraerme un ruidito a mi espalda, una especie de ronroneo. Me vuelvo y allí, apoyada en el quicio de la puerta que nadie confundirá jamás con el de una mancebía, está la permanente Montse, secándose incesantemente las manos con un trapo no demasiado limpio. Farfulla cosas que apenas entiendo, de las que sólo capto una referencia a las cabras. ¿Por qué me viene ahora con las dichosas cabras? Creo que dice algo sobre que debo tener cuidado con las cabras. Vaya, ni que yo fuera cabrero. O... o acaso cree que soy yo quien debo cuidarme de ellas. ¿Así que es eso? En tono viril, despreocupadamente masculino, intrépido, comento condescendiente que no serán tan malas como parecen y como huelen.

Cabizbaja, mansa, insiste, dale que te pego al trapo: «Pero... se lo comen todo». Sencillo, tremendo: sencillamente tremendo. ¡Se lo comen todo! Menuda noticia. Son omnívoras, ya lo sé, pero lo ha dicho de un modo... Seguramente no quiere asustarme, inocente mujer (y tampoco es tan fea), aunque lo ha conseguido. Le devuelvo una fingidamente despreocupada risita de conejo, de un conejo que se pretende fuera de la cadena trófica de las cabras. Francamente, este tipo de informaciones zoológicas no se le deben dar de golpe y porrazo a alguien que tiene los nervios en el frágil estado de los míos. Claro que ella lo ha dicho con buena intención. Supongo. En cualquier caso, se acabó el trabajo por hoy... antes de empezar. Ahora sólo me quedan los whiskies y la televisión. A ver si ponen algo de monstruos para relajarme un poco.

19 de julio

La cabra se lo come todo. Hay que darle vueltas al asunto. Porque se trata de un símbolo, desde luego: o por decirlo mejor, de una metáfora. Lo he pensado durante toda la noche y por eso ahora estoy en las últimas: amanece. El macho cabrío como advocación de Satán, el aquelarre, las brujas danzarinas enseñando el culo, las teorías de don Julio Caro Baroja... errores, distracciones. Montse no sabe ni una palabra de antropología, pero conoce la verdad. Escucha, estúpido: las cabras se lo comen *todo*. Y según viene, por su orden. De modo que es mera superstición convertirlas en caricatura de lo demoníaco. No hay diablo con tales tragaderas. Seamos serios, mientras aún somos. ¿Qué es lo que devora todo lo que existe y no deja ni los rabos? ¿Qué hace desaparecer todo bicho viviente, como si jamás hubiera sido? ¡La Muerte, maldita sea, que parecéis tontos! La gran Cabra cósmica es la muerte, que todo se lo traga y todo lo disuelve. La muerte es la gran cabra y morirse la mayor cabronada. De modo que estoy perdiendo el tiempo con tanto estoicismo o epicureísmo, con tanta eutanasia. ¡A la mierda! Lo que tengo que escribir es la *Crítica de la Cabra Pura*, ni más ni menos. ¿El problema? El de siempre: no sé si me atreveré. Y menos aquí, tan... tan cerca.

20 de julio

Saldré, pasearé, claro que sí, haré lo que me dé la gana, no soy un prisionero. Pero adviertan la rara astucia del reo: en vez de ir en la dirección que supuestamente me encamina al mar, marcharé animoso en dirección contraria. Es de una simplicidad genial. ¿Que así nunca veré el

39

mar? Muy bien, pues tan tranquilo. Se lo regalo a las cabras. Haré ejercicio, respiraré el aire puro entre los pinos —sin la peste caprina— y daré la espalda al piélago traicionero, como a fin de cuentas siempre añoró Ulises. Llegaré al lugar feliz en el que nadie sepa lo que es un remo ni una red. Ni una cabra. El secreto de la inmortalidad, o por lo menos su único sucedáneo a mi alcance. Gracias, gracias, agradezco su reconocimiento, pueden dejar de aplaudir.

Iniciaré este nuevo itinerario mañana. Por hoy me basta con la audacia de haberlo concebido.

21 de julio

Fracaso. ¡Qué fácil es fracasar! Yo creo que es lo que distingue a las buenas ideas de las simples ocurrencias: cuanto mejores son, antes fracasan.

Salí temprano, bien desayunado (zumo de naranja y pomelo, tres tostadas con mantequilla inglesa salada y confitura de lima, también inglesa, té Assam Royal traído por mí en bolsas de un cuarto de kilo de Fortnum & Mason), y cuando llegué al cartel indicador del rumbo a la playa, maldita sea, caminé silbando en dirección opuesta. Ahí te quedas, mar, que te den. Todo iba perfectamente: enseguida empecé a sudar como un cochino aunque el calor aún no era asfixiante, pero es que yo soy de mucho sudar, y hasta sentí ganas de ponerme a escribir cuanto antes, por lo que decidí que el paseo en la buena dirección no debía ser demasiado largo. Anduve, anduve, anduve... hermoso e insólito tiempo verbal. Ni una cabra a la vista, ni un olor sospechoso o mefítico llegaba a mis sensibles ventanas nasales. El sendero fatal, eso sí, con pedruscos que me hacían tropezar cada cuatro pasos y lleno de agujas resinosas tan secas como resbaladizas. Cuesta arriba. «Buen ejercicio cardio», pensé satisfecho y agotado.

Única reserva crítica: cierta polución ecológica. Los humanos —sobre todo en estas latitudes poco cívicas— nos señalamos por la producción y abandono indecente de basuras. O de excrementos, que son según la antropología clásica todo lo que está fuera de su lugar. Por ejemplo señero, esa bolsa de plástico negro que rueda entre los árboles. Quién sabe las porquerías que habrá contenido. Y ahí la han tirado, sin consideración ninguna para el medio ambiente y sus usuarios responsables. Muy significativo: no conozco a ninguno de mis vecinos, pero ya padezco sus malos hábitos. Como bien dijo el ínclito Schopenhauer, en nuestro mundo hay que elegir entre la soledad y la ordinariez... aunque a veces la ordinariez te persigue incluso cuando se goza de relativa soledad.

Por lo demás, el camino se empina y hasta creo que el calor aumenta. Dar la espalda al mar tiene estas cosas, aunque vaya usted a saber dónde está el dichoso mar. No corre ni un soplo de aire, ni la más leve brisa. Me paro un momento para secarme el sudor que baja por la frente y me enturbia los ojos. Ya casi no me quedan *kleenex*, me guardo algunos de los usados y húmedos como valiosos instrumentos de precisión. Suspiro de agobio. La bolsa negra de plástico, que a veces parece un felpudo porque le sobresalen desgarrados jirones hirsutos como pelambrera, da tumbos y volteretas tras de mí, llevada por el viento. Pero... ¿qué viento, si no sopla ni una pizca de aire? Esa cosa ahora es una bola oscura que rueda saltando entre las piedras, buscándome. En el bosque no se mueve ni una hoja, sólo *eso* corre y se agita y se acerca. ¡Atrás, vade retro, no me cogerás, no! Echo a correr de regreso a mi guarida, dando saltos como una cabra, a trompicones, con el corazón en la garganta pegando martillazos, esperando a cada instante que algo oscuro y giboso se me venga encima por detrás.

Entro por fin en casa, cierro la puerta, echo el pestillo, me desplomo en el sofá temiendo el infarto o algo peor. He fracasado, no puedo escapar. Estoy rodeado. Y no tengo a quién contárselo...

22 de julio

A la verdadera eutanasia, es decir, al suicidio razonado y justificado, los estoicos la llamaban *mors tempestiva.* O sea, la muerte oportuna. Pero... ¿puede ser oportuna alguna muerte? ¿Hay alternativas? Tema a desarrollar... si yo pudiera desarrollar algún tema.

23 de julio

No pienso ya abandonar el apartamento, en ninguna dirección. Como mucho saldré al porche whisky en ristre y quizá me fumaré un puro para aplacar posibles malos olores. Buenos días, Montse. Pasa, pasa.

24 de julio

El día se me hace largo hasta que llegan las sombras del crepúsculo, más largas todavía. No he hecho nada, no haré nada. ¿Y qué? Viva la eutanasia, la muerte inoportunamente oportuna. Se me va acabando el whisky y los Petit Edmundos, de Montecristo, mis puritos preferidos. El problema de todos los sitiados es la escasez de provisiones.

25 de julio

Aquí fuera el aire ya no está tan limpio como solía. Me parece que empieza a oler a cabra.

26 de julio

Sí, no hay duda: huele a cabra.

27 de julio

Huele *mucho* a cabra. Cada vez más.

28 de julio

No salgo, no escribo, nada de nada. Sólo bebo, fumo... y olfateo.

29 de julio

Mierda. A la mierda todo.

30 de julio

Me despierto acongojado, con tortícolis. Estoy medio sentado, medio tumbado en el sofá, frente al televisor donde la familia Simpson repite sus conocidas gracietas. Junto a mí, en el suelo, la botella de whisky se muestra acusadoramente vacía.

La casa está en penumbra, con todas las contraventanas cerradas como siempre para salvarme del fuego solar. ¿Qué hora será? Me duele la cabeza, tengo la boca agria y árida. Cada rincón de la casa, todo lo que me rodea apesta a cabra: casi me parece poder *oír* el bestial perfume, como el estruendo olfativo de un inmisericorde tam-tam. Quizá lo mejor sea tumbarme un rato en la apaciguada oscuridad del dormitorio...

Pero no, ahí tampoco hay paz. Un leve ruido, un crujido, un suspiro, me detiene en el umbral del cuarto tenebroso. El olor, el horror del queso, me abofetea la cara. Sobre la cama hay un bulto, voluminoso y macizo, más negro que la negrura que lo rodea: dos ojos amarillos me miran desde él con impúdica fijeza. No me atrevo a entrar ni me atrevo a retroceder. Sólo gimo un susurro ahogado: «¿Mo... Montse?». Primero silencio; la respuesta llega luego. Un carraspeo enérgico y definido, una tos triunfal.

MARTES

La primera tarea de la mañana para Xabi Mendia, bien temprano, fue intentar hablar con su madre. No resultaba fácil. Su móvil padecía de una cobertura caprichosa, que aparecía y desaparecía como el rostro burlón de la fortuna. Decidió llamar con el teléfono fijo de su cuarto y la cosa fue algo mejor. Después de varios intentos fallidos, logró escuchar en la cavernosa lejanía el contestador de su casa, primero en euskera y luego en castellano.

—*¡Ama, ama!* ¿Me oyes? Date prisa, que esto cuesta muy caro...

A través del abismo de cielos y mares, la voz de doña Arantza Larramendi, viuda de Mendia, le llegó entrecortada y crepitante como el chirrido de un grillo.

—¡Xabi, *maitia!* ¿Eres tú? Te oigo fatal... ¿Cómo estás?

—¡Bien, *ama*, muy bien! Por ahora todo marcha estupendamente... ¿me oyes?

—Pero dicen... —Crujidos, chisporroteo—. Lo del volcán... ¿Entonces...?

Como siempre, Xabi se admiró de lo bien informada que estaba su madre cuando algo le interesaba, aunque parecía que sólo prestaba atención al fútbol y a las series policíacas.

—Nada, *ama*, no te preocupes, lo del volcán se arregla hoy o mañana... ¡Hoy o mañana! Que sí, que tendré mucho cuidado... *Agur, musu bat!*

Cuando colgó, Xabi Mendia sintió el tonificante alivio de saber que los cuarteles de invierno seguían bien guardados y la retirada cubierta. Las aventuras exóticas eran deliciosas, pero sólo se sentía capaz de emprenderlas pisando de vez en cuando tierra familiar, allá a lo lejos. Al gigante Anteo le pasaba lo mismo, como aprendió a su costa el bravucón Hércules.

A Xabi le gustaba desayunar temprano: primero porque era uno de los momentos más invariablemente gratos del día y segundo porque así no interfería con el almuerzo, que era otro de esos momentos hedónicos. Hay que espaciar los placeres para no tener que privarse de ninguno. En el comedor, la esplendidez del bufé que se le ofrecía mejoró el ya muy positivo humor de Xabi. Huevos duros y revueltos, desde luego, un tocino bien frito y realmente *crispy* (en los hoteles españoles siempre era una oblea blanduzca y chorreando aceite), carne mechada con frijoles, algo parecido a unos chilaquiles pintorescos, arenques, cruasanes pequeños, varios quesos y cremas de yogur, fruta abundante, jugos de cinco clases, etcétera. También había dos o tres especialidades lugareñas que no fue capaz de identificar. Con el plato en la mano, Xabi lanzó un suspiro de gratitud. De todas las perplejidades de la vida, su preferida era sin duda *l'embarras de choix*.

—¿Puedo ayudarle, señor?

La oferta venía de un camarero de mediana edad, muy canoso y de ojos vivaces tras unas gafas de fina montura metálica. Xabi le consultó la identidad de algunos de los guisos locales que desconocía, para inmediatamente servirse en abundancia de todo, conocido y por descubrir. El digno servidor le contempló hacer con aprobación y comentó: «Supongo que en el Cielo podremos desayunar eternamente especialidades de todas partes».

—Quiero compartir ese credo —suscribió Mendia—. ¿Cuál es su nombre, amigo?

—Miguel, señor, para servirle.

—Nombre de arcángel fiel, pues, no podía ser menos.

Mientras daba cuenta con su habitual euskoapetito de lo recolectado y planeaba una segunda incursión complementaria, Xabi Mendia hizo una somera inspección de los comensales de las otras mesas. Localizó a un crítico cinematográfico al que se había encontrado varias veces en el Festival de Cine de San Sebastián, una pintora de renombre, otras dos o tres caras que le sonaban vagamente y el novelista Futurano al que ya había padecido la noche de su llegada. Sentía curiosidad por identificar en la reconstituyente serenidad matutina a la pareja del cuarto de al lado, que tanto trajinaron horas antes. No se decidió entre las candidaturas más verosímiles que se le presentaban en las mesas vecinas. El juego de búsqueda se prolongó en una variante que a Xabi solía entretenerle en aeropuertos, estaciones, salas de conferencias y otras ocasiones de reunión pública: averiguar mentalmente cuáles de los presentes de mayor edad o aspecto menos agraciado (incluyendo clérigos, ministros, directores de museo, etcétera) mantenían aún actividad sexual consuetudinaria. Prefería ser generoso y conceder a casi todo el mundo posibilidades, porque eso prolongaba también sus expectativas futuras. ¡Cuánto le gustaría poder comparar sus deducciones con datos fiables!

Cruzó el vestíbulo del hotel, en el que continuaba el cartelón de bienvenida a los participantes del Festín cultural mientras otro anunciaba que era la Jornada Internacional del Cordero. Notó bastante presencia policial tanto en el interior como en el exterior de la puerta principal. ¿Señal quizá de que el aeropuerto volvía a estar abierto y la presidenta a punto de llegar? Para subir al primer piso y llegar al salón donde iba a tener lugar la sesión, Xabi optó por la escalera: le vendría bien un poco de ejercicio para bajar el desayuno. Esta opción atlética y virtuosa tuvo inesperada recompensa. En el último tramo de peldaños, su mulata predilecta se había parado a charlar con otras dos azafatas: tenía la pierna derecha dos escalones por debajo de la izquierda, que se enroscaba oblicuamente ante ella como si quisiera ponerse la zancadilla, mientras volcaba el cuerpo sobre el pasamanos. El conjunto era un escorzo barroco y hechicero, sobre todo desde la perspectiva ascendente de Mendia, que se detuvo para prolongar el recreo fingiendo atarse los cordones de un zapato (tarea difícil, pues calzaba mocasines). Cuando le pareció evidente que ya no podía seguir agachado a mitad de la escalera sin incurrir en indecencia, Xabi continuó subiendo y al pasar junto a las muchachas las saludó con un fiero y alegre «¡buenos días, señoritas!», correspondido por un risueño coro de gorjeos profesionales.

A la puerta del Salón Imperial se había formado un pequeño atasco de asistentes. Dos policías de paisano, pero con su placa bien visible sobre la ropa primaveral, comprobaban las acreditaciones antes de dejarlos pasar. El que llevaba la voz cantante era un tipo de mueca obsequiosa y traicionera, parapetado tras unas gafas oscuras. Tras él, con las manos a la espalda y las piernas abiertas, se asentaba con solidez de monolito una mujer enorme, con la abundante cabellera de un rubio rojizo recogida en un grueso moño: a modo de parapeto lucía una expresión tan pétrea que incluso el enamoradizo Xabi Mendia se sintió íntimamente puesto en fuga. Ya no quedaban muchos asientos vacantes cuando entró y tuvo que contentarse con un puesto en las últimas filas. En las primeras divisó la nívea cabellera de Nicolás Nirbano, que volvió la cabeza como buscándole y le hizo desde lejos un gesto de saludo con la mano.

Por fin el animoso secretario Fulgencio se decidió a ocupar su puesto en el estrado. Reclamó silencio en la sala, pero lo que obtuvo de inmediato fueron preguntas.

—¿Está abierto el aeropuerto? ¿Se ha reanudado el tráfico aéreo?

—¿Ha podido llegar la señora presidenta? —añadió una voz cortesana.

El secretario hizo gestos de apaciguamiento como si palmeara con ambas manos el lomo de un gran animal.

—Ante todo, buenos días, señoras y señores, queridos invitados. Espero que hayan pasado buena noche y que la atención que reciben en el hotel sea de su agrado. Todos estamos a su disposición, desde luego y para lo que sea. Les reitero la bienvenida, en especial a los que no pude saludar anoche. Veo que ya se ha unido a nosotros el flamante Premio Nobel, señor... —eructó con énfasis unas sílabas gargajeantes, mientras señalaba en la primera fila una espalda estrecha y encorvada para la que solicitó un aplauso (palmoteó un momento, sin demasiado eco en la sala)—. Bien, ha amanecido un día excelente, como pueden ustedes ver, pero desdichadamente nuestro pequeño problema con las cenizas volcánicas persiste. Aún no se ha considerado prudente reanudar los vuelos de llegada y salida de nuestro aeropuerto. Todos esperamos que este bloqueo preventivo sólo dure ya pocas horas más. Comprendo su impaciencia y conozco también la de doña Luz Isabel por no poderse reunir todavía con ustedes... Pero ¡qué le vamos a hacer! Ya saben que la naturaleza no tiene libro de reclamaciones a disposición de sus forzosos usuarios, je, je. De modo que vamos a comenzar sin más tardanza nuestras actividades, esperando que el cielo se despeje pronto. Para empezar, este servidor les explicará brevemente el sentido de nuestro encuentro, en indigna sustitución de la señora presidenta, que aún no puede acompañarnos.

—Un momento... —una señora de mediana edad y aspecto severo se puso en pie con decisión—. Todos hemos visto que hoy se han tomado especiales medidas de seguridad. Me pregunto, y no creo ser la única, si eso quiere decir que existe el temor de un posible atentado terrorista.

—Mi querida señora... por favor... ¡claro que no...! Medidas rutinarias... Quizá nos pasamos de precavidos. Por fortuna, hay alguien en la sala que podrá tranquilizarla con más autoridad que yo. Capitán, por favor...

Hizo un gesto hacia su derecha y en el lateral se levantó un hombre uniformado. Era un cincuentón alto y apuesto, de sienes plateadas y aire cinematográfico.

—Buenos días. Soy el capitán Horacio Dos Ríos, jefe de la policía de Santa Clara. La señora presidenta me ha encargado personalmente que garantice su seguridad, sin interferir en la marcha de sus trabajos. Es lo que voy a intentar hacer y perdonen las molestias que pueda causarles el celo que pongo en la tarea. Mi opinión personal es que no corren ustedes ningún peligro digno de mención: están en un lugar tan razonablemente seguro como cualquier otro de este revuelto mundo. Nuestros terroristas pertenecen hoy más al ámbito del folclore que al de las amenazas dignas de ser tomadas en cuenta. Pero mi obligación es tratar la situación como si estuvieran ustedes rodeados de gravísimos peligros, de modo que les ruego que valoren mis esfuerzos con benevolencia. E incluso con una sonrisa...

Y a su vez sonrió deslumbrantemente a la concurrencia, ganándose el palpitante aplauso de algunas señoras maduras. El secretario, muy satisfecho, continuó su homilía.

—El Festín de la Cultura es una iniciativa de nuestra presidenta, la señora Luz Isabel Artigas. Como quizá sepan ya ustedes, hasta la fecha, Santa Clara ha sido conocida sobre todo por el arte culinario de nuestros cocineros, que pertenecen a la exquisita élite mundial de la gastronomía. Pero no nos conformamos sólo con eso, pese a ser mucho. Ustedes han sido invitados como personalidades internacionales destacadas en todos los campos del arte y del saber para convertir nuestra isla, aunque sea sólo por unos días, en la auténtica capital cultural del planeta. Porque nuestra isla es pequeña pero orgullosa y se mantiene libre e independiente frente a todas las grandes potencias, dando un ejemplo...

El funcionario Fulgencio se enredó extensamente en un panegírico patriótico que a Xabi Mendia se le hizo interminable. Como cualquier vasco ilustrado, tenía una saludable prevención contra las manifestaciones nacionalistas, que en su tierra solían ser la expresión del odio que curas con trabuco y cantautores aldeanos sentían contra el Estado democrático, lleno de impíos y desarraigados ciudadanos. Pero cuando viajaba nunca perdía la ilusión romántica de encontrar alguna forma de nacionalismo más estimable en otro lugar, lo que hasta la fecha nunca había ocurrido. Al contrario, incluso algunos aparentemente menos truculentos que el vasco, escarbando un poco, se revelaban aún más indeseables. Tampoco en Santa Clara la primera impresión era mucho mejor.

—Para comenzar nuestro Festín —trompeteó el secretario— nada mejor que recurrir a algunos de nuestros artistas locales más cotizados. ¡Maestros, a la palestra! —Media docena de cocineros vestidos con el hábito de su oficio y hasta con gorro alto subieron al estrado, varios de ellos con la misma gracia que caracteriza a los elefantes amaestrados. Tras estrecharles la mano y palmearles el lomo, Fulgencio prosiguió—: A continuación, el reputado especialista gastronómico, el doctor Salsilla, presentará a cada uno de estos genios del paladar y dialogará animadamente con ellos. ¡Pido un fuerte aplauso!

El doctor Salsilla tenía el aspecto de falso sabio y auténtico vivales que caracteriza a cualquier gastrónomo que se precie. La gente aplaudió con obediencia debida y Nicolás Nirbano se levantó discretamente y por uno de los laterales se encaminó hacia la puerta. Allí se reunió con él Xabi Mendia y ambos huyeron sin alharaca.

—Estoy más que harto —murmuró el anciano.

—Pues imagínese yo, que vengo del País Vasco... —repuso suspirando Mendia.

—Si la charla principal fuese sobre la náusea, me hubiera quedado.

—Hombre, don Nicolás, tampoco se pase. Basta con no comer tanto.

—A mí lo que me da ganas de vomitar no es el exceso de comida, sino el exceso de cocineros.

—Pues abundan quienes los consideran artistas no muy inferiores a Picasso o Mondrian —ironizó Xabi.

—La alta gastronomía es el arte actual perfecto para las entendederas de los esnobs —sentenció don Nicolás—, porque su disfrute implica derroche y cursilería, pero no exige pensamiento. —Luego, sonriendo, cogió al joven por el brazo—. Pero eso no quiere decir que yo aconseje pasar hambre, Mendia. Aquí en Santa Clara se puede comer estupendamente... a pesar de los artistas. Si le apetece, vamos dando un paseo a un sitio donde almorzaremos muy bien, ya lo verá. Creo que seré capaz de encontrarlo, aunque hace cuatro o cinco años que no vengo por la isla.

—Vaya, don Nicolás, de modo que ya había usted estado en Santa Clara...

—Hombre, a mi edad casi siempre se está de vuelta en todas partes. Todo es regreso... y en la mayoría de los casos despedida.

—Pues vamos a dar ese paseo. Le acompañaré con mucho gusto.

El día estaba tibio todavía, aunque poco a poco el sol iba adquiriendo confianza y tomando fuerza. Al salir del hotel, un enérgico tirón propinado por el viejo salvó a Xabi de ser atropellado por dos bicicletas que pasaron raudas por la acera.

—Tenga cuidado, Mendia. Aquí las bicis campan por sus respetos, como ordena nuestra ecológica modernidad.

A las autoridades no les entra en la cabeza que todo lo que tiene ruedas es enemigo de lo que tiene piernas, sea cual fuere el número de unas y de otras.

—Bueno, supongo que es mejor ser atropellado por una bicicleta que por un camión...

—Mejor puede que sí, aunque si te arrolla la bicicleta la culpa siempre te la echarán a ti. La moda nunca es culpable.

Descendieron sin prisas hacia el puerto. Nirbano marchaba con un paso bastante vivo, aunque se le notaba en las piernas la rigidez leñosa del artrítico. Al cabo de una media hora llegaron al pequeño muelle, donde oscilaban suavemente pensativas embarcaciones de recreo y algún pesquero. Un par de yates imponentes trataban en vano de humillar a la concurrencia. Como siempre que pisaba un puerto, Xabi sintió en el calor del pecho el grato cosquilleo de emociones infantiles. Su San Sebastián, el pequeño puerto recoleto, las pescadoras charlando animadamente mientras reparaban las redes y aquellos niños del pasado remoto que nadaban entre los barcos y pedían a gritos a los mirones que les arrojaran una moneda para rescatarla buceando. Como bucea la memoria en el insondable pasado.

El restaurante elegido por Nirbano era pequeño y de aire inequívocamente marinero. Tenía unas cuantas mesas fuera, debajo de un toldo y, como el tiempo invitaba a ello, allí se instalaron. Para completar las similitudes con el puerto donostiarra, los atendió una camarera muy garrida, de mofletes rojos y delantal blanco. Si eran mujeres las que atendían en la mesa, Xabi Mendia comía más a gusto.

—¿Se deja usted guiar por mí? —inquirió Nirbano.

—¡En todo y siempre, don Nicolás! —repuso fervoroso el joven vasco, haciendo sonreír al otro.

—No se lo aconsejo, menudo peligro para ambos... Pero en este caso puede fiarse de mi criterio. Señorita, vamos a tomar una cazuela de mar. Y beberemos el vino blanco de la casa. La cazuela —explicó cuando la moza se alejó para cumplir el encargo— es la bullabesa local, algo parecido a aquel «caldillo de congrio» que Pablo Neruda celebró en una de sus odas menos elementales. Ya me dirá qué le parece.

—¡Cuidado, don Nicolás, que soy de puerto de mar y en cuestión de pescado me vuelvo exigente! —bromeó Xabi.

Primero llegó el vino y un aperitivo de aceitunas y embutidos más que razonable. Xabi siempre había pensado que el verdadero artista culinario fue quien inventó la aceituna rellena de anchoa. Al rato trajeron una panzuda sopera que al ser destapada difundió un aroma a la vez espeso y sutil, irresistible. Comieron ambos con buen apetito, el viejo parsimoniosa y moderadamente, pero el joven con auténtica gula. Y es que lo que no tienta al vicio carece de interés.

Durante el yantar, Nirbano ilustró a su atento oyente sobre la personalidad carismática y dominante de la actual presidenta de Santa Clara. Era viuda de un destacado senador asesinado diez años atrás por terroristas, y fue precisamente ese crimen lo que motivó su entrada en política. Su discurso populista arrasó y la llevó a la presidencia del país, puesto que ocupaba desde hacía seis meses. Ahora su principal objetivo era la promoción internacional de Santa Clara y de ahí, entre otras iniciativas, la convocatoria del Festín de la Cultura.

—Pero, a fin de cuentas, se trata de un gobierno conservador, ¿no? —preguntó Xabi Mendia.

—Claro, como todo gobierno. —Nirbano se detuvo, aparentemente asaltado por una terrible sospecha—. Perdone, Mendia, dígame... ¿qué edad tiene usted?

—Veintiocho años, don Nicolás.

—Hace usted muy bien. Pues, como le iba diciendo, todos los gobiernos son conservadores. Para eso están, para conservar... Los ciudadanos, digan lo que digan, no les consentirían otra cosa. Todo el mundo, consciente o inconscientemente, teme la entropía social. Los más revoltosos aspiran solamente a que cambien de manos las cosas dignas de ser conservadas.

Xabi Mendia se puso levemente sarcástico.

—Déjeme adivinar: ¿son lecciones aprendidas también de Ambrose Bierce?

—¡No exactamente! —contestó risueño Nirbano—. Bierce era bastante más negativo que yo. Decía que los políticos son anguilas que se mueven por el lodo de la sociedad establecida. Según él, los hay de dos clases: los conservadores enamorados de los males presentes y los revolucionarios que quieren cambiarlos por otros nuevos.

—¡Caramba! Pase como diatriba, pero como análisis...

—En efecto, en efecto. Yo pienso más bien, como dijo un historiador inglés del siglo pasado, que casi todos somos de derechas en los asuntos de los que tenemos mejor información y más experiencia; en cambio, en aquello de lo que entendemos poco y sólo conocemos de oídas solemos lanzarnos a planteamientos radicales y apostamos por lo más revolucionario.

—Pues yo quisiera cambiar muchas de las cosas que conozco bien en nuestra sociedad —insistió Mendia, algo mosqueado.

—Y tiene razón, seguramente. Antes de hacerse conservador, hay que luchar por conseguir cosas que merezcan ser conservadas, como le dije.

Así, más o menos reconciliados políticamente, regresaron del brazo al hotel. Aunque la abundante comida y el vino casi exigían la siesta, no pudieron disfrutar más que de un reposo somero porque la conferencia de la tarde empezaba a las cuatro. Trataba de la novela policíaca en su vertiente de crítica social; la impartía Daniel Giardino, un joven autor que estaba obteniendo un éxito notable con obras del género muy violentas que tenían como telón de fondo la corrupción política, las maquinaciones mafiosas y el despiadado espionaje industrial. Para indicar que su tono era *hard-boiled*, el conferenciante no había condescendido a afeitarse y tampoco se permitía improvisar. Leyó con voz sombría (efecto buscado), pero bastante monótona (daño colateral), un repaso de más de treinta folios en los que discurrió desde el Sam Spade de Hammett hasta las frígidas y voluminosas tramas de Mankell y Larsson. El recorrido, algo moroso, causó bajas en la audiencia, pero los supervivientes aplaudieron con indudable encomio.

Después llegaron las preguntas. Hubo un par de inquisiciones de detalle y el reputado crítico literario León Bautista Minoliva hizo saber de forma inapelable que la trilogía de Larsson le parecía «impermanente». A continuación se puso en pie una señora más bien gruesa, de pelo entrecano y dicción muy precisa. A su juicio, quizá anticuado, el conferenciante sólo se había referido a la novela negra, pero no al género realmente detectivesco, basado en el ingenio y no en la sociología.

—Ya sé que muchos consideran frívolas las novelas de Agatha Christie, Dorothy L. Sayers o Freeman Wills Crofts —dijo— porque los estreñidos y los pedantes llaman frívolo a todo lo que no es negociable en el mercado de la respetabilidad edificante. Pero para mí ése es el auténtico relato de misterio. En la novela negra no hay verdadera incógnita, porque el criminal resulta ser siempre el capitalismo. Con el añadido escandinavo de que suele estar además encarnado por un maltratador de mujeres... Para no mencionar la plaga actual de los asesinos en serie y las conspiraciones de sectas diabólicas que quieren dominar el mundo. Ya Chesterton señaló que la gran novela de detectives trata de cosas triviales, mientras que la novela de detectives menor y más tonta trata siempre de grandes asuntos. En las mejores piezas del género, una joven de apariencia inocente envenena a su abuela para birlarle las pastas del té y es descubierta por una caja de cerillas olvidada bajo la alfombra. En las que triunfan ahora, se liquida siempre a una docena de personas por culpa de una multinacional o de una orden satánica que pretende el poder universal. Ya no se atiende a los detalles de la investigación, sino al impacto cósmico y masivo de males impersonales.

Con sonrisa cáustica, Giardino objetó:

—Pero, señora mía, no querrá usted que volvamos a los crucigramas de la novela-problema de puro capricho. Todos disfrutamos en la adolescencia con los artificios de John Dickson Carr, pero el tiempo no ha pasado en balde. Hoy nadie es tan pueril como para escribir el crimen del cuarto cerrado y dedicar doscientas páginas a su esclarecimiento.

—¿Cómo que nadie? —protestó la dama—. Quizá usted no conozca los relatos del alsaciano Paul Halter.

El conferenciante se encogió de hombros, no muy preocupado por su ignorancia. Xabi Mendia apuntó en su moleskine ese nombre que tampoco conocía.

—Si mi experiencia puede servir de algo...

Las cabezas se volvieron para atender al capitán Dos Ríos, que acababa de levantar la mano. Varias señoras, entre ellas la defensora de la novela tradicional, le dedicaron automáticas y beatas sonrisas.

—Me gustan mucho las novelas policíacas, aunque no las confundo con nuestro trabajo en la vida real —continuó el jefe de policía, erguido y cordial—. Sin embargo, al menos una vez he tenido que enfrentarme con el reto del asesinato en una habitación cerrada.

—Y lo resolvió usted, claro —concluyó Giardino, con un punto ácido en su tono.

—Pues sí, en efecto. Aunque conté con la ayuda de mi excelente equipo de colaboradores. Si no robo demasiado tiempo a otros intervinientes, puedo contárselo a ustedes a modo de ejemplo verídico. Ya saben, a veces la realidad supera a la imaginación, etcétera.

Asintieron unos —sobre todo *unas*— con entusiasmo y los demás con resignación, de modo que hubo consenso en escuchar la historia. Con su voz rica en graves aterciopelados, muy viril, el capitán se puso a narrar.

CERRADO POR DEFUNCIÓN

Aunque estaba rodeado de huesos, el perro parecía más bien deprimido, quizá melancólico. Los huesos no lo son todo y además hay huesos y huesos. El perro era un collie escocés, lanudo y de cabeza afilada, casi reptiliana. Tumbado, fingía dormitar con el morro abatido entre las patas delanteras, pero de vez en cuando alzaba un poco la cabeza y miraba con desolación a su alrededor. Los huesos eran enormes, algunos auténticos fósiles y otros réplicas en escayola sujetos con clavos y abrazaderas metálicas para completar el desmesurado esqueleto de un apatosaurio que ocupaba por completo la vasta sala, el cráneo rozando el techo y la punta articulada de la cola saliendo casi por la puerta del fondo. Una catedral de cartílagos petrificados. Desde el punto de vista de la gastronomía canina, no debían resultar precisamente apetitosos: la ración era demasiado copiosa y coriácea. Quizá el perro se mostraba abrumado por esa perspectiva... entre otras cosas.

—¡Greg! ¡Tranquilo, échate! —ordenó innecesariamente el bedel que nos acompañaba. El perro ya estaba echado y todo lo tranquilo que pudiera exigirse sin tiranía. Pero los chuchos suelen despertar al sargento instructor que todos llevamos dentro: el placer de dar órdenes es anterior y más horriblemente humano que el lenguaje mismo, por eso los animales comprenden, se resignan y obedecen. Y soportan verse encerrados en nuestros domicilios: tener a un perro de mediano tamaño en un apartamento urbano es tan razonable como andar por el pasillo en bicicleta. En fin, el bedel, ordenanza, guardián o lo que exactamente fuese mostraba claros síntomas de necesitar probar ante quien fuese su ínfima pero irrenunciable autoridad.

—Esperen aquí, hagan el favor —nos dijo mientras se encaminaba hacia la gran puerta que remataba la sala y llamaba con oficiosa discreción.

Corborán estaba evidentemente muy interesado por cuanto nos rodeaba, fósiles, diseños de eras geológicas, vitrinas con pequeños detritus bien rotulados de vaya usted a saber qué desguace. Si no le conociera tanto habría podido creer que su afición secreta era la paleontología. Pero ya sé que es como los niños aplicados, capaz de mostrar curiosidad por todo y entretenerse educadamente con cualquier cosa. Si estuviésemos en una exposición de armas medievales o de móviles de última generación su comportamiento sería exactamente el mismo.

—Pueden ustedes pasar, el señor Morales los está esperando —anunció con severidad el ujier, con un tono que recomendaba no olvidar el privilegio quizá inmerecido del que íbamos a disfrutar.

Pasamos a un despacho de buen tamaño pero empequeñecido por la acumulación agobiante de libros, carpetas, legajos y todo tipo de soportes antiguos y modernos de la letra impresa. Llenaban las estanterías, formaban pilas sobre los muebles, se desmoronaban en torres inseguras por el suelo y por cada rincón de la pieza. Don Lupercio Morales salió a nuestro encuentro con enérgica cordialidad. Era de estatura más bien reducida pero ancho de hombros y sobre ellos una gran cabeza de frente abombada y ampliada por la escasez de cabello. Hice las presentaciones mientras le estrechaba la mano firme y potente.

—Soy el capitán Dos Ríos, señor Morales, y éste es el sargento Corborán, mi asistente.

—Por favor, caballeros, tomen asiento... donde puedan. Claro, retiren esos papeles y perdonen este desorden.

Visto así, de cerca, un poco azorado y sin prosopopeya, con su jersey de punto mal abotonado y su pantalón de pana, no impresionaba más que cualquier profesor auxiliar de universidad a punto de jubilarse. Costaba recordar que era uno de los hombres más ricos del país (o mejor, de varios países), un financiero emprendedor y eficaz que había dedicado su fortuna no al prestigio suntuario de la alta sociedad, sino a una afición convertida casi en monomanía: la paleontología. Vivía dentro de su museo privado, sin duda la mejor colección particular de fósiles del mundo, financiaba excavaciones y seminarios en todos los continentes y aspiraba a que su fundación paleontológica fuese el legado que dejaría a la humanidad, o por lo menos a esa parte de la humanidad que compartía su misma curiosidad por los seres de eras remotas. Un capricho, si quieren ustedes, pero no de los peores cuando se lo compara con otros que suelen padecer los millonarios.

Aunque no me había encontrado con el prócer Morales anteriormente, sabía bastante de él. Pero ignoraba lo que me atañía más directamente: por qué razón deseaba reunirse urgentemente con el jefe de policía de Santa Clara. Lo cierto, para ser exactos, es que sólo había requerido la presencia de un inspector, pero tratándose de una personalidad tan ilustre —fuera de los cocineros, tampoco tenemos tantas—, me pareció lo correcto presentarme yo mismo para atender su demanda.

Tomamos asiento donde pudimos, a base de retirar papeles y libros que trepaban por las butacas como maleza en la jungla. Nuestro anfitrión se atrincheró tras su escritorio, después de apartar hacia un lado el atril que sostenía un imponente atlas y hacia el opuesto el ordenador portátil con el que debía estar trabajando cuando llegamos: así podíamos vernos mejor.

—Caballeros, perdonen si me he tomado la libertad de molestarlos. Comprendo que lo usual hubiera sido presentar una denuncia en cualquier comisaría, pero en este caso he preferido aprovechar los privilegios de mi nombre y mi posición. Ya sé que no resulta muy democrático y sin embargo... Verán ustedes, he recibido una amenaza de muerte, un ultimátum, diría yo. Y tengo razones para considerarla muy seriamente.

Me tendió una cuartilla de papel doblada que desplegué procurando manosearla lo menos posible, una precaución probablemente inútil a esas alturas. De haber existido allí alguna vez las huellas del autor desconocido, descuido poco verosímil, ya estarían demasiado embrolladas por las de Morales y quién sabe cuántos más como para sernos de utilidad. En la hoja había un par de líneas irregulares compuestas con letras recortadas de periódico, el procedimiento habitual de tantos anónimos. Decían: «A las siete de la tarde irás a reunirte con tus diplodocus y trilobites, viejo fósil. Fin de la era Morales. Cronos». Sin comentarios se la pasé a Corborán, que la tomó en sus manazas sin ningún miramiento. No le faltó más que sonarse con el pedazo de papel.

—Señor Morales, no hace falta decirle que este tipo de anónimos son demasiado frecuentes, sobre todo dirigidos a personalidades públicas como usted. Suelen ser obra de desequilibrados y revisten poca importancia. ¿Qué motivo tiene usted para conceder crédito a... a esta paparrucha?

—Pues uno de bastante peso. Ya he sufrido dos intentos de asesinato en el último mes y medio.

Parecía un poco avergonzado de tener que contárnoslo. Mientras hablaba, no dejaba de juguetear con una pieza en forma de media luna de color oscuro, rematada por una aguzada punta que devolvía un sonido grave al golpear contra la mesa.

—Me sorprende usted, don Lupercio —comenté—. No recuerdo haber abierto ninguna investigación sobre tales atentados.

—Mire, la verdad es que no los he denunciado. De hecho, cuando ocurrieron me incliné a considerarlos accidentes. El primero fue en mi casa, por la mañana, hace poco más de un mes. Tengo la costumbre de levantarme muy temprano y yo mismo me preparo el desayuno. Cuando encendí la tostadora, recibí una descarga eléctrica, debía de tener algún cable suelto o algo así. Normalmente yo habría tenido que estar sobre la alfombrilla de la cocina descalzo, como es mi mala costumbre. Pero aquel día me había puesto ya los zapatos porque me iba inmediatamente al aeropuerto. Menos mal: la alfombrilla estaba bastante mojada, seguramente se había derramado en ella algún líquido al preparar la cena la noche anterior. Aunque no dejaba de ser raro, después de tantas horas, que siguiese tan húmeda... En fin, lo tomé como un accidente doméstico, un sobresalto y nada más.

—Muy bien podría ser.

—El segundo incidente ocurrió unos veinte días después. Yo había planeado ir a visitar el yacimiento de Laguna Hundida, donde estamos realizando unas excavaciones muy interesantes. Con decirles que hemos encontrado ya el cráneo completo y abundantes restos más de un hadrosaurio... En fin, quería ver cómo van los trabajos y de paso enseñarle el yacimiento a mi mujer, que no lo conoce. Finalmente ella no pudo venir, una jaqueca, cosas de mujeres. De modo que fui solo, conduciendo yo mismo el coche, como me gusta hacer. No sé si recuerdan ustedes la carretera a Laguna Hundida, en muchos tramos una simple vereda de tierra sin asfaltar que bordea sinuosamente el acantilado. Es peligrosa de por sí y no digamos con los frenos en mal estado, como demasiado tarde descubrí que los llevaba yo. Les fallaba el líquido o algo de eso, no tengo ni idea de mecánica. El caso es que pasé un rato muy malo hasta que choqué contra unos arbustos que afortunadamente me detuvieron al borde del precipicio. Lo raro es que mi chófer, una persona seria y de toda mi confianza, me juró y perjuró que había revisado el vehículo el día anterior. Bueno, no sé, las máquinas gastan a veces malas pasadas, ¿no?

—Sí, a veces...

—De modo que tampoco le di mayor importancia. Siempre procuro evitar los rasgos paranoicos a los que estamos tan expuestas las personas adineradas. Pero confieso que no me quedé tranquilo del todo, sumé dos y dos y empecé a darle vueltas a la cabeza. Y cuando esta mañana en el primer correo me ha llegado este anónimo, lo he visto todo desde otra perspectiva. Sinceramente, creo que alguien va a por mí y con muy malas intenciones.

—Comprendo. Y perdone esta pregunta obvia, que usted se habrá hecho también: ¿sospecha de algún «alguien» concreto?

—En absoluto. La verdad es que tengo muchos conocidos pero pocos amigos. Y supongo que habrá gente que, con razón o sin ella, me tenga poca simpatía. Sin embargo, no me conozco enemigos... al menos, nadie capaz de odiarme hasta el crimen.

Tras los gruesos cristales de sus gafas de erudito, su mirada era preocupada pero cándida, con un punto desconsolado. La palabra «crimen» debía de parecerle en exceso truculenta, pero no le resultaba fácil encontrar otra mejor. Entonces Corborán se aclaró la garganta con un discreto carraspeo. La experiencia me había enseñado a temer esos preliminares.

—Resulta un poco raro ese cambio de actitud, ¿no?

—Francamente —protestó nuestro anfitrión—, creo que responde a este nuevo dato que...

—¡No, señor Morales, por favor, si no me refiero a usted! Pensaba en la conducta de su... posible agresor.

—Explíquese, sargento —le conminé.

—Pues verán, quizá me confundo, claro, y me excuso de antemano. Pero su enemigo conjetural parece un tipo raro. Primero prepara dos atentados disimulados para que parezcan simples accidentes. Se lo parecieron a usted razonablemente, cuando fallaron, y lo más probable es que todo el mundo los hubiera tomado por tales si hubiesen tenido éxito. Sin embargo, ahora cambia radicalmente de estrategia y le manda una inequívoca amenaza de muerte, incluso con fecha y hora de la ejecución. Por lo visto se ha cansado de andarse con rodeos, vaya usted a saber por qué.

—Bueno, si se trata de un trastornado todo es posible —aclaré yo—. Aunque quizá los dos sucesos anteriores fueran realmente accidentes y este anónimo no tenga nada que ver con ellos.

—Comprendo el punto de vista del sargento y también su reticencia, capitán. —Morales volvió a golpear la mesa con su medialuna metálica, como para subrayar sus palabras—. Pero yo tengo la intuición de que todo proviene de la misma mala voluntad. Aunque, ciertamente, ahora quien sea parece decidido a mostrar sus cartas, aunque sean anónimas. —Sonrió débilmente.

La puerta del despacho se abrió sin llamada de aviso y entró muy decidida una mujer que se detuvo al vernos, con una risita de disculpa no demasiado contrita.

—Ah, perdona, Luper. No sabía que tenías visita.

—No te preocupes, cariño, cosas del museo, ya sabes. Señores, les presento a Eva, mi mujer.

Más joven que él, desde luego, pero no tan joven como a ella seguramente le hubiera gustado. Era más bien bajita y algo rechoncha, aunque el conjunto funcionaba bien: apetitosa, ésa es la palabra. Llevaba un atuendo de una pieza, de cuero, como los motoristas. Cerraba por arriba con una cremallera que concluía en la abertura donde pugnaban los pechos, saltones, por la opresión que los realzaba. Gran tentación, bajar un poco la cremallera y permitirles respirar libremente...

—Nada, es sólo un momento, no se molesten por mí. Luper, bajo al puerto, hay una regata muy bonita y luego la verbena del Carnaval hasta las tantas. ¿Te importa que me lleve el coche?

—Claro que no, vidita, yo no voy a salir. Llévate también al chófer, sobre todo para la vuelta, por si has bebido un poco.

—¡Pienso beber mucho! —rio, tan fresca—. Pero no necesito al chófer, voy con Sandro y ya sabes que él siempre se mantiene sobrio... y en forma.

—Estupendo, que te diviertas. Y hasta mañana, por si luego no volvemos a vernos. Adiós, cariño mío.

Se fue tan perentoriamente como había llegado. Su marido se quedó un momento en silencio, contemplando la puerta cerrada por la que acababa de salir con una expresión difícil de interpretar: tierna, melancólica, quizá levemente risueña, vaya usted a saber. Después suspiró y nos dijo sonriendo:

—Lo que más admiro de Eva es que nunca permite que le roben una fiesta. Bueno, señores, ¿qué deciden ustedes?

Consulté mi reloj: no faltaban más que un par de horas para las siete de la tarde.

—Por el momento, nos quedaremos aquí, don Lupercio, si a usted no le parece mal. El sargento y yo le impondremos nuestra compañía, probablemente hasta mañana. Y voy a disponer un operativo de seguridad en torno a la casa, lo más discreto posible.

—Es usted muy amable, capitán, y casi me avergüenzo de causarles tantas molestias. Yo voy a seguir trabajando aquí hasta tarde, pero ustedes pueden instalarse en la sala grande, o donde prefieran. Mi ordenanza les facilitará cuanto necesiten para aliviar sus incomodidades.

Se levantó y lo mismo hicimos nosotros. Corborán dio un paso hacia el escritorio y señaló el objeto curvo con el que había jugueteado nuestro huésped durante la entrevista.

—Perdone, señor Morales. Eso es una garra de velocirráptor, ¿verdad?

—En efecto, es una réplica en metal de la gran uña de las extremidades inferiores de ese predador. ¿Entiende usted de paleontología, sargento?

—¡Oh no, por Dios, qué más quisiera yo! Pero es que he visto muchas veces *Parque Jurásico...*

Típico del bueno de Corborán, esos prontos casi infantiles. Aunque ocasionalmente, según le daba, podía no carecer de perspicacia.

Nos instalamos de momento en la gran sala de la casamuseo, junto a las monumentales vértebras del apatosaurio. Aliviamos así el aburrimiento de Greg, el collie, que nos mostró su gratitud celebrando nuestra compañía con todas las demostraciones a su alcance, desde enérgicos barridos con el abanico lanudo de su cola, hasta lánguidas miradas afectuosas con sus bellos ojos dorados. Llamé a la Central y ordené desplegar media docena de hombres en el perímetro de la casa, estableciendo su relevo seis horas más tarde. Aunque el anónimo amenazador precisaba las siete de la tarde como la hora del ataque, mi experiencia indicaba que bien podríamos tener que mantener la vigilancia al menos durante toda la noche.

Me senté a mitad de la sala, en una silla bastante incómoda que durante las horas de visita, por las mañanas, estaría probablemente ocupada por el ordenanza. Aunque eran poco más de las cinco, la luz tibia de la tarde de febrero había disminuido ya notablemente. Las siluetas de los fósiles perdían precisión y se alargaban en la proximidad de las sombras, de modo que agradecí que el encargado encendiese de mala gana unas pocas luces, compatibles con el ahorro energético. Corborán aprovechó esta económica iluminación para revisar con aparente interés los especímenes y vitrinas de la exposición. Desde mi asiento podía verle, enteco y paliducho, yendo y viniendo entre huesos, conchas y litografías de espinas vertebrales estampadas hace milenios por trastornos telúricos.

—¿Te gustan los fósiles, Eduardo? —A veces, cuando estamos solos, le tuteo y me dirijo a él por su nombre de pila.

—No especialmente, capitán. Pero me fascina lo que estos residuos enseñan sobre la cuestión de las evidencias.

El tema de las evidencias es el favorito de mi peculiar sargento. En cuanto cometo el error de intentar con él una charla distendida y no profesional, regresa a la cuestión de las evidencias como dicen que el perro vuelve a su vómito. Me gustaría conocer la opinión de Greg al respecto.

—Pero, hombre, ¿qué tienen que ver las dichosas evidencias con los fósiles?

—Probablemente nada, capitán —se excusó con una risita de conejo—, ya sabe, son manías mías. Pero es que recuerdo lo que decía Voltaire de los primeros huesos de dinosaurios que se encontraron. La evidencia es que eran precisamente eso, restos de seres enormes antiquísimos. Claro, Voltaire y otros ilustrados recordaron a los gigantes que aparecen en la Biblia, Goliat y compañía, y supusieron que esas supuestas osamentas podían servir de confirmación a las leyendas clericales. De modo que se burlaron de quienes los tenían por huesos y dijeron que no se trataba más que de piedras de formas caprichosas. Como las nubes, que a veces toman figuras de rostros o dragones... De modo que el gran Voltaire rechazó lo que mostraba la evidencia en nombre de una interpretación antievidente, pero que le convenía más. Y es que ése es el problema de las evidencias, que nunca nos atenemos del todo a ellas y siempre preferimos someterlas a lo que nos interesa que sea verdad.

Hay que ver las cosas que pueden ocurrírsele a este hombre: me refiero a Corborán, desde luego, no a Voltaire. Lo menos que se puede decir es que no son de las que hacen ascender en un escalafón tan poco lírico como el de la policía. Como aprecio a este muchacho, un día tendré que hablar seriamente con él y revelarle dos o tres verdades de la vida.

Consulté mi reloj: ya eran más de las seis. El factótum de Morales cruzó la sala con una bandeja sobre la que había un servicio de té. Llegó a la puerta del despacho y llamó, pero no pidiendo permiso para entrar, sino para que le abrieran la puerta. Por lo visto, Morales tomaba sus precauciones. Por fin le franquearon el paso y penetró con su refrigerio en el santuario. Unos instantes después salió de nuevo, ya con las manos libres, y se nos acercó.

—Me dice don Lupercio que les pregunte si desean tomar té o alguna otra cosa. —Su tono mostraba a las claras que en realidad atender a invitados de un rango nada excelso como nosotros no entraba en sus obligaciones y que cumplía el penoso deber sólo por ciega fidelidad a su patrón. De modo que yo acepté el té, más que nada por hacerle trabajar un poco, y Corborán se apuntó también al modesto derroche. Diez minutos después compartíamos un Oolong muy estimable acompañado de pastas de jengibre recién llegadas de Fortnum & Mason. En efecto, los ricos no son como nosotros: viven mucho mejor.

Transcurrían los minutos como siempre que uno no puede fumar, es decir, lentamente. Repantingado en mi ocasional potro de tortura, que comenzaba a darme dolor de espalda, estudié el techo del vasto recinto: sobre nuestras cabezas pendía la considerable osamenta de lo que me pareció un pez lagarto, con largas mandíbulas de cocodrilo antediluviano. Ofrecía poco entretenimiento al aburrido. El sargento se había sentado en una silla idéntica a la mía y, menos exigente que yo, había trabado una buena amistad con Greg, que apoyaba la estilizada cabeza sobre sus rodillas y se dejaba rascar detrás de las flácidas orejas.

La luz diurna se había ya extinguido del todo y la pobre iluminación del local estimulaba la modorra. Bostecé largamente, contagiando a Greg, que descoyuntó sus fauces enseñando la lengua negruzca. Las siete y diez: bueno, la hora maléfica ya había pasado. El verdugo se retrasaba o definitivamente faltaba a la cita fijada por él mismo. Empezaba a hacerle en voz alta este comentario a Corborán cuando por fin ocurrió algo.

El perro se sentó sobre los cuartos traseros y levantó a medias una oreja mientras volvía la cabeza atentamente hacia la puerta del despacho, al fondo de la sala. Después gimió en tono preocupado y trotó hacia allí, como acudiendo de mala gana a una llamada ineludible. Tras la puerta cerrada sonó un golpe apagado y después un ruido de cerámica rota. Nos pusimos en pie, el sargento y yo, tras cruzar una breve mirada interrogante. Después caminamos tras el perro, al principio con paso tranquilo que se aceleró enseguida. Greg rascaba la puerta con inquietud, olfateaba por la ranura inferior y ladraba intermitentemente, como preguntando qué sucedía al otro lado.

En efecto, algo alarmante estaba pasando dentro. Se oían golpes, caída de objetos pesados y una especie de pataleo apresurado, violento. Como me temía, la puerta del despacho estaba cerrada con el pestillo interior. Llamé con fuerza:

—¡Señor Morales! ¿Está todo bien? —una pregunta risible ante la obvia evidencia de lo contrario, pero son cosas que hay que decir para empezar—. ¡Señor Morales! ¡Abra, por favor! ¡Soy el capitán Dos Ríos! ¡Abran a la policía!

Seguía oyéndose el fragor de lo que bien pudiera ser una lucha a muerte. De pronto retumbó un sonoro «¡no!» y poco después, con idéntico opaco vigor, se escuchó: «¡Hasta el final!». En ambos casos creí reconocer la voz de

Morales, aunque el tono estaba tan alterado que bien pudiera pertenecer a otra persona. Durante unos instantes que se nos antojaron eternos, continuaron los tropezones y derribos dentro y nuestras llamadas apremiantes fuera. Para colaborar en tan discordante concierto, Greg ladraba a más no poder. De repente, cesó todo sonido en el interior del despacho. También yo dejé de golpear la puerta, contra la que Corborán aplicó el oído. Luego me miró, casi compungido e hizo un gesto negativo con la cabeza. El perro alzó el morro hacia el techo, mientras lanzaba un aullido apagado y estremecedor.

No quedaba otro remedio que forzar la entrada al despacho. El sargento y el ordenanza se lanzaron dos o tres veces contra la puerta, cuya solidez era evidente. Yo ni lo intenté. En las películas el hombro desaloja con facilidad la madera, pero la experiencia me ha demostrado que en la vida real suele ser la madera la que disloca el hombro. De modo que preferí recurrir al móvil y llamé a uno de los hombres que hacían la ronda afuera. Ellos siempre llevaban encima instrumental adecuado para esos casos.

—Robinson, ábranos esa puerta.

—A la orden, mi capitán.

Cinco minutos de hábil forcejeo más tarde, nos encontramos en el lugar del drama. De la tragedia, más bien. Aunque suponía más o menos que no nos esperaba nada agradable, lo que se ofreció a nuestros ojos me impresionó más de lo que me gustaría reconocer. El vasto despacho sólo estaba iluminado por el potente flexo sobre el escritorio. Bastaba para constatar el desastre de lo ocurrido. Había dos sillas volcadas, la tetera y la taza rotas en el suelo, sembrado también de gruesos volúmenes con las hojas despeinadas y las ilustraciones al aire. Una lasca pétrea que recordaba haber visto sobre la mesa, con la diminuta espina de un lagarto-pájaro en ella, yacía despedazada. Sobre todo, tirado en la alfombra y cubierto de sangre, estaba Lupercio Morales, el dueño de los lares, el ilustre mecenas, la persona que estábamos comprometidos a proteger. En el pecho, a la altura del corazón, tenía clavada la garra metálica del velocirráptor que le habíamos visto sobar como fetiche hacía bien poco. ¿Agonizante, muerto quizá?

—¡Que no salga nadie! —grité—. ¡Vigilen puertas y ventanas!

Era la voz de mando que prescribía el protocolo, ¿no? Resultaba lógico suponer que el agresor o los agresores tenían que estar aún en el despacho o tratando de escapar de él. Inmediatamente añadí que llamasen a una ambulancia y me arrodillé junto al infortunado patricio. Traté de tomarle el pulso, en lo que no estoy muy ducho, y se lo encontré muy débil. Sin duda estaba agonizando. De pronto abrió los ojos, grandes pero ya fijos en la danza de los espectros que aguarda al otro lado. Con voz reblandecida por la sangre que le llenaba la boca, dijo: «Hasta el final». Y murió inmediatamente después. Quedé inmóvil, incapaz de reaccionar por un momento, mirándole. Me sobresalté cuando junto a mí apareció una mano tendida y el sargento Corborán le cerró los ojos.

De nuevo me hice cargo de la situación. Me levanté de un salto y recorrí la habitación con una ojeada profesional. ¿Dónde estaba el asesino?

—Aquí no hay nadie más, capitán —me informó el sargento.

—¿Por dónde ha huido? —Ya me estaba impacientando.

Corborán parecía confuso, casi contrito.

—Eso es lo malo, capitán. Que aquí no hay nadie más que el señor Morales, que en paz descanse, y... y que de este despacho no puede haber salido tampoco nadie.

Me lo comunicó con una especie de modesto asombro y me impacienté con él, claro. ¿Qué absurdos decía este buen hombre? Hace pocos minutos, segundos más bien, habíamos escuchado en ese despacho el fragor de una tremenda pelea, cuyo transcurso era evidente por el desorden que nos rodeaba. Teníamos ante nosotros el triste despojo de uno de los contendientes, de modo que faltaba el otro... o los otros. Una de dos, o aún estaba en la habitación, o había escapado de ella segundos antes. No podía ser de otro modo: punto final. Claro que...

—¡Luces! —ordené—. ¡Hagan el puñetero favor de encender todas las luces!

Una vez estuvo todo bien iluminado, examiné el paisaje después de la batalla. Lo cierto es que el despacho, aunque grande, no ofrecía demasiadas posibilidades de escondite. El escritorio, bajo el cual desde luego no se acurrucaba nadie, las estanterías circundantes que se alzaban hasta el techo, los muebles volcados, una mesita auxiliar frágil y exigua... ¡Ah, pero al fondo había una discreta puerta! Corrí hacia ella, pistola en mano. La abrí de una patada, en un gesto cuya truculencia enseguida me avergonzó un poco: era un diminuto cuarto de aseo, sin ventanas pero con un aparato de ventilación que se puso en marcha cuando entré. Vi un lavabo con su esperable jabón líquido, accesorios de higiene dental y cuchilla de afeitar; después, un retrete; y luego nada más. Ni ducha tenía. Por supuesto, no había ningún intruso escondido, ni siquiera un lugar donde hubiera nadie podido esconderse.

Empecé a darme cuenta cabal de lo disparatado de la situación. El único acceso al despacho era la puerta que nosotros acabábamos de forzar. Había una gran ventana que daba al jardín exterior, pero estaba cerrada por dentro y además tenía un sistema de alarma —como las otras del edificio— que habría sonado en caso de apertura indebida. Por lo demás, sólo podía verse a la derecha de la ventana, cerca del techo, una especie de respiradero rectangular protegido por un cristal abatible: estaba abierto, pero era muy improbable que ningún ser humano hubiese podido pasar por allí, en el supuesto de que lograse alcanzarlo, pues estaba a tres metros y medio del suelo. Empezaba a resultar inquietantemente evidente que ningún desconocido (o conocido, tanto da) se ocultaba en el ensangrentado despacho y que nadie podía haber salido del lugar tras el asesinato del señor Morales. Cada una de esas evidencias por separado planteaba sus propios problemas, pero juntas componían un paisaje imposible.

No sé si el sargento Corborán se entrenaba en sus ratos libres para crisparme los nervios o lograba ese objetivo sin proponérselo, pero en cualquier caso tenía un éxito indudable. En el momento de mi mayor desconcierto se empeñó en reclamar mi atención sobre tres gruesos y pesados volúmenes que yacían desparramados por el suelo. Uno de ellos estaba manchado con grandes lamparones de sangre.

—Perdone, capitán, pero... ¿recuerda usted dónde estaban estos libros cuando nos entrevistamos con el finado?

¡El finado! Vaya, qué... fino.

—Pues no, sargento, la verdad. Supongo que en cualquiera de estas sillas derribadas en la lucha.

—No, señor, estoy seguro de que no. En las sillas sólo había montones de carpetas y libros más pequeños, por ahí andan... ya ve usted. Pero estos tres tochos no estaban tan a la vista, qué va. ¡Con lo gordos que son y lo que deben pesar! Me hubiera fijado en ellos...

—Sargento, no sé de dónde han salido esos libros y la verdad es que me trae sin cuidado. No veo qué importancia...

—Yo diría que forman parte de la misma obra o de una colección, algo así... ¿No le parece, capitán? Es que no me atrevo a tocarlos todavía para no alterar la escena del crimen.

—Muy bien, pues no los toque y no altere la escena del crimen. Pero, por favor, no me altere tampoco más a mí.

En ese momento llegó el forense, regordete y vivaracho: nunca se le veía deprimido, supongo que es una de las condiciones que se exigen para ocupar ese puesto y conservar la salud mental. Examinó durante unos minutos el cuerpo, silbando suavemente entre dientes como quien contempla alguna exquisita maravilla. Después se incorporó para darme su primer informe in situ.

—Bueno, yo diría que este señor acaba de morir. ¿Ha sido así, verdad? Estupendo, acerté. La causa de la muerte es sin duda esa especie de pincho semicircular tan raro que tiene clavado en el pecho. Nunca había visto un arma semejante... Debe de haberle partido la aorta y el propio corazón: en fin, un desaguisado. Cuando haga la autopsia podré darle más detalles, pero ya puedo adelantarle algo. Para que un instrumento de forma tan rara haya penetrado tanto debe haber sido manejado por alguien muy fuerte y bastante hábil. ¡Qué bárbaro, el tío! No busque alfeñiques, capitán, debe tratarse de un peso pesado. ¿Le han cogido ya?

Lancé un gruñido de desesperación. ¡Ya me hubiera conformado yo con tener un alfeñique que llevarme al calabozo! Por si faltaba algo, Corborán intervino muy excitado.

—¡Aquí, capitán, ya lo tengo!

Acudí presto, con la ingenua esperanza de que por fin hubiese dado con una buena pista. Mi ayudante —llamémosle así— estaba junto a las estanterías del lado derecho y me señaló un ancho hueco que se abría entre los libros bien ordenados.

—¿Lo ve usted, capitán? ¡Ése era su sitio! Esos tres tomos forman parte de esta gran enciclopedia de paleontología. De modo que durante nuestra entrevista con Morales estaban aquí, en este anaquel.

—Muy bien, bravo. ¿Y qué? —dije lo más fríamente que pude.

—Pues eso, capitán, que ahora ya no están... O sea, que están en el suelo, ¿no? —El pobre se iba desinflando ante mi mirada estricta y severa.

—En efecto, no cabe duda. Quizá sea un milagro. O puede que, al quedarse solo, Morales cogiese los volúmenes para alguna consulta sobre su trabajo. Luego, durante la pelea, acabaron por el suelo como el resto de tantos papeles. Sería menos milagroso, pero más probable. Y ahora, si no le importa, vamos a ocuparnos de algunas cosas más urgentes.

El forense se despidió de mí campechano, deseándome buena cacería: «Seguro que no tarda en echarle el guante, un tipo capaz de semejante fechoría no puede pasar desapercibido». Entraron los camilleros para disponer del cadáver. Le embutieron diestramente en la bolsa de plástico y, cuando subieron la cremallera para cerrarla, no pude por menos de lanzar una última mirada al rostro de quien me comunicaba sus preocupaciones y temores hacía poco más de un par de horas. Aunque no suelo ser dado a tales efusiones, comenté en voz alta:

—Si pudiera hablarnos... Sabe algo importante que desconocemos.

—Como todos los muertos —murmuró audiblemente detrás de mí el insoportable Corborán.

Para ahorrarme más lecciones metafísicas de pacotilla, le ordené que hiciera pasar al bedel, la última persona que había tratado con la víctima antes de que llegara a serlo. Cuando se abrió la puerta para darle entrada, Greg asomó un momento su afilado morro melancólico. Después, como comprendiendo que ya no podía hacer nada por su amo, volvió a retirarse con discreción.

Salvo enterarme de que el factótum respondía al nombre de Mauricio Gómez, «para servirle», pocas novedades saqué del interrogatorio. Lo único que le había sorprendido un poco fue encontrar cerrada la puerta del despacho. Normalmente, el señor Morales la dejaba abierta para no tener que levantarse a abrirle cuando le traía el té. Por lo demás, su comportamiento había sido del todo normal: se le veía abstraído en sus reflexiones, como solía, y había indicado con un gesto que dejara la bandeja sobre el escritorio, lo que también era habitual. «Me mandó que les preguntara si querían ustedes beber o comer algo». Después, sus únicas palabras fueron: «Gracias, Mauricio. Siga usted con su trabajo, yo ya tengo todo lo necesario». Por lo que él pudo comprobar, la habitación se hallaba en orden o, mejor, tan desordenada como de costumbre.

—¿Notó usted si el señor Morales tenía esos tomos sobre la mesa? —inquirió el sargento señalándoselos, con admirable fidelidad a sus obsesiones. Naturalmente, el ordenanza no se había fijado en semejante minucia.

Cuando Corborán y yo nos quedamos solos, decidí recapitular lo que sabíamos del macabro suceso hasta ese momento.

—Hace cuarenta y ocho horas, el señor Lupercio Morales hizo llegar un mensaje a nuestra Central, reclamando entrevistarse urgentemente con algún oficial responsable. Como se trata, mejor dicho, se trataba, de un miembro destacado de nuestra comunidad, decidí acudir en persona. El señor Morales es, o fue, un mecenas científico, apasionado por la paleontología, y posee... en fin, poseyó una gran fortuna, que probablemente se repartirá entre su fundación y su mujer, pues no deja hijos, que yo sepa.

Hice una pausa, desafiando a Corborán a llevarme la contraria. Pero el a veces indócil mamífero asentía con la cabeza vigorosamente.

—Morales nos comunicó que temía por su vida: había recibido un anónimo de factura bastante vulgar que emplazaba su muerte para las siete de la tarde de hoy. A su juicio la amenaza era verosímil, pues ya había sufrido en las últimas semanas dos intentos de asesinato, aunque también podrían haber sido simples accidentes domésticos, casualmente sucesivos. Durante la entrevista se presentó brevemente su mujer, para notificar que se iba de fiesta con un amigo. Usted, Eduardo, y yo decidimos quedarnos en la residencia-museo del sobresaltado prócer al menos hasta que transcurriese la hora fatídica. También ordené montar un dispositivo de seguridad en torno a esta finca. El señor Morales se encerró en su despacho y sólo recibió en él a su ordenanza, que le llevó el servicio de té. Según testimonio de este fámulo, todo era normal en su comportamiento y en el despacho. Lamentablemente —ironicé—, no levantó acta de qué volúmenes estaban en la mesa y cuáles en las estanterías.

Corborán suspiró, resignado.

—Poco después de las siete, el perro que acompañaba nuestra guardia se mostró inquieto. Después oímos en el despacho ruidos inequívocos de una lucha violenta y voces destempladas. Llamamos reiteradamente a la puerta, pero no se nos abrió: continuaba el combate. Finalmente tuvimos que forzar la entrada y hallamos al señor Morales agonizante en medio de la habitación, devastada sin duda por el enfrentamiento que allí había tenido lugar. Le habían apuñalado con un objeto metálico punzante que habíamos visto en su mesa, cuyo empleo para usos criminales exige, según el forense, gran fuerza y no poca habilidad. —El sargento empezó a comentar que era «un arma muy rara, inexplicable, porque...» y tuve que cortarle el rollo para que no me hiciera perder el hilo de la reconstrucción de los hechos—. Pero lo más sorprendente es que no había nadie con el agredido. Y el despacho no tiene más acceso o vía de escape, como se prefiera, que la puerta que acabábamos de forzar y que habíamos vigilado usted y yo, y una ventana, cerrada por dentro también y dotada de un sistema de alarma que, evidentemente, no había tenido ocasión de funcionar. Por no mencionar a nuestros hombres que montaban guardia en el exterior. Por lo demás, sólo hay un ventanuco situado casi a la altura del techo y demasiado exiguo para dar paso a un hombre normalmente constituido.

Como noté que el sargento rebullía un poco, me adelanté a su nueva inquietud aún no expresada.

—Supongo que comparte usted también esta opinión. ¿Quién podría alcanzar ese respiradero tan elevado, por no hablar de salir o entrar a través de él?

—Claro, tendría que ser alguien muy especial. Agilísimo, de una flexibilidad casi reptiliana y además muy fuerte, para poder asestar el golpe fatal. ¿Quizá... un velocirráptor?

—Sargento, ¿le parece un momento para bromas? ¿Quiere reírse de mí?

—No, por Dios, capitán. Sólo era una hipótesis en abstracto, digamos virtual. Esos bichos eran fuertes, feroces y daban saltos enormes. Seguro que podían colarse por huecos inverosímiles. ¡Recuerde *Parque Jurásico!*

—Pero da la casualidad de que desaparecieron de la faz de la tierra hace millones de años...

—Bueno, en efecto, eso descarta definitivamente su intervención en el caso presente, ¿no?

Le miré casi con afecto, aunque con un afecto irritado, si es que hay tal cosa.

—Eduardo, le comprendo. Yo también estoy desconcertado y a mí también me entran ganas de decir extravagancias y hasta de hacer el pino en aquel rincón. Pero no podemos permitirnos el lujo de perder la chaveta, somos profesionales, y aunque nada en este maldito asunto tenga sentido...

—El sentido no es lo que cuenta ahora, capitán.

—¿Cómo?

—Digo que luego, más adelante, nos tocará preocuparnos por el sentido de lo que aquí ha pasado. Por el momento hay algo más urgente: saber la verdad. Primero la verdad y después el sentido, así veo yo el orden de las cosas. ¿No le parece, capitán?

Se hubiera dicho que estaba ansioso por recibir mi aprobación, de modo que se la di. Ahora había que iniciar la investigación para encontrar la verdad o algo que se le pareciese, pero no era fácil saber por dónde empezar. En ese momento se oyó una discusión fuera y luego se abrió la puerta del despacho. Robinson, muy nervioso, anunció que una mujer quería vernos a toda costa. La señora Morales, ahora «viuda de», entró como un vendaval, seguida por un tipo fornido.

Evidentemente había cumplido su propósito de tomarse unas copas, porque tenía el rostro enrojecido y un aroma a ginebra la precedía desde bastante lejos. La cremallera de su apretado *body* de cuero había descendido un poco más, mostrando sus turgencias con mayor generosidad.

—¿Dónde está mi marido? —berreó, altisonante—. ¡Quiero ver inmediatamente a mi marido! ¿Quién coño son ustedes?

Me tengo por un caballero a la antigua usanza y trato a todas las mujeres como a damas... aunque no siempre me lo parezcan. De modo que la atendí con la mayor de las delicadezas.

—Señora, somos de la policía. El capitán Dos Ríos y mi ayudante, el sargento Corborán. Lamento muchísimo informarle de que su marido ha muerto. Ha sido asesinado.

—¿Asesinado? Pero qué ridiculez es ésa, qué absurdo... ¡Es imposible!

Sin duda la noticia la había conmocionado, aunque a mi juicio no como habría sido de esperar. Más que sufrimiento por la pérdida, parecía haberle causado un profundo asombro e incluso desconcierto. Levanté una de las sillas caídas para que pudiera sentarse y se desplomó sobre ella. Su acompañante montó guardia detrás de ella, poniéndole una mano tranquilizadora en el hombro. Inmediatamente inició una serie de preguntas atropelladas, pasando del balbuceo a los desagradables e imperiosos chillidos. Le contesté de forma sucinta, sin entrar en los más extraños detalles del caso. Después le indiqué que pondría un coche a su disposición para ir al depósito, donde debería cumplir el triste deber de identificar el cadáver.

—Pero antes les agradecería mucho que me respondiesen a unas preguntas de rutina para intentar adelantar en nuestra investigación. Todos queremos que este asunto se esclarezca cuanto antes. Supongo que ustedes dos han estado juntos toda la tarde, ¿verdad?

—Pues sí, en la verbena del puerto —confirmó en tono irritado la mujer—, y pasándolo muy bien, si quiere usted saberlo. Hasta que... ¡Es que no lo puedo creer!

El paciente sosiego es una de mis habilidades como interrogador.

—Entiendo entonces que usted no le conocía enemigos a su marido.

—¡Enemigos! Había gente que no lo podía ver, claro; no le aguantaban, con sus aires de... Y además era rico, que es bueno para ganarse muchos parásitos, pero no para hacerse amigos de verdad. Sin embargo, nadie querría matarle, qué absurdo.

—¿Por qué está tan segura? Desde luego tenía fama de buena persona.

—¿Ah, sí? Más que bueno yo hubiera dicho que era etéreo... irrelevante.

Aquella viuda tenía una forma muy particular de ensalzar la memoria de su difunto.

—Sin embargo, su esposo nos había llamado porque temía un atentado. De hecho, había recibido un anónimo amenazador.

—¿Un *anónimo*? —Si no estaba sinceramente atónita es que era la mejor actriz del mundo—. Pero... ¿quién se lo envió?

—Como era anónimo no lo sabemos, doña Eva —respondí—. Pero el señor Morales le concedía cierta credibilidad. Según él, en los últimos meses ya había sufrido un

par de intentos de asesinato, disimulados como accidentes. Por eso estábamos aquí nosotros, para protegerle.
Aunque desdichadamente no pudimos impedir el crimen.

Al escuchar la mención de los atentados, la señora Morales palideció y su rostro se contrajo con algo parecido a
la angustia. Movía negativamente la cabeza, casi con asom-
brada furia: «¡No, no!».

—Recuerda al predicador ese —apuntó su hasta entonces silencioso acompañante.

—¿Molina? No digas tonterías, Sandro. Es un chalado,
un visionario que juega a profeta del Apocalipsis. Además,
a Lupercio le encantaba discutir con él. Estoy segura de
que eran tal para cual.

Se había puesto en pie, muy nerviosa, como si ya no so-
portase la situación. Empezó a rebuscar en el pequeño y ele-
gante bolso que llevaba hasta encontrar una cajetilla de tabaco. Al sacarla, se le cayó lo que parecía un encendedor de
oro. Con una flexión veloz y elástica Sandro logró atraparlo
antes de que chocara contra el suelo. Después, galante, le
encendió el cigarrillo. Ella aspiró una rabiosa bocanada.

—Aquí no se puede fumar, pero supongo que ahora ya
da igual...

—Veo que está usted en buena forma, señor —comentó
con admiración el sargento.

El otro sonrió, sin modestia ni fanfarronería.

—He hecho mucho deporte desde mi juventud.

En efecto, no tenía nada de frágil efebo. Era un cuarentón de rostro atezado, como si pasara la mayor parte de su
tiempo al aire libre. Llevaba el pelo liso y muy negro pei-
nado hacia atrás, igual que un cantante de tangos de la
vieja escuela. La mujer le piropeó algo atolondradamente,
de un modo que me resultó casi lascivo.

—Sandro es muy ágil. ¡Tenían que haberle visto ustedes
haciendo ejercicios en el trapecio, en aquel circo donde nos
conocimos!

¿Fue una impresión mía o el así laureado pareció algo molesto por esa rememoración? En cualquier caso, a mí me hubiera gustado verle trepando y saltando. Una destreza muy interesante.

Corborán se aclaró la garganta, lo que no solía presagiar nada bueno.

—Señora Morales, no quisiera resultar impertinente...

—Eso es lo que siempre suele decirse antes de soltar una impertinencia —gruñó ella, con más tino que cordialidad.

—Perdóneme, no quiero que mi curiosidad la ofenda. Y comprenderé muy bien que no desee responderme, pero... ¿quería usted a su marido?

Trágame, tierra. Sólo a mi ayudante se le podía ocurrir semejante preguntita. ¿En qué tribu salvaje se habría educado este dichoso enredador? Sin embargo, la mujer no pareció molesta, sólo intrigada. Antes de contestar, chupó de nuevo con fuerza el cigarrillo un par de veces, como si quisiera encontrar en él algo más de lo que podía darle.

—¿Quererle? Ya... ¿por qué no? Pero debía usted haberme preguntado si él me quiere a mí. Ésa hubiera sido la verdadera impertinencia y a ésa voy a contestarle. Pues sí, me quiere: yo diría (y sobre todo él diría) que me quiere muchísimo. Pero a su modo romántico, ilusorio: yo soy un sueño para él y llora cuando piensa en mí. Soy como cualquiera de sus dinosaurios, dos o tres huesos y luego mucha imaginación. Pero ni carne ni sangre. Y yo no soy un fósil, sargento. Ya sé que para Lupercio nadie puede ser nada más elevado, pero gracias, yo no lo soy. No quiero que me idealice, que me petrifique con su cariño pueril, inmaduro... Prefiero que me soben a que me veneren.

—En fin, señora, él ya no podrá hacer ni lo uno ni lo otro. —La voz de Corborán era triste y parecía llegarnos de muy lejos.

Entonces la mujer pareció despertar de un sueño (había seguido todo el tiempo refiriéndose al difunto en tiempo presente) y se dio cuenta cabal por fin de lo que ocurría, de lo que había perdido. Por un momento pensé que por fin iba a llorar, pero se contuvo. Sin mayores consideraciones tiró la colilla y la espachurró en la moqueta de un taconazo. Sublevada. Bruscamente preguntó, sin ocultar las ganas de irse:

—¿Es todo? Quiero... descansar.

—Gracias por su colaboración, señora Morales —le dije—. Me temo que aún debo imponerle otra molestia. Dos de mis hombres la acompañarán hasta el depósito para que identifique el cadáver. Es una diligencia meramente formal. Y quizá en cierto modo a usted le sirva como despedida. Por favor, sígame, voy con usted hasta la puerta.

Salimos a la sala mayor, donde las luces indirectas hacían brillar extrañamente la osamenta gigantesca del apatosaurio. Ella se cogió del brazo de Sandro, vacilante, quizá un poco mareada por la combinación de la ginebra con su tardía aflicción. Greg se unió a nuestra comitiva y nos abrió paso hacia la salida, como si cumpliera una misión delicada para la que había sido entrenado. Al llegar a la puerta se detuvo y gimió suavemente: por lo visto su tarea finalizaba allí. Fuera, la noche había refrescado mucho pese a ser verano y no había estrellas. Desde la entrada vi cómo la pareja bajaba la escalinata del museo y se encaminaban hacia uno de nuestros coches acompañados por dos de mis muchachos.

Entonces el perro comenzó a gruñir amenazadoramente, con la leonada pelambre del cuello erizada. Algo se movió entre las sombras de los árboles del parque y después avanzó hacia nosotros. Una figura alta y desgarbada, apoyada en un bastón, que en la penumbra parecía un saltamontes gigantesco. Cojeó hasta el pie de la escalinata, donde la luz reveló sus facciones afiladas de pájaro de presa. O, más bien, de ave de mal agüero.

—De modo que por fin ha sucedido. —Tenía una voz truculenta e impostada, como si interpretase el papel de villano en un serial radiofónico.

—¿A qué se refiere usted, señor? —pregunté—. Y antes de nada, ¿quién es usted?

—Soy otro pecador, como ustedes, como él. Me llamo Molina, pero mi nombre es lo de menos. El último de los hombres, ése soy yo. Y sin embargo, fuerte. Mi fuerza viene del Señor.

—Y ¿sabe usted lo que ha sucedido aquí?

—No conozco los detalles, pero me basta ver todo este revuelo, los coches de policía... Y el perro. Miren la actitud de ese perro, contagiado por el Mal. No cabe duda de que el castigo por fin ha llegado.

—El señor Morales ha sido asesinado esta tarde, pero aún no se ha hecho pública la noticia. Aunque por lo que parece usted se lo esperaba...

—Yo no espero nada, pero sé que el orgullo y la blasfemia serán siempre castigados. Lo que ignoro es cómo y cuándo llegará el escarmiento, si será en este mundo o en el otro...

—¿Entonces se alegra usted del crimen? —Ya estaba empezando a mosquearme.

—No, señor, naturalmente que no, Dios me libre. Lamento este pecado como lamenté los muchos que cometió mi amigo Morales. ¿Le extraña que le llame amigo? Sin embargo, yo le apreciaba. Por eso discutía con él y le advertía del peligro que corría su alma.

—Pero casi todo el mundo consideraba al señor Morales una buena persona...

—Uno puede complacer a los hombres y, sin embargo, no obedecer a Dios. Pero ya dijo san Pablo que el Señor nunca comete *prosopolepsia*, es decir, que no confunde la máscara que llevamos en el mundo con el verdadero rostro de nuestra alma.

Después del día que llevábamos, lo que menos me podía apetecer era recibir lecciones de teología.

—Vamos a ver, señor Molina, tengo un caso de asesinato que debo investigar. Si conoce usted faltas o atropellos cometidos por el señor Morales, le pido formalmente que me los comunique. Pueden haber sido el motivo del crimen.

—Dios no comete crímenes, señor policía. Y las faltas de Lupercio Morales eran contra la ley de Dios, no contra las costumbres de los hombres.

Se detuvo un momento en su sermón, haciendo una pausa teatral. Dominaba la oratoria sagrada. Después dio un par de pasos adelante, cojeando, y abarcó con un amplio gesto el edificio desde cuya entrada le mirábamos.

—Ese museo... lo que contiene y lo que significa... ahí tiene usted el pecado al que me refiero. Y su blasfemia. Lupercio Morales intentaba demostrar que los seres vivos que pueblan la tierra no provienen de un acto libre y potente del Dios creador, sino de un encadenamiento mecánico de ciegas causas, promovidas por azares de la materia. ¡Incluso el ser humano, con su razón capaz de imaginar lo infinito, con su alma inmortal que puede venerarlo, no era para él sino el resultado tentativo y absurdo de sucesivas transformaciones sufridas sin propósito por criaturas inferiores! A esa tarea nefasta dedicaba su indudable inteligencia y su gran fortuna. Para rendir culto a semejante disparate impío que llamaba «evolución» edificó este templo pagano. Y ha sido aquí, rodeado de la colección de basuras con las que pretendía confirmar su desvarío, donde le ha alcanzado por fin la ira justiciera de quien le creó. ¡Éste es el fin de la era Morales!

Su trémolo se había ido haciendo cada vez más patético y admonitorio. Por fin se detuvo, evidentemente satisfecho. Entonces, tras su inevitable y acostumbrado carraspeo, terció Corborán.

—Es curioso que haya usted dicho eso, señor.

—Hermano, sólo proclamo la fe en la que creo y de la que vivo.

—No, si me parece muy bien que exprese sus creencias. Pero su última frase, «el fin de la era Morales», ya ve, eso me suena. Hemos leído hace poco esas mismas palabras en un anónimo que alguien envió al señor Morales amenazándole de muerte.

Caramba, tenía razón, qué buena memoria. Molina pareció un instante desconcertado, pero luego recuperó su profética compostura.

—No conozco ninguna de esas circunstancias. Lo único que sé...

—Gracias, señor Molina, ya nos ha dicho usted muy elocuentemente lo que sabe, o cree saber —le interrumpí—. Pero insisto en que nuestra obligación es investigar un gravísimo delito contra las leyes humanas de este país. De modo que debo preguntarle dónde ha estado usted esta tarde. Si no quiere responder ahora, me veré obligado a pedirle que nos acompañe a comisaría para tomarle formalmente su declaración.

Aquel fantasmón lanzó una seca carcajada: continuaba atento a la representación de su melodrama particular.

—Lo siento, no tengo coartada. Hasta hace media hora he pasado el día entero en mi casa, leyendo y estudiando, es decir, rezando a mi manera. He estado solo ante los ojos de Quien todo lo ve. Pero nada temo de la justicia de los hombres. Ni nada tenía que temer de mí Lupercio Morales, se lo aseguro. Han de buscar a su verdugo por otro lado.

—Muy bien, señor Molina. Y dígame, ¿puede darnos alguna indicación de hacia dónde debemos orientar esa búsqueda?

—Yo he sido llamado a denunciar los pecados, no a esclarecer los delitos. Ustedes tienen su obligación, como yo creo tener la mía. Sólo puedo imaginar al vengador de Dios, que habrá llegado hasta ese antro inicuo disfrazado.

—¿Disfrazado? —me extrañé—. Disfrazado... ¿de qué?

—De ser humano, señor policía.

Lo dijo con voz oscura. Y después volvió a reírse, en tono más discreto. A continuación nos pidió permiso para retirarse, si no deseábamos nada más de él. Se lo di, pero exigiendo que permaneciese localizable durante las próximas cuarenta y ocho horas, por el momento.

—Descuide, me encontrarán en mi casa siempre que lo deseen. ¿Nada más?

—Supongo que eso es todo, señor Molina —carraspeó el sargento—, aunque a título de curiosidad personal...

—Usted dirá.

—Me pregunto por qué un hombre de fe, convencido de la omnipotencia divina y de lo diverso de sus caminos, parece considerar imposible que Dios sea el autor de la evolución de las especies, como del resto de las cosas.

Afortunadamente, Molina prefirió no responder. Gruñendo por lo bajo, desapareció en la oscuridad con sus andares claudicantes. Yo me alegré, porque un debate teológico entre el predicador y mi incansable sargento hubiera sometido mis nervios a una prueba que prefería no imaginar.

Antes de irnos, decidí echar una última mirada al trágico despacho. Por si me venía alguna inspiración. De modo que recorrimos de nuevo en sentido inverso la gran sala del museo, entre los restos antediluvianos, como hubiera dicho precisamente nuestro adusto Molina, que sin duda creería literalmente en el Diluvio. Corborán y Greg me escoltaron, con aire semejantemente abatido. Para animar a mi ayudante, elogié su atinada mención de la similitud entre las palabras del predicador y el final del anónimo amenazante.

—Pero, en cualquier caso, no creo que demuestre nada relevante. Me imagino a ese funesto cojitranco maldiciendo y fulminando, pero no le creo capaz de un asesinato... y menos de uno tan problemático como el de Morales.

—Desde luego —corroboró sombrío el sargento—. Probablemente Molina repetía lo del final de la era Morales un día sí y otro también, de modo que no tiene nada de raro hallar su célebre frase en el anónimo. Debía de ser ya una especie de refrán popular. Como usted bien dice, ese Jeremías de vía estrecha nada tiene que ver con nuestro asunto. ¡Qué pena, qué pena!

Le vi tan deprimido que hasta me tomé la confianza de pasarle el brazo por los hombros.

—Venga, Eduardo, arriba ese ánimo. Comprendo su desconcierto y lamentablemente lo comparto. Pero no debemos darnos por vencidos. Cuando tenga mi experiencia, aprenderá que estas situaciones son frecuentes, pero pasajeras. Ya verá como con paciencia y trabajo terminamos vislumbrando alguna solución a este enigma.

—No, capitán, si no se trata de eso —suspiró—. La solución no me preocupa en sí misma, ya hace rato que he dado con ella. Pero es que me parece tan triste... La verdad, no me acostumbro a los espantos de la vida.

Me quedé como el apatosauro o cualquier otro de los fósiles que nos rodeaban: petrificado.

—De modo que tiene usted ya alguna hipótesis sobre...

—Es algo más que una hipótesis —me dijo, sonriendo apagadamente—. Ya le digo, tengo la solución. Pero ojalá que no la supiera.

Me sobrepuse a mi asombro inicial. No es bueno para el mando aceptar total despiste cuando el subordinado cree seguir un rastro. Más valía intentar adelantarme al curso de sus tentativos raciocinios, de los que apresuradamente se hallaba tan convencido.

—Bien, sargento, supongo que usted sospecha de Sandro. Fue muy perspicaz por su parte advertir lo ágil que era. Es el único capaz de escalar la fachada, entrar por el ventanuco y después salir por el mismo camino, ¿verdad? Probablemente actuó incitado por la esposa, que obviamente es algo más que una compañera de verbenas...

Me detuve, porque vi que Corborán me escuchaba negando silenciosamente con la cabeza.

—No, capitán, el tal Sandro está en forma, pero la verdad es que no acabo de verle realizando la proeza atlética esa. Y sobre todo, no entiendo lo del arma utilizada.

—¿El arma? Pero hombre, si eso es lo más fácil de entender. Nosotros mismos la vimos en la mesa de Morales antes del crimen.

—Precisamente eso es lo que me parece inexplicable. De modo que Sandro escribe un anónimo anunciando a Morales el día y la hora exacta de su ejecución, burla la vigilancia de nuestros guardias, trepa por la pared del museo como un hombre mosca, se cuela por un respiradero que difícilmente deja pasar nada mayor que un gato, entra en el despacho y, sin embargo, ni siquiera lleva un arma adecuada para realizar su agresión. Tiene que ir al escritorio de su víctima y allí apoderarse de una herramienta de utilidad nada obvia para cuestiones homicidas. ¡Qué extraña imprevisión en alguien con tan malas y elaboradas intenciones! La verdad, me resulta bastante inverosímil.

—Puede parecer poco verosímil, pero no es imposible —le repliqué, enfurruñado—. Y recuerde el dictamen de Sherlock Holmes: una vez descartado lo imposible, lo que resta, por improbable que parezca, debe ser la verdadera explicación.

Corborán se iba animando con nuestra discusión. Llevar la contraria era como un tónico para él.

—Siempre he lamentado que el nombre ilustre del gran detective haya quedado unido casi exclusivamente a dos citas poco afortunadas. La primera, lo de «elemental, querido Watson», es algo que nunca dijo, si hemos de creer las crónicas que cuentan sus hazañas y en las que no figura esa memez. Y la otra, más elaborada, es la que usted acaba de mencionar y que a mí no me convence.

—¿Que no le convence? Pues a mí me parece un razonamiento muy lógico.

—Puede serlo, pero antes hay que aceptar que uno es capaz de establecer sin temor a equivocarse lo que es imposible y lo que no. Y eso depende de cómo interpretemos las evidencias o, mejor dicho, si las aceptamos tal como son o nos empeñamos en interpretarlas a nuestro gusto...

—¡Ya estamos otra vez con sus dichosas evidencias! En el caso que nos ocupa, amigo Corborán, las evidencias dejan poco lugar para interpretaciones arbitrarias. Alguien entró en el despacho del señor Morales, lo mató y logró escaparse sin ser visto. Quién fue y cómo lo hizo, ése es el gran enigma.

—Con su permiso, capitán, no estoy de acuerdo. Precisamente este caso es un claro ejemplo de cómo una mala interpretación de lo evidente puede hacer que una investigación se vaya al garete. Y por eso el responsable de la muerte de Morales ha hecho todo lo posible por favorecer la interpretación más fantástica posible de lo evidente. ¡Menudo teatro ha montado! O quizá circo, más bien, con trapecistas fantasmas y todo.

Me detuve en la puerta del despacho y di una patada furiosa en el suelo que asustó al bueno de Greg, el cual inmediatamente se retiró con el rabo entre las patas a un rincón más seguro.

—Pero ¿se puede saber de qué diablos me está usted hablando, sargento?

—Vamos a ver, capitán, será que no me explico bien. ¿Cuáles son las evidencias de este asunto, las evidencias puras y simples, sin interpretar ni dejarnos engañar por falsas apariencias? Pues que el señor Morales estaba en su despacho cerrado, completamente solo, que lo vimos entrar vivo y después lo encontramos muerto, y que de esa habitación nadie pudo entrar ni salir, al menos sin emplear la magia.

—Pero entonces, el asesino...

—¿Qué asesino? No hay ninguna evidencia de un asesino. Es una hipótesis que los hechos evidentes desmienten, igual que el velocirráptor saltarín que yo le propuse y que usted descartó, muy sensatamente. Los velocirraptores se extinguieron hace millones de años y los asesinos que pueden entrar o salir de las habitaciones cerradas aún no han nacido.

—¡Pero sucedió un crimen!

—Cuando una persona se da la muerte no es un crimen lo que sucede, capitán, sino un suicidio. Y para suicidarse no hace falta la ayuda de dinosaurios ni de humanos. Basta un afilado pincho curvo y unos cuantos pesados volúmenes.

—Aquellos libros...

—Sí, me llamó la atención enseguida verlos en el suelo y hasta manchados de sangre. Los empleó Morales para sujetar en la posición adecuada la zarpa metálica con la que decidió matarse: uno debajo y dos a los lados, la punta erguida... Luego se dejó caer sobre ella con todo su peso, para asegurarse una herida fatal. Antes había derribado sillas, pataleado todo lo posible y fingido el ruido de un combate a muerte para que lo oyésemos desde el otro lado de la puerta cerrada. En cierto modo, la lucha era auténtica, de él contra sí mismo.

—Pero, por amor de Dios, ¿por qué hizo semejante pantomima atroz?

—Desde luego, no fue por amor de Dios... aunque el amor intervino en el asunto. Cosa triste y terrible, capitán, el amor no correspondido, ¿no le parece? Pero aquí ya debemos dejar la verdad de los hechos y pasar a buscar su sentido. No hay más remedio que especular un poco. A mi entender, la cosa es más o menos así. Para empezar, la señora Morales quería matar a su marido...

—¿Ahora me sale con ésas? —grité sobresaltado.

—Sí, capitán, quería... pero no lo consiguió, aunque lo intentó dos veces. Pretendía desembarazarse de él para no afrontar un divorcio que la perjudicaría económicamente, para cobrar un seguro de vida a su nombre o por frustración o... yo qué sé. El caso es que no podía soportarle más y pretendía a toda costa desembarazarse de él para poder vivir su vida, sus últimos años gozosos de mujer. Planeó dos atentados contra Morales, a cuál más chapucero. No sólo fracasaron, sino que el interesado se dio cuenta de lo que se fraguaba en contra suya. Si hubieran tenido éxito, además, todas las sospechas hubieran recaído sobre ella, la directa beneficiaria de esa muerte. También de eso se dio cuenta su marido. Y decidió ayudarla.

—Sargento...

—Mire, a Morales no le partió el corazón la garra del velocirráptor, sino saber que su mujer, la mujer a la que tanto quería, le detestaba hasta el punto de intentar matarle. A partir de ese momento, la vida dejó de interesarle. Pero aún quiso protegerla. No quería verla juzgada y condenada por asesinato. De modo que decidió suicidarse, para que ella no tuviera que arriesgarse de nuevo. Por eso doña Eva se llevó una sorpresa tan enorme al saber que había sido asesinado... antes de que ella volviese a intentarlo siquiera. Porque fue él, él mismo, quien se adelantó a sus malignos deseos. Aquí intervino su personalidad, dado que Lupercio Morales era un incurable romántico. Los aficionados a los dragones de tiempos pasados suelen serlo. —Y añadió, bajando modestamente la vista—: Le hablo por experiencia propia.

—Entonces preparó todo este drama rocambolesco...

—En efecto. Su resignación ante la muerte no llegaba hasta el punto de pegarse sin más un tiro. Quería una *sortie en beauté*. Planeó el verdadero crimen perfecto, aquel en el que coinciden la víctima y su asesino. Nos llamó como testigos, para que nuestro desconcierto certificase la inocencia de la principal sospechosa. Escribió lo que parecía un anónimo amenazador, pero que en realidad era su carta de despedida, y hasta se permitió la ironía de acabarlo con la frase condenatoria que tantas veces había escuchado a su fanático adversario Molina. Firmó «Cronos», el tiempo, el peor enemigo de todos los enamorados. Después, fingió la pelea con el asesino fantasma y buscó el arma que más encajaba con su afición. Hizo venir al depredador prehistórico para que fuese su verdugo imaginario. Así apuró el cáliz de su devoción por la ingrata, hasta el final.

—Hasta el final... ésas fueron las últimas palabras que dijo —murmuré.

—Y resumían la decisión que había tomado.

Sentí algo amargo en la garganta y no pude por menos de gruñir con indignación superflua:

—¡Pobre tipo! ¡Y todo por esa petarda!

—El amor no es una condecoración, capitán. No siempre se concede al mérito o a la virtud. Para cada ser humano expresa un anhelo distinto y tantas, tantas veces contrariado... —Se quedó un momento pensativo—. Sí, es un caso muy triste, pero ahora me pregunto si quizá no será más triste aún el día en que nadie sea capaz de cometer semejantes locuras.

Guardamos entonces silencio, inmóviles, uno junto a otro como dos náufragos. Desde la puerta del despacho, el perro nos miraba moviendo lentamente la cola. Con su expresión dulce y severa parecía reconvenirnos: «Yo no soy más que lo que tengo que ser, pero vosotros, que podéis elegir, no cedáis a la tentación de ensalzar lo que parece irremediable...».

MIÉRCOLES

Xabi Mendia era un muchacho fundamentalmente bonachón, es decir, no muy dinámico. Pero cuando viajaba se activaba notablemente y solía despertarse temprano. De modo que antes de las ocho ya tenía la televisión encendida para enterarse de cómo andaban las cosas con el dichoso volcán y sus cenizas. El panorama seguía igual que el día anterior, pese a los esfuerzos del presentador de las noticias locales por hacerlo parecer más favorable (intentaba convencer al público de que, como no ocurría nada peor, podía considerarse que la situación mejoraba: venceremos por agotamiento del adversario, que se cansará de dominarnos). El monte Ireneo seguía intratable, el aeropuerto continuaba cerrado y la señora presidenta no podía llegar ni sus invitados marcharse si les apetecía, aunque estas conclusiones no fueron mencionadas en la pantalla, sino deducidas por el sentido común de Xabi.

Bajó a desayunar, casi tonificado por la persistencia de las circunstancias adversas. La adversidad es el comienzo de la aventura, porque supone chocar contra la realidad, es decir, contra lo que nos ofrece resistencia. Donde la realidad se obstina, la aventura asoma su cimera: y con la aventura el romanticismo de la vida, que a Xabi Mendia le encantaba paladear, siempre que no fuese demasiado lejos, hasta llegar a lo peligroso o incluso a lo francamente incómodo.

Volvió Xabi a concederse el disfrute de vacilar ante la rica oferta del bufé del desayuno. En esta meditación estaba cuando se le acercó de nuevo amablemente el camarero del día anterior.

—Buenos días, señor. ¿Puedo ayudarle en algo?

—Gracias, Miguel. Voy a probar aquellas cortezas.

—Son torreznillos, señor. Se los aconsejo vivamente, aunque en pequeña cantidad. El colesterol...

—Desde luego, maldito colesterol. Y también esos frijoles con arroz, creo yo.

—Lo llamamos «gallo pinto». Buena elección. Hay que atreverse a todo.

—Pues venga, ¿quién dijo miedo? Por lo demás, lo del volcán sigue igual, ¿no?

—En efecto, aunque será por poco tiempo, digo yo. No es tan grave, ustedes están aquí bien, ¿verdad? Lo malo es que la Princesa no puede llegar para acompañarlos.

—¿La Princesa?

Miguel sonrió cautamente.

—Así es como llamamos los santaclareños a la señora presidenta. Y no sólo ahora, sino también antes de ser elegida, cuando aún vivía su marido el senador. Siempre fue la Princesa. Su forma de estar, de ser, de hablar... No sé, pero estoy seguro de que cuando la conozca comprenderá que merece ese título. —Y se rio un poco por lo bajo.

Con la bandeja bien provista de delicias surtidas en las manos, Xabi Mendia vaciló buscando una mesa libre donde instalarse. Aunque había bastantes vacías, siguió un súbito impulso y se acercó a la que ocupaba en solitario la señora de mediana edad y pelo entrecano que con tanta elocuencia había defendido la tarde anterior la novela policíaca tradicional.

—Perdón, ¿puedo sentarme con usted? Javier Mendia, enviado especial de *Mundo Vasco*.

La dama dio sin remilgos su consentimiento: aunque sólo bebía café, ante el envase vacío de un yogur desnatado consideró con benevolencia el copioso botín que Xabi se disponía a consumir.

—¡Envidiable apetito! —era un suspiro, no una reconvención.

El periodista la felicitó con la boca llena por su intervención del otro día y preguntó cuál era la especialidad por la que había sido invitada.

—Me llamo Virginia Pueris y soy filóloga. Traductora de Virgilio, ¿sabe? —Se permitió un punto de indudable orgullo. Quizá no tanto por ella como por Virgilio—. Debo intervenir en la jornada de esta tarde sobre educación, pero temo que mis puntos de vista sean aún más reaccionarios y menos populares que los que ya conoce sobre la novela de intriga. Soy partidaria de que el latín e incluso el griego no desaparezcan del bachillerato, al menos del que cursan quienes optan por las letras. ¡Imagínese si voy contracorriente!

Aunque Xabi no sabía ni latín ni griego y pensaba que podía vivirse bastante bien así, simpatizó inmediatamente con ella. Por culpa de su madre, que era muy lista y una razonadora temible en la polémica, Xabi creyó durante toda su adolescencia y primera juventud que las mujeres eran siempre más inteligentes que los hombres, lo que le hizo tratarlas con sobresaltada reverencia y le dispuso a obedecerlas sin oponer resistencia. Luego tuvo ocasión de informarse mejor, pero nunca olvidó del todo esa admiración primordial. Doña Virginia le devolvía justificadamente a ella, aunque ahora lo que buscase por lo común en el otro sexo no fuese magisterio intelectual. La charla resultó muy grata y también provechosa para Xabi, que nunca había reflexionado demasiado sobre temas educativos. Cuando acabaron de desayunar, se fueron juntos a la sala de conferencias.

En el vestíbulo del hotel grandes rótulos anunciaban que ese día tocaba celebrar la Boda del Ajo y la Cebolla. La agencia de viajes estaba muy concurrida, porque algunos de los participantes de las dos primeras jornadas empezaban a inquietarse y querían saber cuándo podrían volver a casa, algo que nadie podía aclararles. El Salón Imperial, en cambio, estaba solamente ocupado a medias. Con cierto nerviosismo, el secretario informó que varias de las intervenciones programadas se habían suspendido porque los conferenciantes no habían podido llegar a Santa Clara todavía. Y para aumentar el desconsuelo de Xabi Mendia, tampoco estaba presente su azafata predilecta: por lo visto, era su día libre, aunque podía ser que estuviese malita.

De modo que el momento estelar de la mañana lo ocupó un profesor llegado de Barcelona con providencial antelación. El doctor Jordi Oriol i Pagès, especialista en psicología evolutiva, transmitió la buena nueva de que todas las complejidades superficialmente enigmáticas y aparentemente contradictorias de la conducta humana eran estrategias de supervivencia y adaptación al medio transmitidas genéticamente. Despachaba con una sonrisa de paternal comprensión las zozobras que sentían las personas de mentalidad anticuada, poseídas por la romántica convicción de la capacidad de elegir libremente de los humanos ante comportamientos como la afición a la mujer del prójimo, la glotonería por alimentos grasientos y atocinados o la admiración por los más brutos de la tribu. Allá en el origen de los tiempos, esas inclinaciones hoy poco recomendables fueron utilísimas para la especie y decisivas en la selección de nuestros ancestros, que nos transmitieron tales gustos.

El doctor Oriol i Pagès despachaba los misterios precediendo cada una de sus revelaciones con las fórmulas inapelables «ha sido demostrado...» o «está estudiado...», ante las cuales cualquier espíritu rapsódico debe abandonar la palestra. Por ejemplo, está estudiado y convenientemente demostrado que los portadores del gen DRDA, del cual muchos ni siquiera han oído hablar, desarrollan tendencias políticas progresistas al llegar a la edad adulta. Y también el amor se ha demostrado que es cuestión de neurotransmisores estimulados por la hormona oxitocina, que favorece la fijación sexual, etcétera. Son determinismos que no merecen ni elogio ni censura.

Como Xabi Mendia de tales materias científicas no sabía nada, esta referencia a la autoridad de especialistas ignotos le impresionaba más de lo debido. Aunque hacía mucho que había abandonado sus creencias infantiles, se había criado en un medio muy católico y las cuestiones divinas aún le preocupaban episódicamente. De modo que todo lo que el conferenciante explicó luego sobre las raíces genéticas de la mentalidad religiosa le hizo especial impacto. Según el sabio, los estudios (¿) han demostrado (?) que nuestra dotación genética arrastra la predisposición a suponer un responsable personal e inteligente de los acontecimientos de mayor alcance telúrico y también de los incidentes de nuestra biografía. La evolución nos ha metido los dioses en la sangre, por así decirlo, y de ese Olimpo bioquímico no hay quien los saque. Lo de la evolución es lo que más desconcertaba a Mendia: le costaba imaginar qué beneficios vitales podían haber obtenido nuestros ancestros chimpancescos y goriloides de la idea de Dios.

Cuando acabó el coloquio respetuoso y parcialmente atónito que siguió a la exposición del sabio catalán, Xabi Mendia hizo partícipe al viejo Nirbano de sus cautelosas perplejidades. Don Nicolás resopló despectivamente:

—¡Que no, hombre, que no! Es pura charlatanería. Cualquier conducta humana actual puede justificarse diciendo que es un residuo genético de algo que nos fue muy útil en los tiempos arborícolas. Predecir el pasado es la cosa más fácil del mundo y el rasgo distintivo de las pseudociencias.

—Puede que sí —Xabi seguía envuelto en dudas—, pero en lo que dice de las creencias religiosas hay algo que me suena verosímil, porque...

—Mire, Mendia —zanjó Nirbano—, en la tribu africana de los masái tienen una misma palabra para decir «Dios» y «no sé». Ni los teólogos más ilustres ni desde luego los psicólogos evolutivos han ido mucho más lejos. —Luego añadió, en un tono que a Xabi se le antojó levemente misterioso—: Si le apetece, después del almuerzo puede pasarse por mi habitación. Es la 316.

Mientras esperaba su turno en la cola para servirse del bufé, para su gusto demasiado deudor del celebrado matrimonio entre ajos y cebollas, Xabi Mendia no dejó de darle vueltas a esta invitación de Nirbano a su sanctasanctórum. La curiosidad le sugería todo tipo de explicaciones, que iban de lo truculento a lo risible y que descartaba nada más pensadas.

Llamó a la puerta de la 316 muy discretamente y le abrió Nirbano en mangas de camisa y sin corbata, aunque con el chaleco bien abotonado.

—Pase, Mendia. Disculpe el desorden...

No había ningún desorden perceptible, salvo que se llamase así a la chaqueta puesta en el respaldo de una silla que Nirbano trasladó inmediatamente a la percha del armario para que Xabi pudiera sentarse. Después sacó una botella de las profundidades más recónditas del mismo armario.

—¡Talisker! —suspiró satisfecho—. Ni Glenlivet, ni Cardhu, ni nada por el estilo. En cuestión de whisky de malta, no debe nunca apearse del Talisker, Mendia, hágame caso. Espero que no le importe demasiado beberlo en estos vasos de papel, ya sabe cómo son los hoteles.

Nada de hielo, claro, aunque le aconsejo añadirle un poco de agua mineral.

Sirvió los tragos y después anunció solemnemente:

—Y ahora, vamos a fumar.

—¿Qué... qué fumaremos, don Nicolás? —inquirió Mendia, casi sobrecogido.

—Pues tabaco, hombre de Dios, qué va a ser. Mire, le tengo reservados estos robustos de Partagás. Deleitan y no cansan, ya verá. Yo me dedicaré a mi pipa, siempre que puedo vuelvo a ella. El tabaco holandés no le molesta, ¿verdad? Demasiado aromático, ya lo sé, pero no me acostumbro a ningún otro.

Xabi cogió un puro y lo encendió despacio.

—Vaya, a mí me han dado una habitación de no fumador.

—Supongo que ésta también lo será... oficialmente. Pero todas las habitaciones que yo ocupo son de fumador, porque yo fumo. Les guste o no. Por si acaso, abriremos un poco la ventana, ya que el tiempo lo permite. ¡A su salud!

Brindaron con el whisky, cuyo delicioso sabor ahumado iba muy bien con el humo que enseguida comenzó a ocupar el cuarto.

—Como ahora lo de fumar está tan perseguido... —comentó culpablemente Xabi Mendia.

—Es a causa de la jauría —le aclaró Nirbano—. Formar parte de una jauría que persiga algún placer es el único acceso a la aristocracia de la fuerza que tienen los mediocres. Da igual el pretexto, lo que cuenta es salir por un momento en grupo punitivo de lo que una autora inglesa llamó «la larga pequeñez de la vida». Los que padecen esas vidas pequeñas tratan de compensarlo empequeñeciendo la vida de otros con prohibiciones. Así nacen las jaurías. Elias Canetti escribió sobre el asunto. Hay jaurías contra lo viejo y contra lo nuevo, jaurías en nombre de la ciencia, la higiene, la religión o la política. Logran que se tomen medidas gubernamentales que dudosamente mejorarán la vida de nadie, pero que indudablemente interferirán en la libertad de muchos. Y lo peor es que todos, todos, Mendia, créame, hemos formado parte de una jauría en algún momento vergonzoso de nuestra vida.

Se quedó un rato en silencio, con los ojos nublados, mientras chupaba con rabia su vieja Peterson de la que brotaba, como de un pebetero neerlandés, un aroma especiado y dulzón.

—En fin —suspiró—, son efectos colaterales del infantilismo actual. Cuantas más tragedias reales hay en el mundo, y es evidente que no faltan porque tenemos las de siempre más algunas de nuevo cuño, más antitrágico y pueril es el ideal que las almas triviales preconizan. Todos pedaleando en nuestra bicicleta, agua mineral en ristre y con una piruleta entre los dientes, a la espalda la mochila llena de bocadillos vegetarianos y yogures desnatados... ¡Vamos de excursión! Los animalitos nos saludan al pasar, como en las películas de Walt Disney, aunque le calumnio, porque Disney de vez en cuando incluía algún simbolismo oscuro y cruel en sus primeras películas. Ahora cualquier espanto vital debe permanecer cubierto por la caricatura que lo niega. Fíjese en el amor, por ejemplo. —Estaba embalado, apuró su whisky y se sirvió un poco más. La mención del amor, claro, redobló la atención que Xabi le prestaba—. Para mí que el auge hipermoderno de la pederastia, la obsesión sexual por nenes que aún gatean que corre por internet es parte también de ese mismo infantilismo. La búsqueda de una compañía erótica sin lenguaje ni madurez, sin resistencia ni personalidad, con olor a talco y a caquita. El amor con abuso pero sin drama, es decir, la negación de la tormenta y el tormento. Llegaremos a ver cómo se declara al coito violencia de género o cómo es permitido sólo con receta médica y bajo anestesia epidural. Se encubren todos los crímenes, salvo la tragedia amorosa: ayer todavía se cuestionaba *El mercader de Venecia* por su antisemitismo, pero hoy lo insoportable es el desbordamiento atroz de Otelo, que asesina lo que más quiere sin dejar de amarlo.

Desasosegado por lo que estaba escuchando, Xabi Mendia decidió reconducir el monólogo hacia temas menos agónicos.

—Bueno, don Nicolás, usted se resiste al totalitarismo de la moda saludable, pero hay que reconocer que se ha conservado admirablemente.

Nunca lo hubiera dicho. Nirbano pegó un bufido sublevado y pareció a punto de enfadarse de verdad.

—¿Conservarme yo? Oiga, Mendia, no le consiento... —Hizo un esfuerzo y se serenó un poco—. Mire, el pintor Auguste Renoir respondió a un médico inquisidor que le preguntó ante sus muchos dolores si no habría contraído la sífilis: «No, pero le aseguro que no he hecho nada por evitarlo». Yo no padezco sífilis, ni sida, ni cáncer de pulmón, ni cirrosis, ni soy especialmente drogadicto, pero puedo asegurarle que no he mutilado mi vida para evitarlo, aunque siempre he procurado gozar sin destruirme. No por miedo a contraer enfermedades y achaques, sino por fidelidad al placer.

A Xabi Mendia se le hacía raro escuchar a tan venerable vejestorio pronunciar la palabra «placer» con semejante desparpajo, pero se limitó a asentir gravemente. Nirbano estuvo altanero y enfurruñado unos minutos más, pero después su ceño se despejó y el último Talisker se lo tomaron ambos muy sonrientes y con plena cordialidad.

No había mucho público en el Salón Imperial para asistir a la ponencia de Virginia Pueris («Vigencia de las lenguas clásicas en el bachillerato actual»), quizá porque el título había sido concebido con poca malicia comercial. Con animosa fidelidad a su nueva amiga, Xabi Mendia ocupó una plaza en la primera fila, siguió toda la intervención con una expresión de interés, si no vivo, al menos obstinado y después aplaudió generosamente, expresando simpatía por la dama, desde luego, más que entusiasmo por la tesis que había expuesto. Según Xabi, el latín y el griego tenían para los adolescentes actuales la misma utilidad que una pierna de madera, pero como buen caballero andante estaba dispuesto a batirse con quien fuera por Virginia con tanto más ahínco cuanto que la encontraba deliciosamente absurda. No fueron requeridos sus servicios de paladín, al menos en lo tocante a las lenguas clásicas, porque el coloquio posterior se animó con un debate inesperado en torno al interés que la literatura de ficción podía presentar para una mente madura. El doctor Oriol i Pagès —secundado por un escandinavo de elocuencia tan vehemente como indescifrable— abogó por que la ciencia sustituyera y desplazara de todos los foros relevantes a las fantasías novelescas. Varios narradores le contradijeron, quizá por instinto gremial. Uno de ellos no pudo contenerse:

—Preferir la ciencia a la literatura es como empeñarse en vivir en el sótano con luz eléctrica en lugar de en el gran salón con ventanales abiertos al mar.

Otro dijo que la ciencia sólo explora los rincones de la celda que ocupamos en el mundo y la solidez de rejas y muros, pero no saca de la cárcel a nadie. No sin razón, el doctor Oriol i Pagès señaló que tampoco los lamentos del prisionero, por líricos e inspirados que sean, logran liberarle.

Entonces Virginia Pueris estableció serenamente:

—La ciencia describe y explica la realidad, pero la literatura expresa lo que supone para nosotros formar parte de esa realidad. A la primera se renuncia por puerilidad, a la segunda, por inseguridad de la imaginación y temblor del alma. En cualquier caso, recuerden el consejo que dio Mallarmé al joven poeta: nunca preguntes qué es... sólo qué significa.

En esta ocasión hubo varios que apoyaron a Xabi Mendia en su sincera ovación.

La última charla de la jornada corrió a cargo de un eclesiástico con bien planchada ropa talar que defendió durante casi hora y media el derecho inalienable de los progenitores a transmitir a sus hijos sus ideas morales y sobre todo religiosas, sin interferencia ninguna del Estado y otros poderes seculares de vocación quizá totalitaria. Nada más vislumbró el alzacuellos, Nicolás Nirbano desapareció de la sala, gruñendo entre dientes. Menos ágil o más tímido, Xabi Mendia quedó atrapado en la primera fila y sometido por tanto a un largo bronceado espiritual. Tuvo el consuelo de que Virginia Pueris se quedara sentada a su lado, quizá en reciprocidad al apoyo que antes él le había brindado. Cuando por fin pudieron escapar, al iniciarse el desganado coloquio, ella le comentó en un tono casi travieso:

—Yo creo que uno de los primeros objetivos de la educación escolar debe ser proteger a los hijos de la influencia de sus padres. O por lo menos ofrecerles alternativas razonables.

Encontraron a don Nicolás en un sillón del vestíbulo, con la pipa apagada en la mano y dormitando. El viejo terrible tenía un aspecto casi desvalido. Pero en cuanto estuvieron junto a él recobró su maliciosa vivacidad:

—Perdonen mi innoble retirada. Con más o menos esfuerzo soporto a pie firme el tronar de los dioses, pero no la cháchara inmunda de sus lacayos terrenales. ¡Caramba, creo que ya es hora de cenar!

Compartieron los tres una mesa y la conversación fue tan animada y se prolongó tanto que casi se quedaron solos en el comedor. Sintiéndose rumboso, Xabi anunció:

—Voy a pedir una botella de champán para que celebremos la estupenda charla de Virginia.

—¡Claro que sí, un día es un día! —proclamó Nirbano.

—*Semel in anno licet insanire!* —remachó la filóloga. Y luego, como Xabi la miraba con sonriente interrogación, aclaró que eso, que un día era un día.

Llegó el champán local, que era malísimo, pero fue tan festejado como el más exquisito Dom Pérignon. Don Nicolás propuso un brindis por el volcán, que no dejaba llegar a la señora presidenta. Xabi pidió otro por la enseñanza universal, pública y laica, que tantas asechanzas padece. Después de la tercera ronda, Virginia Pueris sugirió:

—Si queréis, os cuento una experiencia educativa en primera persona. Aunque es tan desesperadamente insólita que sólo me atrevo a confiarla a oídos amigos y después de haber tomado algunas copas.

Y como vio que se había ganado la atención de los dos caballeros, comenzó a contar.

EXAMEN DE SELECTIVIDAD

Cessi et sublato montis genitori petiui, «Me puse en marcha y los montes busqué con mi padre a la espalda». Mi caso es distinto al de Eneas, porque yo no puedo decir que lleve a cuestas la sombra cariñosa y sabia de mi padre, al que tanto debo, ni siquiera la de mi marido fallecido desconsideradamente pronto, con cuyos manes debo reconocer que guardo una deuda mucho menor. No, la carga que soporto, unas veces casi con júbilo y otras con resignada preocupación, es mi hija de dieciséis años. Hace cuatro o cinco, mientras la veía crecer con la intimidatoria celeridad acostumbrada —«pegar el estirón» suele llamarse a eso—, me felicitaba por haber tenido la suerte de que fuese una chica y no un chico lo·que debía gestionar en mi soledad. Con una mujer, por muchos problemas que presentase su adolescencia, me parecía moverme en un territorio mejor conocido. Siempre supe que la tarea no sería fácil... para una viuda sin demasiado desahogo económico, ninguna lo es. Y menos dado mi carácter, porque tengo una vocación materna bastante superficial y distraída. Estoy convencida de que los gozos de la maternidad han sido altamente sobrevalorados. Pero bueno, a fin de cuentas de mujer a mujer...

Poco a poco me fui dando cuenta de mi error. Nuestra común condición femenina podría habernos servido de elemento mediador decisivo hace veinte años, incluso quizá diez. Hoy era un dato más en nuestro pugilato intergeneracional, otra faceta del problema, pero desde luego no su solución, ni siquiera su alivio. Lo que se alzaba entre nosotras no era la barrera lógica de la edad, ni tampoco la del sexo, sino la de la técnica. No estábamos en trincheras opuestas por cuestiones cronológicas o analógicas, sino digitales. En alguna parte de sus *Memorias de ultratumba* que hace tanto disfruté (¿tendrán hoy todavía lectores espontáneos, o sea, no escolares?), Chateaubriand asegura que los ancianos del Antiguo Régimen padecían menos su vejez que los de después de la revolución: aquéllos se sentían extraños a la juventud pero no a la sociedad, mientras los que vinieron después de la gran convulsión lo fueron ya tanto a la una como a la otra. Si el vizconde viviese hoy, habría asistido a un agravamiento exponencial de ese doble destierro. Ahora personas y cosas se vuelven obsoletas, por lo tanto inservibles, no a los pocos años, sino a los pocos meses: los ritos y mitos sociales en que yo fui educada son casi tan ajenos a la realidad presente como los que acompañaron a la juventud de Chateaubriand.

Ya veo la sonrisita de conmiseración en vuestras caras mientras me escucháis. Ahora va a resultar que la tragedia consiste en que su hija está colgada de internet y ella todavía escribe a mano. Pues no tanto, no tanto, pero algo de eso hay. Desde luego, yo escribo a mano muchas cosas todavía (me gusta, ¿qué pasa?, hay algo hermoso en dibujar letras y ahora que va siendo una artesanía que se pierde, resulta que hasta quienes siempre hemos tenido mala letra somos un poco orfebres), pero también soy capaz de manejar un ordenador y aprovechar sus ventajas más indudables. Mi campo de trabajo, en realidad mi pasión, es la filología latina: y gracias a la red he conseguido comunicarme con especialistas a los que admiro, recibo publicaciones *on-line* difícilmente asequibles por otras vías y he conocido las correcciones de un sabio neozelandés al texto tenido por canónico de las *Geórgicas* que me parecen decisivas. De modo que no soy una anquilosada retrógrada ni rechazo internet por un falso prurito de superstición humanista.

Aunque desde luego tampoco soy de las que creen que cada vez que la casa Apple saca un nuevo modelo «comienza una nueva era» en las comunicaciones, o en la cultura o incluso en la historia de la especie. Me asombra que personas inteligentes reverencien un mero instrumento, por útil que sea, como la respuesta metafísica que desde hace tanto busca la humanidad. Y me asombra la puerilización de los espíritus que provocan esos cachivaches: raro es el día que no recibo por *e-mail* un montaje fotográfico sobre el Papa supuestamente jocoso o un dibujito animado de tono más bien subido enviado no por un adolescente travieso, sino por el decano de la Facultad de Estudios Clásicos o por cualquier otro sesudo académico. Francamente, me preocupan: tonterías, las justas.

Mi hija Adela, en cambio, tiene una relación muy diferente con el invento del siglo: absorbente, extática, orgiástica. ¿Hay bacantes de internet? Si es así, Adela es la primera de las que danzan en la ronda dionisíaca, agitando el tirso. Es una forma de hablar, claro, porque se trata de una orgía sedente, inmóvil y casta (hasta donde yo sé), en la que no bebe nada más fuerte que refrescos *diet* mientras come palomitas o chuches y no vísceras palpitantes de macho cabrío recién sacrificado. Y yo la observo a escondidas, con la misma repugnancia fascinada con que el rey Penteo espiaba a las otras bacantes, embriagadas y atroces. ¡Evohé, evohé! Aquel hijo demasiado serio pretendía comprender los desvaríos a que se entregaba su madre y yo soy una madre chapada a la antigua —sólo en cierto modo, claro— tratando de entender el rapto cibernético de su hija.

Porque de un verdadero secuestro se trata, no veo otro modo de calificarlo. Para mí internet es una herramienta sofisticada al servicio de propósitos culturales que la preceden y cuentan más que ella: Virgilio fue luz para el alma antes de Google y lo seguirá siendo mientras queden humanos con discernimiento, aunque ya no perdure ni rastro de Bill Gates. En cambio, para Adela se trata de un fin en sí mismo, de un universo a explorar y del que esperarlo todo, más rico que cualquiera de sus aplicaciones y lleno de aventuras inéditas que trascienden todo lo que puede brindar el viejo mundo previrtual. Cuando se sienta en su cuarto ante el ordenador y comienza a teclear, es como si se cerrara herméticamente la compuerta de una cápsula que se la lleva a otra dimensión, probablemente trivial y sin malicia, pero para mí desconocida. Allí permanece horas y horas de nuestro tiempo terrestre, que quizá para ella equivalgan a instantes en un cómputo diferente. Desde fuera, respetuosa de su apasionada intimidad aunque preocupada, la veo concentrarse en lo que no conozco, reírse de bromas que no comparto y afligirse por problemas que no logro concebir, acompañada por inasibles desconocidos. Siento inquietud, celos y hasta cierta angustia.

Entonces la recuerdo muy pequeñita, cuando su padre —fugaz, pero cariñoso mientras duró— se la subía en las rodillas y con ellas fingía un galope que la hacía disfrutar ingenuamente, mientras le cantaba el antiguo corrido mexicano:

> *Si Adelita se fuera con otro,*
> *la seguiría por tierra y por mar,*
> *si por mar en un buque de guerra,*
> *si por tierra en un tren militar...*

No soy una madre posesiva ni exigente: lo único que he querido legar a mi hija es una buena educación. Es la gran conquista de nuestro sexo, de la que derivan todas las demás. Gracias a las competencias educativas las mujeres podemos disfrutar hoy de una vida propia, no avasallada a las labores del gineceo ni a los dominantes caprichos masculinos. Para nosotras nunca hubo época mejor; comprendo que haya hombres reaccionarios, soñando con las hazañas guerreras y las fratrías cazadoras de antaño (ilusorias, por supuesto), pero me resulta incomprensible que una mujer no sea progresista, es decir, que no celebre verse libre de las trabas del pasado. Y todo empezó cuando tuvimos acceso a la educación. Gracias a ella demostramos que nada nos falta, ni en habilidad, ni en virtud, ni en vicio, respecto a lo que pueden los varones. Por eso mi único empeño ha sido siempre que Adela estudiara hasta acabar una carrera universitaria. Me da igual que tenga novios o novias (aunque parece que se prodiga poco en ese campo), o que se decante por la izquierda o la derecha (sin embargo, no le conozco adhesiones políticas), pero quiero que estudie, que se capacite, que obtenga un título: luego, la vida dirá.

Al principio, todo fue bastante bien. Sin ser nunca empollona, Adela fue una niña despejada y curiosa, que obtenía calificaciones muy aceptables en la escuela y solía leer de vez en cuando libros adecuados para su edad. Nada espectacular, pero suficiente. Mi primera decepción fue comprobar que, cuando llegó el momento de elegir, prefería sin lugar a dudas las ciencias a las humanidades. La lengua latina y su literatura, pasión feliz de mi vida, no despertaba en ella no ya entusiasmo, sino ni siquiera interés. Tampoco la historia o la filosofía. En cambio se defendía muy bien en matemáticas y, llegado el momento, mostró cierto torpe gusto por la física y la química, disciplinas todas ellas que para mí siempre fueron absolutamente impenetrables, incluso diría que repulsivas. «Bueno», pensé, «en el jardín del saber cada cual elige las flores y frutos de

111

su agrado, pero no hay plantas ponzoñosas». Por lo menos nunca le dio por los almíbares religiosos ni por sucedáneos misticoides de pacotilla estilo *new age*.

Pero después todo fue poco a poco empeorando. Por supuesto, jamás me opuse directamente a su afición a internet y a que pasase cada vez más tiempo prendida del ordenador, incluso desdeñando a veces otras diversiones juveniles que a mí me parecían —quizá por nostalgia— más propias de su edad. A fin de cuentas, la pantalla y el teclado son el signo característico de los tiempos a los que ella pertenece. Lo malo es que paulatinamente sus resultados escolares fueron siendo cada vez más deficientes. Ha ido pasando los últimos cursos del bachillerato a trancas y barrancas, hasta llegar al definitivo, en el que debe preparar el examen de selectividad que le abrirá o le cerrará el paso a una carrera universitaria, la que sea, me da igual: la que ella prefiera. Pero tal como van las cosas, ese examen decisivo puede ser también infranqueable. La profesora encargada de coordinar los estudios de su curso me dio cita en el instituto y me comunicó las malas noticias que yo desgraciadamente presentía:

—Pues no sé qué le ocurre a Adela, pero la verdad es que no pone ya interés, todo lo hace de cualquier manera, por cumplir. No quiero ocultárselo: si sigue así, veo muy difícil que logre superar el examen de selectividad. Y menos con una nota decente, que le permita después elegir la carrera que más le atraiga. Aunque no hay que desesperar, hasta fin de curso todavía faltan bastantes meses...

—Yo creo que dedica demasiado tiempo a internet, mucho más que a estudiar.

—Pues eso es algo que hay que corregir. Todavía estamos a tiempo. Usted, con su experiencia académica, seguramente podrá hacer algo... Sin forzar demasiado, claro está, es una edad difícil. Pero hay que intentarlo, porque la chica realmente merece la pena. Por eso la he llamado a usted.

De modo que iba a tener que hablar con Adela. Un fastidio, no estoy hecha para eso. ¡Claro que hablo con ella de vez en cuando! Me gusta intercambiar una broma o un cotilleo sobre artistas de cine y estoy siempre abierta a responderle a cualquier pregunta; lo malo es que hace años que no me pregunta nunca nada. La verdad es que entre nosotras la mayoría de las preguntas sobre qué es esto y cómo se hace aquello las formulo yo. También la piropeo a veces, le digo que la encuentro muy favorecida con ese jersey o que me gusta su corte de pelo, elogios que suele aceptar encogiéndose de hombros —puede que sea timidez—, pero que nunca me devuelve. En fin... Ya dijo Aristóteles que es natural que los padres queramos más a los hijos que viceversa, porque son obra nuestra mientras que nosotros representamos para ellos algo impuesto que deben padecer.

A lo que iba: no tengo inconveniente en hablar con Adela, nos llevamos bien, no hay (demasiada) hostilidad entre nosotras. Pero son charlas basadas en una cierta familiaridad igualitaria, sin jerarquía ni reparto oficial de papeles. Cuando la profesora certificó su declive académico, me inquieté. Ahora iba a tener que hablarle como madre, desde el púlpito de la responsabilidad, como si promulgase un decreto. Hace años, cuando era pequeñita, me divertía ese papel: era una especie de juego, como cuando representábamos cuentos recién leídos y ella era Caperucita y yo el lobo, o yo hacía de bruja y ella era Gretel, recién llegada a la casa hecha de golosinas. Sin embargo, el tiempo ha pasado y ya se trata de jugar en serio, yo, la mamá con autoridad para exigir y ella, la jovencita que debe obedecer... o patalear contra mí. En cualquier caso, un fastidio, ya digo. No me gusta, no sé cómo se hace, estoy segura de que me sentiré avergonzada si se me somete o indignada si se rebela contra mí.

Estaba en su cuarto, ante el ordenador, como siempre; alternaba momentos de tecleo vertiginoso con periodos de absorta inmovilidad, leyendo en la pantalla. Con un tono incierto, no bravucón pero tampoco demasiado blandengue, le anuncié que necesitaba hablar con ella.

—Vale —respondió con indiferencia, ni curiosa ni recelosa ni... Luego sorbió por la nariz. Creo que es el único hábito que realmente me molesta de ella. Adela forma parte de esa amplia cofradía, ya no sólo juvenil sino intergeneracional, que parece considerar el uso del pañuelo algo disfuncional o anticuado. Salvo en el caso de catarros graves, prefieren reabsorber los mocos que expulsarlos rumbo a las tinieblas exteriores.

—Me ha llamado tu jefa de estudios para hablarme de ti. Cree que vas mal, que no progresas. Hasta me ha dado a entender que probablemente suspenderás la selectividad.

—No digas chorradas, mamá. Prácticamente todo el mundo aprueba la selectividad.

—Eso dicen, pero hay suspensos, ¿no? Parece que si te descuidas puedes ser uno de ellos. Además, si apruebas con una nota muy baja quizá luego no puedas elegir la carrera que más te guste.

—Bueno, no tengo ninguna preferencia especial, de modo que escogeré la que pueda con mi puntuación. Además, ni siquiera tengo claro si quiero ir a la universidad.

Me estremecí al oírla.

—Adela, es tu futuro...

—Ya, vale. No soy una rica heredera y todo eso. Pero hago lo que puedo. ¿Qué más quieres?

Ésa era precisamente la pregunta que yo temía.

—Pues no sé... Quizá pierdes demasiado tiempo en internet...

Había tocado el punto sensible y la tensión aumentó. Su tono se hizo más agrio y su sorbido nasal parecía un resoplido de furia y desprecio, como el de un toro bravo a punto de embestir.

—Y tú, ¿cómo sabes que estoy perdiendo el tiempo?

—No, si seguro que son cosas interesantes, pero te ocupan demasiado y quizá luego estás cansada para estudiar, ¿no? Mira, son unos pocos meses nada más. Ahora céntrate en las asignaturas más difíciles, saca bien la selectividad y luego podrás dedicarte tranquilamente a internet.

Se engalló pero sin ferocidad ni arrogancia, con una especie de fatigada obstinación.

—Mamá, se trata de mi vida, ¿no lo entiendes? Es la vida que yo quiero. Y la vida no puede *aplazarse* hasta pasar la selectividad.

¿Ven lo que les decía? Una madre de las de siempre, una madre con vocación maternal inflexible, encontraría respuestas autoritarias o de amoroso soborno para salir triunfante. Pero yo soy incapaz. Me siento desesperada y a la vez ridícula. Lo único que se me viene a la cabeza es todo lo que yo he tenido que aplazar a lo largo de los años, sine díe, el precio en aplazamiento que se paga por cada mínima conquista, por cada parcela de tardía independencia. Sin embargo, nunca la experiencia ajena, sobre todo la que no es gloriosa ni triunfal, sirve como argumento contra la decisión de quien por ser joven no admite precedentes válidos... y menos si resultan deprimentes.

—Pero Adela...

Ha vencido, aunque no es mala chica: se compadece de mi desamparo.

—Venga, mami, no te comas más el tarro. Si no pasa nada... Ya verás como al final apruebo y con una nota superguay.

Me sonríe afectuosa y vuelve a la pantalla, sin hacerme ya ni caso. La audiencia ha terminado.

Todo lo que no puedo decirle, ni de madre a hija, ni de mujer a mujer, ni de nada a nadie, tengo que contárselo a alguien. Mi confidente preferido, el único fiable, es mi hermano Andrés. Tiene dos años más que yo y es perfecto para escuchar agonías porque nunca contribuye a aumentarlas: lo suyo es el análisis irónico, no los desbordamientos patéticos. Me quiere mucho, aunque me considera un entrañable disparate viviente. No está soltero sino que *es* soltero y engendrar hijos le parece un encargo imprescindible para la especie que cualquier individuo consciente procurará evitar como la peste. En mi caso lo comprende como un pecado de juventud propio de mi sexo, que según él no suele permitir ni en los mejores casos la individualización consecuente.

A él acudí después de mi derrota en el torneo verbal con Adela. Nada más entrar en su laboratorio recibí la entusiasta bienvenida de Emilio, que según su costumbre se abrazó a mi cintura y luego se frotó contra mis piernas de un modo bastante salaz, mientras parloteaba volublemente. No tuve más remedio que darle un beso en los labios, inmediatamente ofrecidos.

—Venga, Emilio, pórtate bien y no te tomes confianzas.

Mi hermano Andrés es primatólogo y Emilio es su chimpancé de compañía, además del principal sujeto de sus experimentos. Con ellos quiere averiguar hasta qué punto es capaz un simio de aprender habilidades que consideramos exclusivas de los humanos, incluso dar muestras de que puede desarrollar cierta capacidad abstracta de pensamiento. Vamos, pretende educarle y precisamente por eso le ha llamado Emilio, en homenaje a Juan Jacobo Rousseau. Supongo que el ginebrino se hubiera sentido halagado en su nostalgia del inalcanzable estado de naturaleza.

Con Andrés siempre hablo con plena libertad y franqueza, como supongo que hablarán los católicos con el confesor o los argentinos con el psicoanalista. Me escucha con cariñosa amabilidad, pero sin dejar de pasar a limpio algunos de sus apuntes o de verificar algún punto oscuro de su teoría consultando uno de los tratados que se amontonan sobre su mesa y sobre las sillas del estudio. A veces hasta me parece que Emilio me presta más atención que él, aunque sólo la demuestre tratando de sobarme las tetas o por lo menos de apoyar su cabezota peluda y susurrante en mi regazo. En ese aspecto, por lo menos, su comportamiento está ya todo lo cerca del habitual en el varón humano que yo pueda recordar.

De modo que voy contándolo todo al viento del momento, tanto para que mi hermano me escuche como para ordenar y aclararme a mí misma las ideas. Me remonto a los antecedentes, quizá más de lo necesario, me enredo en detalles más bien domésticos, y acabo con una crónica *verbatim* de mi conversación con la jefa de estudios y de la subsiguiente con Adela. Andrés no muestra mayor preocupación ni siquiera para darme gusto.

—No pasa nada, mujer. ¡Mira que te gusta dramatizarlo todo! A esas edades, a los adolescentes siempre les da por alguna perdición venial: amoríos, fanatismos musicales, series de televisión... o crisis religiosa. Yo creo que la afición a internet es de lo más pasable. Por otra parte conozco a mi sobrina y es muy lista, de modo que seguramente aprobará como si nada, ya verás.

—Pero, por favor, Andrés, si vieras esas páginas de la red en las que pasa hora tras hora...

—¿No me digas que la rastreas hasta el punto de meterte tras ella en pantanos virtuales?

—Sólo en sitios corrientes, como Twitter o Facebook, ya sabes, para hacerme una idea.

—No los conozco, sólo entro en los sitios de mi especialidad. ¿Has encontrado mucha pornografía, hermanita?

—Peor: mucha estupidez.

—Normal. Los cretinos abundan y han abundado en todas las épocas.

—Sí, pero antes no tenían tantos altavoces para hacerse oír. Si no te parabas en la calle a hablar con ellos ni te enterabas de que existían. Esas redes sociales son la oportunidad soñada de los bobos para darse a conocer. ¡Y qué contentos están de haberse conocido!

—No todos son iguales. Está Adela...

—Ya, Adela es diferente, desde luego y habrá otros como ella. Pero temo que acabe balbuceante, ñoña y burra como la mayoría de sus colegas. Ya sabes que al final todo se iguala según el nivel más bajo.

—¡Habló la gran humanista que desconfía de la humanidad! Y ¿dónde dejas lo de que la *vox populi* es *vox Dei*, o por lo menos *vox veritatis*?

—No quieras liarme. Puedo admitir que *vox humani generis est vox veritatis*, pero lo que escucho a través de la pantalla es la *vox populi feri*, la voz de la gente asilvestrada e ignorante. Y no puedo consentir que mi hija acabe en semejante piara.

—Pues no se te ocurra prohibirle que navegue por donde le apetezca porque sería contraproducente. Ya verás como antes o después todo vuelve a su cauce. Adela es lista y sana. Lo que pasa es que es una chica curiosa y, claro, internet es el paraíso de los curiosos. Pero eso es bueno, porque sin curiosidad no puede haber verdadero aprendizaje. Precisamente lo que le falta a Emilio es curiosidad, maldita sea.

Nunca lo hubiera supuesto yo, porque el chimpancé siempre me pareció casi sobrenaturalmente inquisitivo (incluso imagino que a poco que se esforzase podría dar más muestras de racionalidad que los usuarios de Twitter cuyos mensajes había tenido ocasión de deplorar). Pero no era ésa la opinión desencantada del exigente Andrés. Al contrario que otros primatólogos, que por razones gremiales se empeñan en convencer al mundo de que los grandes simios tienen lenguaje (aunque «no hablan para que no los hagan trabajar», como decía Voltaire), también cultura y que se desenvuelven mejor que los humanos en cuestiones sexuales, familiares y en casi todo lo demás, mi hermano se mantiene sumamente escéptico al respecto. Suele decirme que cuando hacen cosas que «suenan» a las que hacemos los humanos, entonces es precisamente cuando se constata mejor el abismo que los separa de nosotros.

—Pero, Andrés, yo le he visto a Emilio comportarse de un modo asombroso. No olvido aquella ocasión en que demostró que es capaz de comprender los símbolos pintados en esas tarjetas coloreadas con las que le haces jugar. Escogió unas cuantas y te trajo una frase completa, «dar naranja mí dar comer» o algo parecido. ¿Te parece poco?

—Pues sí, bastante poco, la verdad. Entiéndeme, es estupendo para un circo, pero se me queda corto para un laboratorio. No he logrado que combine los símbolos de formas nuevas, sólo repite lo que le he enseñado: como no comprende la sintaxis no es capaz de conseguir oraciones complejas. Nunca me dirá «si no vas a darme ya de comer, por lo menos no me entretengas haciendo tonterías» o algo parecido. Pero esos resultados no son lo más desalentador: incluso quizá sea posible mejorarlos, a fuerza de insistir.

—Precisamente lo que te estoy diciendo.

—Que no, mujer. No entiendes. Te digo que Emilio aprende cosas pero porque yo me empeño: a él no le interesa nada de lo que le enseño y cuando ya sabe hacer algo, si no le fuerzo, no siente el menor deseo de ir más allá y aprender lo que viene después.

—¿Y no ocurre lo mismo con los niños pequeños?

—¡Qué va, ni mucho menos! Los niños pequeños son precisamente los que más ganas tienen de aprender cosas, letras, canciones, juegos, números, lo que sea, y en cuanto les enseñas algo ellos te piden más y más, como quien tira de un hilo hasta devanar toda la madeja. Son los niños mayorcitos los que a veces se desinteresan, pero es sólo porque les aburre la escuela y no el aprendizaje: quieren aprender por sí mismos, sin tanta disciplina, preguntando a otros chicos o viendo la tele. Lo que nos distingue de los monos no es tanto lo que sabemos, sino que nosotros tenemos afán de saber y ellos no. ¡La curiosidad, ahí está la gran diferencia! Me alegro de que mi sobrina tenga para dar y tomar, aunque a veces sea tan curiosa que no le quede tiempo de estudiar. Mira, te voy a enseñar una cosa. ¡Emilio! ¡Ven aquí, compañero, que tenemos trabajo!

Me encanta asistir a los experimentos de Andrés con su chimpancé, porque son inteligentes, pero de una inteligencia diferente y yo diría que opuesta a la que trasciende de los versos de Virgilio o de Horacio que me gusta traducir: es como ver el reverso marrón y nudoso de un tapiz del que yo habitualmente sólo conozco la faz coloreada y nítidamente significativa. Mi hermano fue al otro extremo del laboratorio, donde había una pequeña plataforma rectangular cubierta por una arpillera de perfil desigual. Luego sacó de una caja de madera diez o doce figuras de distintos colores, pero todas con forma de L. Puso en pie de modo más o menos estable la mitad de ellas, una junto a otra, y después reclamó el concurso de Emilio.

El mono se aproximó balanceándose, con ese andar desvencijado que le da, curiosamente, cierto aire malicioso. Tras rascarse un poco la cabeza y cuchichear un momento al oído de Andrés («espero que no le esté haciendo confidencias sobre mis piernas», pensé), siguió poniendo las demás piezas como había hecho mi hermano. Apenas tuvo dificultades con las primeras, aunque alguna se le cayó por lo irregular de la superficie y tuvo que intentarlo dos o tres veces hasta encontrarle el punto. Pero después le tocó el turno a una que no logró sostener en pie, aunque probó con insistencia y hasta trató de situarla aparte de las demás, en una zona más lisa de la plataforma. Por fin la dejó por imposible, colocó sin dificultades las dos que le faltaban y se volvió hacia Andrés en busca de aprobación. Mi hermano le cogió en brazos, le hizo algunos arrumacos y le metió entre los enormes dientes amarillentos algunas golosinas que el bicho degustó con ruidoso placer.

—¿Ves lo que yo te decía? —comentó Andrés—. La pieza que no se sostiene está descompensada internamente de peso y por eso se cae de todas todas. Mi viejo Emilio se toma bastantes molestias con ella, pero después la deja de lado y sigue con las demás: no vuelve a ocuparse del asunto.

—Hombre, me parece bastante lógico. Creo que yo hubiera hecho más o menos lo mismo.

—Pues a lo mejor sí, porque los adultos estamos acostumbrados a que las cosas se estropeen y tenemos tendencia a esperar hasta que llegue un técnico y nos las arregle. Pero en cambio un niño de tres años reacciona de modo diferente. Puedes creerme, he hecho la prueba. El niño se interesa mucho por la pieza rebelde, la mira y la remira, la sacude, le da vueltas, se empeña en averiguar por qué no se sostiene. Suele acabar por traérmela para ver si soy capaz de decirle qué pasa con ella. ¿Comprendes? Se olvida de las demás, de las normales que ya conoce, y sólo sigue pendiente de la que se comporta de un modo inexplicable. Justamente lo contrario de lo que has visto que hace Emilio.

—Bueno, a lo mejor es que Emilio piensa como un adulto resabiado y no como un niño inocente. Después de todo ya es mayorcito, ¿no? —dije, para chincharle un poco.

—¡Venga ya! Anda, vuelve a tus latinajos. Está claro que no has nacido para la investigación empírica...

Ya que no parecía aconsejable —ni siquiera posible— empeñarse en racionarle a mi hija las horas de internet, preferí el camino opuesto. Si no puedes vencer a tu enemigo, únete a él: o mejor, utilízale para tus fines. En la red puede encontrarse de todo y en ese tótum revolútum hay gran cantidad de páginas dedicadas a la educación: reflexiones pedagógicas sensatas o disparatadas, foros de profesores, foros de alumnos, lecciones de todo tipo de materias y también ofertas de trabajos escolares prefabricados o incluso tesis doctorales completas para quienes no quieren tomarse demasiadas molestias (*vid.* www.sinpegargolpe.com). Por supuesto, la mención «selectividad», «examen de selectividad», «preparar la selectividad» y similares llevaba a una buena cantidad de sitios. Una rápida y superficial inspección de los más conspicuos me convenció de que junto a muchos aberrantes o pintorescos no faltaban los que parecían verdaderamente útiles. Si yo, con mi escasa y desganada experiencia de internauta, los había encontrado como quien dice a bote pronto, alguien experimentado como Adela podría dar con cosas aún mejores. De modo que en lugar de prohibir o regañar, decidí hacerme cómplice y sugerirle que buscara precisamente en su universo favorito lo que mejor pudiera ayudarla a mejorar su rendimiento académico. No parece en principio mala idea, ¿verdad? Pero lo fue: muy mala. La culpa de lo que vino luego debe recaer en primer término sobre mí; en segundo lugar, sobre el destino, el fátum o como se le llame ahora.

Le expliqué a Adela del modo más cálido y cómplice (artificiosamente cómplice, me temo) que pude la idea de utilizar internet para conseguir ayuda cualificada en la preparación de la selectividad. Así podría poner su pasión predominante al servicio de sus intereses educativos inmediatos, unir lo agradable a lo útil, etcétera: me escuchó con cara de fastidio. «Bueno, vale, ya veré...». Le pasé una pequeña lista con la referencia de algunas de las páginas que me habían parecido más prometedoras. La aceptó y la puso de inmediato a un lado en su mesa, con abundante mímica de resignación y agotamiento:

—Mamá, ya *sé* que hay páginas sobre estudios, selectividad y todo eso. Lo sé desde hace mucho, pero que muchísimo tiempo. No creas que tienen soluciones mágicas para nada, ¿eh? En fin, gracias. Comprendo que lo haces con buena intención.

La hija perdonando de nuevo a su madre el empeñarse en serlo... Supongo que el principal problema de la educación actual es que a los educandos les falta la humildad de reconocer que unos no saben y otros sí, paso previo para aceptar lecciones. No sé si es culpa de una mala comprensión de la pedagogía o incluso de la democracia, pero cunde la disparatada convicción de que todas las opiniones son igualmente válidas y que los ignorantes pueden enorgullecerse de su ignorancia con igual derecho que los sabios de su sabiduría. Por la red corre el espíritu santo que nos ilumina de modo instantáneo, por lo que es inútil y hasta ridículo perder el tiempo en la escuela: lo que tú llamas no saber para mí es la liberación de la sumisión a lo que quieren imponernos los viejos. El asno se sacude las tradicionales alforjas y así se convence de que ya no es un burro, sino un corcel salvaje de las grandes praderas.

De todas formas, conozco todavía lo bastante a mi hija como para estar segura de que le había metido en el ánimo cierta inquietud o quizá curiosidad, como diría Andrés. Lo confirmé la tarde siguiente, cuando entré en su cuarto para hacerle cierta consulta sobre el menú de nuestra sobria cena y de reojo lancé una mirada furtiva a la pantalla siempre iluminada a la que atendía más que a mí. Allí pude leer un encabezado —«Cuestiones sobre selectividad»— que me convenció de que mis recomendaciones no habían caído totalmente en saco roto. Me alegré, desde luego, y hasta sentí una íntima y cálida ráfaga de ternura por mi querida niña, mi Adelita, que a fin de cuentas aún escuchaba mis recomendaciones, aunque remoloneando y haciéndome rabiar. ¡Qué boba y peligrosa vanidad posesiva, qué inoportuna vocación maternal! Ahora sé que hubiera sido mil veces mejor que Adela hubiese permanecido díscola hasta el final, rechazando con obstinación mis bienintencionadas sugestiones. Pero esa dramática lección forma ya desgraciadamente parte de mi educación, no de la suya.

La primera indicación del cambio que había comenzado la obtuve precisamente de un comentario casual de Adela durante una de nuestras apresuradas y más bien silenciosas comidas. Yo había preguntado, también casualmente y sin ningún énfasis especial, qué tal iban las cosas en el instituto y ella, tras meterse en la boca un puñado de chorreantes hojas de lechuga (pasa actualmente por una etapa vegetariana), masticó algo que sonó confuso pero esperanzador.

—Perdona, ¿cómo dices? No te he entendido bien.

—Que digo que bien, que voy mejor. Dos profes lo han reconocido ya, así que... —Se secó el hilillo de aceite que le corría por la barbilla y después, con los ojos puestos en el plato para localizar algún fragmento apetecible de remolacha (si tal cosa puede existir), comentó—: He localizado un sitio guay que me está ayudando de un modo guapo.

—Ah, oye, qué bien. Y ¿cómo se llama? ¿De qué tipo...?

—Vale, ya te contaré, me las piro que tengo un chat.

Y de momento, ahí acabó la cosa. Pero fue lo bastante para inocularme un remusguillo de ilusión. A lo mejor... Y sí, en efecto: las cosas iban a mejor. Llegaron las calificaciones del trimestre y en general estaban por encima de lo que había sido la media del comienzo de curso. Para asegurarme, telefoneé a la jefa de estudios, que fue más difícil de localizar que el secretario general de la ONU en tiempo de guerra. Finalmente pude hablar con ella:

—Pues sí, va mejor, yo diría que ha recuperado algo de interés. No quiero lanzar las campanas al vuelo, pero a mi juicio ahora progresa adecuadamente.

Me sentí muy animada ante este cauteloso encomio. Vaya, parece que mi hija no lo estaba haciendo mal... ni su madre tampoco, qué caramba. ¡Ay, qué engañoso es todo! O, como dijo Macbeth respecto a otra profecía aparentemente beneficiosa, pero que se reveló fatal, «el demonio miente diciendo palabras verdaderas». El caso es que en los siguientes días, cuando entré de modo fingidamente ocasional en su cuarto mientras estaba navegando, siempre la encontré frente a una pantalla llena de números, raíces cuadradas y fórmulas raras que me parecieron logaritmos (aunque confieso que no tengo ni idea de lo que es un logaritmo). En una de esas visitas me pareció que estaba respondiendo concienzudamente un cuestionario sobre la morfología de un mamífero que no logré identificar, cuyas vísceras aparecían excelentemente reproducidas en perspectiva tridimensional. Otra vez estaba en lo que debía de ser una lección de astronomía (¿entra la astronomía en las pruebas de selectividad?), porque en la imagen se veían varios planetas —de los que sólo pude identificar a Saturno, como siempre— girando de modo muy realista sobre un fondo espacial de acharolada negrura. Tuve que reconocer, *inab imo pectore*, que las posibilidades instructivas de la red son auténticamente formidables.

Tres semanas después fue la jefa de estudios la que me telefoneó: «Va muy bien, pero que muy bien. Un cambiazo. Aquí estamos todos muy contentos. Se lo digo porque sé que estaba usted muy inquieta...». De modo que aproveché la siguiente cena algo relajada para expresar mi satisfacción y lanzarle un mensaje de ánimo:

—Estoy muy contenta contigo, Adela. Nena, tú vales mucho —bromeé—. Y dime, por curiosidad, ¿cuál es esa página que te está viniendo tan estupendamente? ¿Cómo funciona?

Siguió durante un rato cortando en pequeños trocitos su hamburguesa de tofu. Después, me informó brevemente.

—El sitio se llama notequedesatras.com. La verdad es que yo no lo encontré, me lo sopló una colega del insti. Enseña las cosas pues... así, muy bien. Tiene unos gráficos geniales. Y te pone en contacto con gente como tú, que está en lo mismo. Pero te hace trabajar, eh, no te creas. Yo ahora curro mucho más que antes.

«Bendito sea Dios», pensé, aunque no soy creyente. Y es lo malo de los que no somos creyentes, que a veces nos creemos cualquier cosa que nos parezca conveniente para serenarnos.

Poco después Adela me anunció que, como se iban acercando los exámenes, unos compañeros vendrían a casa para estudiar juntos.

—No son de mi instituto —precisó—, los he conocido en la página de que te hablé. Pero estudiamos las mismas cosas y hay ejercicios que resultan mejor si los hacemos en grupo.

Bueno, por mi parte nada que objetar. Los compañeros de Adela llegaron esa misma tarde. Como me había anunciado el acontecimiento con tanta solemnidad, creía que serían un verdadero tropel y que me esperaba una larga velada encerrada en mi cuarto bajo el estruendoso asedio de numerosos adolescentes. Pero sólo eran tres, dos chicos y una chica, y de lo más discreto, según comprobé enseguida con alivio. Antes de pasar al cuarto de mi hija se molestaron en saludarme respetuosamente. El que parecía mayor, o al menos más maduro, era un muchacho alto, de aire serio y casi solemne, con gafas redondas de cerco metálico que le quedaban muy bien: se presentó como Álvaro. El otro, Iker, era un gordito rubicundo y sonriente; ella era evidentemente la más jovencita, se llamaba Ana y parecía algo cohibida al encontrarse en casa ajena. Los tres me impresionaron favorablemente por su aspecto cortés y sus modales circunspectos.

La verdad, también me sorprendieron. Ninguna madre puede decir que conoce a todas las amistades de su hija, pero al menos cree tener una cierta idea del tipo genérico al que responden: una supone saber cómo es la gente que *pega* con ella. Y, francamente, aquellos tres pegaban poco con las habituales relaciones de Adela. Yo estaba ya acostumbrada —casi resignada, diría— a tumultuosos internautas que se enorgullecían a voces de las películas, canciones y juegos que se habían bajado gratis de la red. Fanfarronadas que no me atrevía a criticar, a pesar de que me sonaban como si alguien alardease de haber descerrajado coches para robarles la radio o de haber hecho el butrón en una joyería para vaciar los mostradores. Otro desafío para mi humanismo, comprobar que los mejores logros de nuestra sofisticación técnica acababan al servicio del capricho de niñatos bribones. Por supuesto, nunca les oí mencionar ningún tema escolar más que de modo burlón y bastante desalentador. Pero estos visitantes nada tenían que ver con dicho paradigma, más bien parecían encarnar el tipo opuesto: concienzudos, aparentemente alérgicos a las usuales transgresiones, simpáticos pero formales. Bendije de nuevo a la red por haber propiciado a mi niña una compañía tan insólitamente recomendable. Aunque me quedé, sin embargo, un poco inquieta. Todo iba *demasiado* bien...

Cuando llevaban ya más de una hora encerrados decidí fingirme algo más maternal y mucho más boba de lo que soy: llamé a la puerta e inmediatamente entré sin esperar autorización.

—¿Alguien quiere beber algo? ¿Algún refresco?

Adela estaba sentada ante su ordenador y los demás tenían el portátil sobre las rodillas, salvo Álvaro, que estaba de pie y apoyaba un codo en la estantería donde se alineaban libros y muñecos viejos. Me dio la impresión de que estaba explicando algo a la concurrencia, pero se interrumpió cuando yo entré.

—Muchas gracias, señora, no queremos nada.

—Bueno, yo me tomaría una coca si no es molestia... —discrepó tímidamente Iker.

—¿Puede ser otra para mí? —se apuntó la chica.

—Claro, no es molestia, ahora mismo las traigo.

Salí dejando la puerta abierta y volví enseguida con las bebidas y un cuenco lleno de patatas fritas con sabor a ajo y perejil, las que le gustaban a Adela. Me tomé mi tiempo para buscar un sitio donde dejar el aperitivo, que aproveché también para una rápida inspección. En las pantallas de todos los ordenadores había la misma imagen, un paisaje urbano con edificios altos y aguzados como minaretes contra un cielo nocturno en el que flotaba una enorme luna azulada. No vi por ninguna parte cuadernos ni bolígrafos salvo los que Adela tenía ociosos en su mesa, pero ése es el signo de los tiempos. Lo curioso es que tampoco estaban a la vista los libros de texto de las asignaturas.

—Bueno, ¿todo marcha bien? ¿No necesitáis nada más?

Adela parecía azorada, como si mi irrupción la pusiera en una situación comprometida.

—Venga, mamá, por favor, que todavía nos queda mucho por repasar.

—Ah, creí que estabais haciendo un pequeño descanso. —Señalé con gesto vago hacia la imagen de la pantalla—. Pero tienes razón, ya os dejo, es un temario tan extenso...

—No se preocupe, señora —contestó Álvaro, con tono grave y reposado—. Vamos bien, estamos ya en marcha.

—Claro, tú... —titubeé un poco, pero ¿por qué no decirlo?— tú ya te debes conocer los temas bastante bien, ¿no? Como eres mayor que los demás...

Álvaro se me quedó mirando un silencioso momento. Tuve la impresión de que los otros tres contenían también la respiración, como si fuese a comenzar una pelea o algo así.

—En efecto —dijo por fin, sin alterarse lo más mínimo—, yo soy repetidor. Pero creo que esta vez va a ser la buena.

—Ojalá. Ojalá aprobéis todos.

Salí sonriente, pero nada más cerrar la puerta tras de mí se me borró la sonrisa y me envolvió la extrañeza. Francamente, me resultaba muy difícil imaginarme al aplicado Álvaro suspendiendo un examen de lo que fuese. Aunque puede que el año anterior hubiese estado enfermo o tuviera alguna desgracia familiar. Además, a esta edad chicos y chicas cambian tanto... ¡y tan rápidamente! También le daba vueltas a la expresión tan curiosa que utilizó Álvaro para describir los avances académicos del grupo: «Estamos ya en marcha». ¿Hacia dónde? Parece una expresión más propia de los preparativos de un viaje o de una expedición que de un ejercicio escolar. Bueno, por lo visto hasta cuando todo funciona a pedir de boca sigo arreglándomelas para buscarme preocupaciones. Porque había otra cosa que no se me iba de la cabeza, algo raro, pero de una rareza que no lograba precisar: el paisaje que aparecía en los ordenadores de los estudiantes. Algo no encajaba en esa imagen, tan plácida aparentemente, algo que me desasosegaba. No eran los insólitos edificios de altos chapiteles sino otra cosa relacionada con la noche y el cielo. ¡Esa luna azul y nubosa, tan grande! No, no era la luna, de pronto me sobresaltó la evidencia. ¡Era la tierra, el planeta azul! La tierra convertida en luna y vista desde... ¿desde dónde? ¿Dónde estaba esa ciudad de afiladas torres? Puede que todo fuese un capricho fantástico del artista, claro, pero...

Por si acaso, decidí visitar por mi cuenta la página que tanto interesaba a Adela y al resto de compañeros. Notequedesatras.com: vamos a ver. Tecleé la dirección y comenzó a sonar una fanfarria, una versión electrónica de *La cabalgata de las valkirias* que no mejoraba en nada la truculenta partitura. Después apareció un fondo azul desvaído sobre el que se recortaban unas letras brillantes que parpadeaban como un anuncio luminoso: *Per aspera ad astra*. Vaya, no era demasiado original, pero al menos estaba en latín. Abajo un subtítulo: «Aprender para despegar». En fin, seguí adelante. Un rotundo aviso: «El acceso a esta página totalmente gratuita está reservado a los menores de veinte años». Me pregunté si este tipo de restricción discriminatoria era constitucional. Tuve luego que rellenar un formulario de inscripción: nombre, fecha de nacimiento, domicilio y número del documento de identidad. Además nivel de bachillerato, centro donde cursaba estudios, calificaciones obtenidas en el último trimestre y otras más aleatorias: grupo musical preferido, título de la última película que había visto, libro favorito, deporte que practicaba o al que me gustaba asistir, etcétera. Aunque detesto los engaños y subterfugios, me lo inventé casi todo, por la buena causa (hasta llegué a decir que mi lectura preferida era la saga de *Crepúsculo,* los dioses me perdonen), para acomodarme a lo que yo suponía que sería el perfil requerido. Después marqué «seguir», a ver si colaba. Pero no coló. «Lo sentimos, datos erróneos. Acceso denegado. Le aconsejamos que no insista». Y vuelta a la marcha wagneriana y al lema latino: en efecto, sólo por los caminos más esforzados se sube hasta los astros. Y a mí evidentemente se me negaba el derecho a intentarlo.

Entonces volví a Virgilio. Vengo desde hace tiempo traduciendo con parsimonioso deleite las *Bucólicas,* por iniciativa de un amigo editor que me hizo una vaga propuesta sine díe para su colección de clásicos bilingües. Probablemente ya se le habrá olvidado el encargo, porque lo cierto es que no me doy ninguna prisa en cumplirlo. Al contrario, lo dilato y hago durar todo lo posible. Esta traducción se ha convertido en mi refugio, el *locus amoenus* adonde me exilio espiritualmente en cuanto el agobio y los mil incordios sin grandeza de lo cotidiano se me hacen insoportables. Poner en lengua común los versos virgilianos me convierte de nuevo en persona libre cuando estoy a punto de dejar de serlo para transformarme en robot doméstico o máquina tragaperras. Ahora, inquieta por Adela y sus nuevas relaciones, pero también desconcertada por no saber a ciencia cierta a qué respondía exactamente esa inquietud, regresé a mi terapia con la poesía del mantuano. Había terminado ya las tres primeras Bucólicas y ahora debía empezar la versión de la cuarta. Pero en lugar de serenarme y levantarme el ánimo, como solía ocurrir, los versos que conocía desde hace tanto aumentaron mi desasosiego y me suscitaron una misteriosa alarma:

> *Ya ha llegado la última edad*
> *que anunció la profecía de Cumas.*
> *La gran hilera de los siglos comienza de nuevo.*
> *Ya vuelve también la virgen,*
> *el reino de Saturno vuelve.*
> *Ya se nos envía una nueva raza*
> *desde el alto cielo...*

Este críptico aviso que me enviaba Virgilio a través de los siglos y de sus metamorfosis históricas (interpretado ya de tantas y tan diversas maneras por los exégetas) sintonizaba de un modo enigmáticamente perturbador con la sorda e inexplicable angustia que iba creciendo en mí. Angustia, enigma, enredo inexplicable y perturbador. Había llegado el momento de hacer otra visita a mi hermano Andrés.

Cuando llegué, me encontré a Emilio de un humor más bien melancólico. Me pellizcó un poco con sus dedos arborícolas y se frotó contra mis piernas pero sin mucho empeño, como esos novios ya algo hartos de una relación demasiado prolongada que a demandas de la reiterativa amada representan el repertorio de la lascivia aunque sin experimentarla. Pregunté a Andrés qué era lo que le pasaba.

—Está soso, cansino... tiene días así. Pero de todos modos ha aprendido un par de habilidades nuevas, ya verás.

En efecto, aunque con aire más bien desganado y mascullando para su coleto lo que otras veces sonaban como chistes privados y ahora más bien como maldiciones, Emilio formó un rompecabezas y trajo plátanos y manzanas cuando Andrés me facilitó los símbolos que debía mostrarle.

—Dirás lo que quieras, Andrés, pero a mí me sigue pareciendo que tienes un genio en casa.

—De genio, nada. Sería un genio si se le ocurriese algo a él, si no necesitase constantemente mis órdenes. Estoy seguro de que si le soltase en la selva dentro de una semana ya no se acordaría de nada. Los atisbos de inteligencia que tiene se los ha despertado el contacto conmigo, que no soy precisamente un chimpancé. Entre sus semejantes, no habría pasado todo lo más de ensamblar un par de cañas para alcanzar una fruta demasiado alta.

—Pero ¿no es eso precisamente en lo que consiste cualquier educación? ¿En una especie de contagio entre el que sabe y el ignorante que nunca habría aprendido nada por sí mismo ni de los demás ignorantes como él?

—Bueno, en nuestro caso tanto los maestros como los alumnos pertenecemos a la misma especie.

—Y ¿crees que siempre ha sido así?

—Me parece que no te entiendo.

—Lo que me pregunto es quién contagió el conocimiento inicial a los primeros maestros. Según tú, no pudieron ser otros ignorantes como ellos.

—Es que el caso humano tiene características especiales. Sin duda la adaptación evolutiva...

—Claro, la evolución puede explicarlo todo, pero a posteriori, cuando ya ha ocurrido. Sin embargo, parece que la evolución ahora ya no funciona como escuela de grandes novedades, ¿no?

—Hermanita, ¿qué es lo que quieres decirme? Vamos, habla sin rodeos...

—No sé si se puede decir algo difícil sin rodeos. Oye, Andrés, si los humanos tuviésemos que aprender cosas realmente nuevas, saberes que fuesen más allá de lo que exige la adaptación a las condiciones de vida que conocemos, ¿no necesitaríamos acaso otros maestros, maestros inéditos, distintos?

—Quieres decir, distintos a...

—Eso es. Distintos a nosotros.

Andrés se me quedó mirando sin decir nada. Y Emilio, que solía seguir su mirada, me contempló también con sus ojos fúnebres y afligidos: creo que alguien ha dicho que el hombre desciende de la triste mirada de los grandes simios. Parecía decirme «yo me he quedado atrás, de acuerdo, pero ¿y vosotros? ¿Hasta dónde habéis llegado?».

—¿Cómo le va a Adela? —se interesó Andrés.

—Pues... no sé bien qué decirte. Está sacando buenas calificaciones y trabaja mucho. Tiene un grupo de compañeros que ha conocido por internet y estudian todos juntos.

—De modo que ahora ya no tienes tanto miedo de que suspenda, ¿no?

—Al contrario, tengo miedo de que apruebe.

—¡Hermanita, por favor! Me parece que la selectividad de Adela se te está convirtiendo en una especie de neurosis. Déjala tranquila y despreocúpate. Ya te he dicho que la chica es sensata y seguro que sabe lo que tiene que hacer.

—Lo que yo quisiera saber es... Dime, Andrés, ¿a dónde se van los hijos... cuando se van?

Y así hemos llegado a lo de esta noche. A la una o una y media de la madrugada me he despertado con una sensación alarmante, como de amenaza. Entraba luz por debajo de la puerta, pero no la habitual del pasillo, sino otra diferente, rojiza y ondulante, parecida a la del fuego. Me he incorporado un poco y luego he intentado levantarme de la cama, pero me ha resultado imposible. Algo invencible aunque no doloroso me lo impide, soy incapaz de mover las piernas y la mayor parte del cuerpo. ¿Estaré sufriendo un ataque de algún tipo que me afecta al sistema motor?

Después se abre la puerta y recortada a contraluz en el umbral está Adela. Tras ella oscilan luminarias cambiantes, como las de una silenciosa discoteca. También se deslizan por el fondo del pasillo figuras imprecisas, que podrían ser humanas, aunque tengo la impresión de que les sobran algunas extremidades.

—Mami, tranqui, por favor. Todo está bien. Ahora no te puedes mover, pero será sólo un ratito, mientras dure el examen. Han venido a hacerlo a casa, ¿sabes? Porque también hay pruebas físicas. Son muy exigentes en la selección, sólo se llevan a los mejores de verdad. ¡Aquí no se puede copiar ni hacer trampas! —añadió con una risita, como para quitarle hierro al asunto. Después se sorbió los mocos, fiel a su estilo, y me dijo—: Mamá, te quiero mucho y te agradezco todo lo que has hecho por mí. Eres una madre chuli, te lo juro. Bueno, ahora... oye, no quiero ponerme nerviosa, pero me juego el futuro. Deséame suerte.

Y se retiró, cerrando la puerta con cuidado. Nada de sus portazos habituales. También sin ruido, moviendo sólo los labios, empecé a repetir: «¡Suspende, hija mía! ¡Hazme el favor de suspender! ¡Obedece y suspende!». Aunque para qué voy a engañarme, estoy segura de que aprobará y con buena nota. ¡Ha estudiado tanto mi niña!

Pasan los minutos, muchos minutos, quizá ya más de dos horas. ¿Cómo era aquel antiguo corrido mexicano?

Si Adelita se fuera con otro,
la seguiría por tierra y por mar,
si por mar en un buque de guerra,
si por tierra en un tren militar...

Pero ¿y si se va más allá de los mares, más allá de la tierra, a través del negro vacío? ¿Cómo seguir su pista entre estrellas pálidas cuyo nombre no conozco?

JUEVES

Santa Clara celebraba hoy el Jubileo del Chuletón de Buey, pero continuaba con el aeropuerto cerrado. Al lunes, martes y miércoles de Ceniza le seguía ahora un jueves de ceniza por culpa del efervescente volcán Ireneo. Mientras escuchaba las noticias, Xabi Mendia se imaginó con perverso deleite la creciente zozobra de organizadores e invitados del Festín de la Cultura, que empezaba a despedir cierto tufillo catastrófico. ¿Y qué sería de la Princesa, la señora presidenta doña Luz Isabel? ¿Qué tendrá la Princesa? Probablemente no eran suspiros los que se escapaban de su boca de fresa, sino sapos y culebras. La situación se volvía por momentos más incontrolable e imprevisible, o sea, más divertida.

Sin embargo, el corresponsal de *Mundo Vasco* no carecía de pundonor profesional. Y la verdad es que era consciente de que el material que había enviado hasta la fecha (y que trataba más de las intemperancias del volcán que de los *highlights* del congreso) difícilmente justificaba los gastos del viaje. De modo que empezó el día decidido a conseguir, si no tanto como un *scoop*, al menos un documento de interés humano o social capaz de titular a los lectores. Ahora bien, Xabi Mendia, pese a su relativa bisoñez, no ignoraba los mecanismos de la profesión. ¿Cómo consigue noticias un periodista? Casi siempre leyendo o preguntando a otro periodista. Los días anteriores había tenido ocasión de fijarse en un joven más o menos de su edad que no se perdía un evento y sacaba abundantes fotos de todos. Xabi estaba convencido de que era un nativo, no un alienígena como él.

—Perdone, ¿es usted periodista? Soy Javier Mendia, de *Mundo Vasco*.

—¿Periodista? Vaya... no, algo aún peor: soy poeta. Ah, lo dice usted por mi afán fotográfico, ¿verdad? Es una concesión al espíritu de los tiempos: todo simulacro, mucha imagen y ninguna idea, etcétera. Mire, en serio, tomo fotografías para mi blog, Impertinenciasydesafios.com. Cada día hago una crónica ilustrada de este disparate de festín cultural. Más bien crítica, me temo. Aunque claro, si es usted un invitado no pretendo ofenderle.

—Critique todo lo que quiera, que no me ofende. Soy solamente un observador.

—Menos mal. Es que yo soy de los que ofenden siempre, ¿sabe? Y muchas veces hasta sin querer. Me llamo Saúl David, imagínese.

Xabi Mendia prefirió no imaginarse nada, de momento. Pero el tipo, de pelo revuelto, ojos inquietos y aliento un poco fuerte ya a esas horas, parecía simpático.

—Entonces, ¿no le convence este Festín de la Cultura...?

—Bueno, le confieso que gracias a nuestro volcán y sus incordios está resultando más entretenido de lo previsto. Pero por lo demás, ¡menudo escaparate! ¡Santa Clara, capital de la Cultura con mayúscula! En este peñasco perdido de la mano de Dios, donde no hay más que cocineros...

—Pero también tendrán intelectuales, escritores, cineastas...

—Claro que sí, bastantes, más de los previsibles incluso. Pero todos se marchan en cuanto pueden. Nacen, crecen, lo intentan... y se van. Sólo se quedan los cocineros.

—Y ¿cómo es eso?

—Muy sencillo, porque todos los santaclareños utilizan diariamente su estómago, pero muy pocos emplean su cerebro ni siquiera una vez al año. Aquí las indigestiones las causan los que piensan, no los que guisan. Fuera de los cocineros, los únicos tolerados son los que componen panegíricos costumbristas y cantan las bellezas de nuestra costa. Y los que elogian a los cabestros que gobiernan, por si acaso. El resto estorba. ¡Sólo coros y danzas, fiestas patronales! ¡Viva el corro de la patata, que es popular, alimenticio y de lo más participativo!

—Pero quizá este interés actual por la cultura sea buena señal. A lo mejor tratan de ensanchar su horizonte. Es lo que se propone la presidenta, ¿no?

—Bendita sea su buena intención, amigo. A la presidenta le gusta la cultura tanto como a mí los dolores de muelas. Lo único que pretende con esta alharaca es fomentar el turismo del que vivimos y que va de capa caída, conseguir alguna inversión y que el extranjero se olvide de nuestro terrorismo local, uno de los productos autóctonos más genuinos.

La mención del terrorismo encendió la concupiscencia periodística de Xabi Mendia. Ahí tenía un tema interesante, porque a muchos de los lectores vascos les aliviaba enterarse de que también en otras latitudes la gente decente tenía que convivir con caníbales políticos. De modo que rogó a Saúl David que le ilustrase sobre ese fenómeno.

—La verdad es que no hay mucho que contar —dijo el autodeclarado poeta—. Como el resto de los terrorismos, en el fondo no es más que matonismo con barniz ideológico. Complejo de inferioridad disimulado por el uso de explosivos. Como Santa Clara está casi fuera de los mapas, nos han tocado terroristas de ideología especialmente abstracta, digamos que metafísica, si esa palabra puede utilizarse como insulto. Para empezar, el grupo quiere llamarse IRENE, que en griego significa 'paz'. Así ellos pueden titularse «ireneos» y de paso identificarse con nuestro volcán: en efecto, son tan pelmazos, obtusos, repetitivos y cenicientos como ese ano gigante de pedorretas magmáticas.

—IRENE —rumió el periodista vasco—. Bueno, es más original que otros nombres elegidos por bandas de asesinos, aunque quizá menos sonoro que Ku Klux Klan y menos poético que Sendero Luminoso.

—Oye, ¿podemos tutearnos, verdad? —Xabi le informó de que los vascos tutean a todo el mundo, incluidos reyes y papas—. Pues mira, lo de «Irene» como paz es un sobrentendido que suena bien, ya sabes que todos los que dinamitan, torturan o fusilan sienten un amor desbordante por la paz. Pero IRENE es también un acrónimo, o sea una declaración condensada de principios, formado por las iniciales de Implacable Revolución Exterminadora Necesaria y Equitativa. Según estos orates, todas las instituciones sociales nacen de la coacción y la implican en mayor o menor grado, por lo que merecen ser destruidas sin contemplaciones. Y como las dichas instituciones están representadas y encarnadas por personas, el asesinato resulta ser una forma de purificación. O también el secuestro punitivo, hasta que el así castigado reconoce sus culpas y renuncia públicamente al mal.

—La doctrina de Mefistófeles —recordó Xabi Mendia—. Todo lo que existe merece perecer.

—Ah, eres lector de Goethe. Veo que no estoy hablando con un periodista del montón. En fin, ya te digo: matonismo y majadería, aunque en nombre del pueblo y de la paz, eso sí. Hace unos años la IRENE estuvo desagradablemente activa, pero ahora funciona con sordina, amortiguada. Media docena de fechorías al año, para no perder la mano y seguir extorsionando fondos a los empresarios más timoratos.

—Asesinaron al marido de la actual presidenta —recordó Xabi Mendia, mientras tomaba aplicadamente notas.

—Sin duda, ése fue su peor crimen —dictaminó Saúl David—. No porque liquidaran al viejo senador, claro: era imbécil, manipulador y corrupto hasta la médula. Pero sin querer promocionaron políticamente a la Princesa, que es aún peor que su difunto esposo. Al revés que Mefistófeles, que reconocía honestamente querer hacer el mal y, sin embargo, cometía el bien, ellos pretenden lo mejor y sólo consiguen empeorarlo todo.

Como ya debía de estar a punto de comenzar la primera conferencia del día, a cargo de un cineasta que hablaría sobre «Cine, videojuegos y cultura digital», ambos se dirigieron al Salón Imperial. Sorpresa: la gente salía de la sala en lugar de entrar y eso que la charla no había empezado todavía. Para informarse, Xabi Mendia se dirigió a su azafata preferida, reincorporada a su trabajo y a la que había sentado bien el descanso porque relucía más apetitosa que nunca. Sonriendo, como de costumbre, la mulata le informó de que acababan de anunciar que el conferenciante había sido atropellado en la acera por una bicicleta al volver al hotel tras un paseo madrugador. Ahora le atendían en el hospital, en espera de ser llevado a juicio por entorpecer el tráfico. Valerosamente, Xabi aprovechó la ocasión para preguntarle cómo se llamaba y si después de acabar su turno podrían tomar una copa juntos.

—Es que no conozco nadie aquí, ¿sabes?, y me gustaría charlar con alguien que me informase sobre Santa Clara...

Sonriendo aún más dedicadamente, ella le informó de que se llamaba Marina y que al final de la jornada estaba muy cansadita y necesitaba irse directamente a casa para reponer fuerzas. Xabi Mendia vio en la respuesta algo alentador, aunque remoto, y sobre todo quedó bastante contento de sí mismo por haber sido tan mundana aunque infructuosamente audaz. La timidez obtiene pocos éxitos, pero sabe consolarse.

De modo que ahora tenía por delante otro largo rato libre. Como seguía poseído por el celo profesional, decidió entrevistar al novelista Samuel Futurano, al que vio en ese momento salir decepcionado de la sala.

—¡Ah, tú eres el chico vasco que va con el viejo Ni-Ni! —le identificó—. Menudas palizas te estará dando, ¿eh? Es especialista en largar rollos y no admitir réplicas. Pues encantado de que me hagas una entrevista, ya que lo de ahora se ha suspendido. Un desastre, este Festín de la Cultura, todo va manga por hombro. Pero eso no lo pongas, oye, que no quiero líos. ¡Ya era hora de que me entrevistaran! Aunque aquí no hay servicio de prensa ni nada que se le parezca, claro, pero la verdad es que el autor más conocido de los que hemos venido, dejando aparte el Premio Nobel, que por cierto vende poquísimo, soy precisamente yo. Y en el País Vasco, ni te digo: allí lo de la Guerra Civil interesa cada vez más.

El autor de *Victoriosa derrota* sonrió satisfecho y Xabi Mendia, que no le podía ni ver, le devolvió oficiosamente la sonrisa. Y de inmediato buscaron un rincón tranquilo para charlar, aunque las voces de Futurano se oían perfectamente a bastante distancia. Grabadora en ristre y venciendo su desgana —«hay que ser profesional, hay que ser profesional», se repetía in péctore—, Xabi Mendia se interesó por sus comienzos literarios.

—Vaya, mis comienzos. —Futurano adoptó un aire casi soñador—. Lo creas o no, durante la mayor parte de mi juventud me gané la vida escribiendo novelas del Oeste. Bajo seudónimo, desde luego: firmaba Frank Cassidy. A pesar de que tenía que acabar una al mes, guardo la impresión de haberme divertido mucho con aquellos tiroteos y galopadas.

—Pero son argumentos muy repetitivos, ¿no? —apuntó Xabi—. No hay demasiadas variantes.

—Eso le parece al observador ocasional. Sin embargo, cuando te pones a la faena, te das cuenta de que dentro de los estereotipos caben múltiples combinaciones. Por supuesto tenemos al ranchero prepotente y su banda de sicarios, el *sheriff* incapaz de poner orden en el pueblo, el forastero silencioso que llega para ayudarle y resulta que es un ranger, el médico borrachín, la huérfana (o viuda, según el caso) que trata de sacar adelante su pequeña propiedad, los indios salvajes y crueles pero nobles a su modo, el fuerte, la diligencia, el Séptimo de Caballería... Cada uno tiene su sello, su carácter tan fijo e inconfundible como los rostros de los presidentes yanquis esculpidos en el monte Rushmore. El lector, por supuesto, agradece que esos personajes respondan al cliché que tiene de ellos, pero también se sobresalta gratamente cuando difieren juguetonamente de él. ¿Y si el pistolero sin escrúpulos resulta finalmente tenerlos y se niega a matar al niño? ¿Y si al jefe indio le apetece secretamente enrolarse como *scout* en un regimiento de caballería para emular a su hermano de sangre rostropálido? ¿Y si el noble forastero ayuda al *sheriff* pero sólo para poder robar el banco? ¿Y si la huerfanita desamparada ha asesinado a sus padres y demás familia para heredar el rancho? Etcétera, etcétera.

—Ya, claro, visto así, resulta bastante prometedor —comentó Xabi Mendia, ahogando un bostezo—. Y entonces ¿por qué abandonó usted el Oeste?

—Por lo mismo que los gambusinos dejaron de buscar oro: falta de rentabilidad. Llegó un momento en que la gente dejó de leer novelas del Oeste. Ayer les encantaban, pero hoy se aburren con ellas por anticuadas y ramplonas. Frank Cassidy pereció como el general Custer, aunque con menos repercusión histórica y cinematográfica. Y salió a la palestra el incomparable Samuel Futurano. Elegí un género literario con más lectores, pero no radicalmente distinto del que me era más familiar. O sea, que me dediqué a escribir novelas sobre la Guerra Civil española. También me encontré con un tarot de estereotipos obligatorios (republicanos ilustrados y altruistas, fascistas todoterreno, familias agobiadas por íntimas contradicciones entre sus miembros y terribles estrecheces bélicas, etcétera), pero con no menores posibilidades de variantes sugestivas: rojos fanáticos, falangistas devotos de altos ideales, hijos que traicionaban a sus padres o perecían por serles fieles, anarquistas conservadores y guardias civiles revolucionarios, etcétera. Este nuevo campo literario, que ha sido sin duda el de mis éxitos más incontrovertibles, comparte una ventaja argumental con mis viejas novelas del Oeste, pero, en cambio, adolece de cierta incomodidad narrativa...

Futurano hizo una pausa, con el fin evidente de intrigar a su entrevistador. Éste, con pocos deseos de halagarle innecesariamente, se limitó a alzar las cejas de forma interrogativa aunque muda.

—La ventaja consiste en que mis lectores no han estado en el Far West ni tampoco han vivido la Guerra Civil. En ambos casos alimentan su imaginario de las anécdotas que les han transmitido otros y de las leyendas que se han formado sobre ellas. De modo que puedo tomarme ciertas licencias, siempre que funcionen narrativamente y encajen bien en el marco global de los sucesos. El inconveniente es que las viejas novelas del Oeste debían ser breves, su lectura tenía que ocupar dos o tres viajes de metro todo lo más, mientras que las de la Guerra Civil son más apreciadas cuanto más largas. Auténticas sagas, novelas río; lo perfecto sería que su lectura durase casi tanto como la Guerra Civil misma y la interminable posguerra. Lo cual, francamente, resulta bastante fatigoso para quien debe cocinarlas. Aunque ya ves, yo no me arreglo mal del todo.

—Se le veía tan contento de sí mismo que Xabi decidió dar por acabado su interrogatorio.

Esa tarde iba a tener lugar uno de los actos más esperados del Festín: la charla del Premio Nobel. El proyecto inicial era que doña Luz Isabel presidiese la jornada, pero el volcán dispuso las cosas de otra manera. En cualquier caso, la ocasión no carecía de lustre y un puntito de morbo, que contrastaba con la parcial atonía de la mayor parte de las otras sesiones. Se preveía un lleno masivo y lo hubo. El Salón Imperial reventaba sus costuras y, aunque Xabi Mendia y Saúl David se habían citado allí con bastante antelación, consiguieron asiento con dificultad, aumentada porque Xabi se empeñó en reservarle un sitio a Nicolás Nirbano, que llegó a última hora. Tuvieron que contentarse con una de las filas zagueras. En cambio, en primera línea el joven vasco vio a Virginia Pueris, con una ubicación inmejorable. Cerca de ella se sentaba el gallardo capitán Dos Ríos, que de vez en cuando se ponía en pie para vigilar mejor la sala repleta. Las medidas de seguridad, muy relajadas en pasadas ocasiones, habían vuelto a reforzarse. En el control de la entrada estaba otra vez la atlética grandullona con cara de pocos amigos que había ya antes intimidado a Xabi Mendia.

Los medios de comunicación también estaban mucho más presentes que otras veces. Cámaras de televisión, numerosos fotógrafos y reporteros acreditados de los diarios locales. Saúl David le señaló a Xabi un tipo bajito y cetrino con asiento reservado en primera fila.

—Ése es Augusto Recio, nada menos, el director de *Todo Público*, la voz de la izquierda periodística. Tremendamente progresista, claro, pero siempre en apoyo del actual gobierno. Hasta se dice que el nombre de su publicación es un homenaje al erario que financia su crónico déficit. En las páginas que dirige se vanagloria de albergar a los librepensadores, siempre que su libre pensamiento coincida con el de la dirección. Es implacable en su denuncia de los males mayúsculos, como el imperialismo americano, los poderes fácticos o el Sistema, pero entre tanto da jabón al alcalde y al concejal que le conviene con no menos implacable servilismo. Para él nadie es tan progresista como quien le ofrece perspectivas de negocio. Tienes que leer mi blog, es una de mis dianas favoritas.

Por fin hizo su entrada el protagonista del acto. Era bastante alto y un poco cargado de hombros, de alargado rostro caballuno y pelo canoso todavía abundante. Cojeaba apoyado en un bastón. Tenía una expresión melancólica, pero interrumpida por accesos de curiosidad infantil y a veces un toque pícaro en la mirada.

—Es bastante más joven de lo que parece —le aclaró a Xabi el enterado Saúl David—, no debe de tener mucho más de sesenta años. Siendo casi adolescente huyó del paraíso proletario y vagó por Francia e Italia, invariablemente repudiado por los izquierdistas locales, esos que nacieron sabiendo que el capitalismo era malo, pero tardaron más de cincuenta años en enterarse de que el comunismo era peor. Finalmente se instaló en Inglaterra, donde todavía vive. Nunca ha vuelto a Polonia, porque según él para un poeta no hay patria mejor que el exilio. Cuando agradeció el premio en el discurso de Estocolmo, se echó a llorar.

—La emoción de haberlo conseguido, después de tantos sinsabores... — supuso Xabi Mendia.

—Probablemente constató que, a fin de cuentas, aquello tan anhelado no era más que eso, otra medallita —conjeturó Nirbano, desmitificador.

El primero en hablar, excitado y saltarín, fue el secretario Fulgencio, comprensiblemente dichoso de tener por fin un momento glorioso que compartir con las víctimas de los contratiempos volcánicos del Festín, a quienes él temía en secreto como a verdugos en potencia. Glosó con pocas pero torpes palabras la emoción de la ocasión y porrompompón. Después le llegó el turno a León Bautista Minoliva, el conspicuo crítico literario. Anunció que se proponía ser muy breve y casi todo el mundo se estremeció ante aviso tan ominoso: finalmente resultó ser menos profuso de lo que se esperaba, aunque no calló hasta haber dejado claro a los oyentes que el Premio Nobel había conquistado sus laureles gracias a seguir las pautas estéticas del propio Minoliva, a sabiendas o por pura intuición.

Y llegó el turno del gran hombre. Comenzó diciendo que, aunque ahora le veían apoyado en un bastón, en sus tiempos juveniles había sido un gran bailarín. Después sonrió, tímidamente. Gran parte de la sala no le entendió, porque habló en inglés con un acento rocoso y casi impenetrable. Los demás, sorprendidos por la declaración, apenas esbozaron leves muecas de alborozo. Sin desalentarse, anunció a continuación que daría su conferencia en polaco, porque la lengua en que se escribe es la verdadera patria de la que un poeta nunca puede exiliarse. Entre el público hubo bastantes que celebraron la noticia, porque esperaban entender mejor la traducción simultánea que su inglés polaquizado. De modo que se pusieron animosamente los auriculares convenientes, aunque como no había para todos se suscitaron algunas protestas. Pronto quedaron frustrados en su anhelo de inteligibilidad. Por un lado, el poeta no debía explicarse de manera demasiado clara: es chocante que la mayoría de los que practican con pericia un oficio manual puedan explicar con bastante competencia en qué consiste su tarea, mientras que artistas y escritores se hagan un lío en cuanto tratan de aclararse ante los demás. Pero además resultaba evidente que la invisible traductora de sus palabras ni las entendía ni era capaz de transmitirlas de forma siquiera aproximada. Además de balbuceos y obvios equívocos, regurgitaba su papilla con un sonsonete realmente insufrible. Pronto la mayoría de las caras del público fueron de aplicada incomprensión.

Don Nicolás se quitó los auriculares con un bufido y proclamó, más alto de lo debido:

—¡Nada, imposible! ¡La culpa es de Babel! Una de las pocas cosas en las que estoy de acuerdo con la Biblia es en considerar la proliferación de lenguas como una maldición.

—Bueno —objetó en un susurro Xabi Mendia—, muchos califican esa diversidad como una riqueza.

—Ya, supongo que en el mismo sentido en que se habla de la riqueza de colesterol en sangre y cosas así. Porque desde luego no siempre la abundancia es enriquecedora en sentido positivo.

—Pero ¿no le parece bueno que haya una gran pluralidad lingüística? Cada lengua es una forma distinta de ver el mundo.

—Según eso, lo mejor sería que cada cual tuviésemos nuestra lengua, así todos hablaríamos a nuestro modo aunque nadie nos entendiese. Mire, no: las lenguas son para abrirnos a los demás, no para cerrarnos sobre nosotros mismos. Y las visiones del mundo sugestivas son las de los individuos que tienen algo que decir, no las que supuestamente transmiten los instrumentos que usan para decirlo. Los que se dirigen a sus semejantes en general apetecen una lengua que entiendan todos, sólo los aficionados a las jaculatorias prefieren los particularismos indescifrables fuera de casa. ¡Ojalá yo pudiera disfrutar sin el intermedio de diccionarios ni gramáticas a Lao-Tsé, Shakespeare o cualquier poético genio ignoto del Kalahari!

La discusión acabó porque a su alrededor empezaban a chistarles pidiendo silencio y los miraban de forma atrabiliaria. También terminó poco después la conferencia, rubricada con voluntariosos aplausos. El turno de preguntas resultó algo más fluido, porque el Nobel regresó a su inglés, que ahora fue acogido con universal alivio. Las preguntas fueron en general previsiblemente biográficas y despachadas con gran brevedad por el interrogado. Las que encerraban velada hostilidad resultaron más sugestivas. El periodista Augusto Recio pidió la palabra y, puesto en pie, le espetó:

—Ha obtenido usted amplio reconocimiento entre la élite y ha ganado el premio más reputado de la sociedad literaria, pero permítame que le diga que como intelectual no ha logrado usted ganarse demasiadas simpatías en la mayoría social. Se le considera altivo y que no se compromete con las causas populares.

El poeta se quedó un rato callado, con la gran cabeza inclinada hacia un lado como si dudase en responder. Finalmente habló y por una vez su inglés resultó claro y preciso hasta para quienes no sabían inglés.

—Para un intelectual, el arte de hacerse simpático consiste en fingir que comparte la variedad de estupidez más arraigada en el colectivo cuyo favor pretende.

Así finalizó la notable jornada. El secretario Fulgencio informó gozoso a la audiencia de que un autobús esperaba a la puerta del hotel para llevar a los invitados a un local típico, donde degustarían una cena preparada por los más reputados cocineros, y amenizada por grupos folclóricos santaclareños. También intervendría el graciosísimo *showman* Soponcio Pilates, con sus agudas parodias de actualidad. Ante una perspectiva tan aterradora, Xabi Mendia decidió tomar una cena ligera en el hotel y recluirse en su habitación cuanto antes.

Allí se encontraba, en bata y pantuflas, deliciosamente entregado a la lectura de Fred Vargas, cuando llamaron a la puerta. Al abrir se encontró con un cincuentón calvo de aspecto ansioso que portaba un cubo metálico con una botella de champán. El aire risueño del tipo se convirtió en desolación al ver a Xabi.

—Usted no es Sarita —constató.

La cosa era tan irrefutable que Xabi se ahorró los comentarios y sólo esbozó un gesto de excusa.

—Pero ésta es la habitación 250 —prosiguió el desconocido—. Sarita me dijo que me esperaba en la 250. —Luego, con fatigada tristeza, concluyó—: Me ha tomado el pelo.

—Son cosas que pasan, hombre —le animó Mendia—. Ande, pase usted y tomaremos una copa.

Arrastrando los pies, el engañado calvo entró en el cuarto, dejó casi con asco el cubo y la botella sobre una mesita y se desplomó en la butaca en la que Xabi estaba leyendo hace un momento tan ricamente. Pero el vasco era buen anfitrión. Aunque constató resignadamente que el champán era el pésimo zumo local que ya conocía, abrió la botella y sirvió animosamente dos raciones del veneno en vasos de papel. Luego se sentó en la cama y resumió.

—Pues aquí estamos. ¡Salud!

El otro secundó tétricamente el brindis y se zampó la copa de un trago. Comprendiendo que se encontraba ante un posible suicida, Xabi le sirvió otra dosis, que fue despachada con igual premura. Así siguió la cosa durante un rato, sin diálogo, sólo gestos, como en una película muda.

Finalmente, el desconocido se repantingó en la butaca, cerró los ojos y juntó las palmas de las manos, como si fuera a rezar.

—La verdad es que siempre acabo abandonado. ¡Puerco destino! Voy a contarle otra estampa de mi vida, para que se haga idea. Pero no me interrumpa, ¿eh?

Xabi Mendia, que empezaba a tener sueño, le aseguró que jamás haría tal cosa.

PURASANGRE

Hay gente propensa a morir de languidez y otros lo son a perecer por congestión: pertenezco claramente al segundo tipo. Pregunte a quien quiera, nadie le dirá otra cosa. De modo que lo que ahora me ocurre es algo que merece encuadrarse en el género insólito. Porque padezco languidez aguda o, mejor dicho, languidez roma, que supongo será la fase más grave de esa dolencia. La llamo «languidez», desde luego no como término clínico —carezco de tanta competencia sobre estados de ánimo—, sino a falta de otra palabra (decente, porque no soy malhablado) que describa mejor cómo me siento. Lánguido, en mi diccionario, significa que vivo para lo que no hay y no sé disfrutar de lo que hay; que ya no tengo ganas de hacer lo que me gusta o, aún peor, que cuando lo hago es por razones que nada tienen que ver con lo que me gusta. ¿Que eso no es languidez sino melancolía? Bueno, como usted quiera: yo sigo en cualquier caso igual de fastidiado.

Hoy mismo, por ejemplo. Ahora me encuentro en el Hipódromo Central. Nada tiene de raro, porque es uno de los lugares favoritos de mi corazón, donde han transcurrido mis momentos de mayor gozo y de máxima emoción. También he sufrido, claro, como corresponde, porque sufrir forma parte de la emoción y del goce. Sólo los muertos no padecen y aquí siempre me he sentido memo-

151

rablemente vivo. Si mañana me dijesen —por poner un ejemplo fácilmente comprensible— que el mundo va a desaparecer en pocas horas por culpa de un meteorito o de una conflagración atómica, yo me vendría aquí a esperar sentado en estas gradas tan familiares el instante definitivo. No sé a dónde iría usted, por mí puede ir a donde quiera, aunque yo desde luego me vendría aquí, al hipódromo. Y estoy seguro de que la hora final no me encontraría aterrado, quizá un poco nervioso, pero nada más: fundamentalmente sereno y no sólo resignado, sino hasta a mi manera dichoso. Porque la cinta larga y levemente ondulada de césped, el *paddock,* las cuadras, los graderíos, todo evoca para mí las únicas experiencias que me atrevo a calificar de felices en mi vida. Y en este marco de rutinaria y consuetudinaria dicha, hasta el fin del mundo debería parecerme amable o soportable, al menos. Como la última jornada de una temporada hípica no anual sino vital, que ha durado tanto como yo. El auténtico día de cierre. Ahora que lo pienso, comprendo que mi último día en el hipódromo —llegue cuando llegue y por lo que llegue— será en verdad para mí el fin del mundo.

Espere, vuelvo a lo de antes, no quiero perderme. Le decía que nada tiene de raro que ahora me encuentre aquí, en el hipódromo, como tantas otras veces. El lugar en que me hallo no es equivocado, pero mis razones para encontrarme en él sí, al menos en parte. Porque hoy no vengo a lo de siempre, a lo que es debido: apostar con moderación no para ganar dinero, sino sólo por demostrarme a mí mismo que estoy en estado de gracia hípica, charlar con los viejos compañeros de afición a quienes conozco de toda la vida aunque nunca les he visto fuera de aquí, disfrutar con una llegada apretada de tres o cuatro caballos tan igualados que ni siquiera el ojo experimentado está seguro de quién ha vencido, paladear esa obra de arte fugaz que es la monta perfecta de algún maestro de la fusta... Placeres puros y familiares, pero siempre renovados. Nunca he pedido más ni he necesitado más. Nunca... hasta hoy.

Sucede que esta tarde, aunque mi semblante y comportamiento sean iguales a los que muestro cualquier otra, no tengo ni la cabeza ni el corazón centrados en la pasión hípica. Por decirlo de una vez, hoy apenas me importan los caballos, ni mis habituales compañeros de desvelos en la búsqueda de improbables ganadores, ni siquiera —y créame, me desgarra reconocerlo— me preocupa verdaderamente si la fabulosa Zarina Voladora ganará la Distaff, elevando así su increíble récord a veinte victorias en veinte salidas a la pista. No, para qué negarlo, lo único que busco ahora en el Central es verla a ella. ¿A la Zarina? ¡No, hombre, vaya idea! A Hildebranda. Si tampoco puedo encontrarla aquí, ya no sé qué voy a hacer. Seguramente algún disparate. Ya se me ocurrirá.

Nadie se enamora cuando quiere ni de quien quiere. La cosa llega a toda velocidad, en plena noche, y te atropella como si te hubieras dormido tranquilamente en las vías de un expreso creyendo que ya no funcionaba esa línea. Vamos, a buenas horas voy a querer yo enamorarme hasta las patas, como un desgraciado, a mis cuarenta y nueve años. Nada podía convenirme ni apetecerme menos. ¡Y además de Hildebranda, a la que llevo un cuarto de siglo de desventaja! Muy guapa y todo eso, desde luego, pero con un padre esdrújulo, es decir, plutócrata y tiránico, además del resto de la familia a juego. La chica es despierta, si se quiere, pero redicha; buena amazona, cuentan todos, aunque considera las carreras de caballos («los caballitos», las apoda ella) colmo un pasatiempo social en el que resulta plebeyo invertir un entusiasmo demasiado notorio. En fin, un grano en el culo para alguien como yo, si me disculpa la expresión. Y con todo, el amor único y devorador de mi vida. El motivo de mi languidez en cuanto dejo de verla...

A Hildebranda los amigos y conocidos la llaman Gilda, supongo que a falta de cosa mejor. A pesar de que mi edad debería excluirme de esa familiaridad, yo también me he dirigido a ella así, las raras veces que le he hablado a solas. ¿Raras? Más bien rarísimas. Nos conocimos en la boda de la hermana de una amiga de mi amigo Roberto, a la cual le acompañé porque me lo rogó casi de rodillas, en teoría para no aburrirse tanto —«contigo siempre lo paso bien, Rafa»—, pero en realidad para estar seguro de que alguien le llevaría a casa cuando estuviese completamente borracho. Gilda es amiga de la hermana de la amiga de Roberto o de la propia amiga, de eso no me enteré demasiado bien. El caso es que me tocó delante cuando hicimos cola para servirnos del bufé y de pronto se volvió para decirme: «Estoy hartita de salmón *fumé*, siempre lo mismo». Me parece que fue ya entonces cuando me enamoré de ella, aunque quizá el flechazo me alcanzó minutos después, al echar sin contemplaciones en mi plato unas cucharadas grasientas tomadas del suyo mientras se justificaba sonriendo con absoluto poderío: «Anda, toma un poco de ensaladilla, que me he puesto demasiada». Le di las gracias, le di mi corazón e intenté darle también algo de conversación lírica, pero esto último fue ya imposible porque se alejó de mí con presteza, para sentarse en una mesa remota del salón, rodeada de mozos cretinoides y amiguitas parlanchinas. Dediqué el resto de la fiesta a tratar de impedir que Roberto se cayera de cabeza sobre la tarta nupcial, mientras lanzaba miradas agónicas hacia el rincón sagrado en que ella deslumbraba y departía.

A partir de ese encuentro auroral, me puse a perseguirla con más tesón que éxito. Movilicé a Roberto y a través de él a su amiga (o a la hermana de la amiga) para situar los futuros desplazamientos de Gilda. Nos movíamos en círculos sociales desesperadamente excéntricos, pero aun así conseguí dar con ella de nuevo en varias fugaces

154

ocasiones: en el cóctel de inauguración de unos grandes almacenes propiedad de su padre, en un bar céntrico muy de moda al que acudía a veces a tomar el aperitivo, en el *vernissage* de la exposición de pintura de una tía suya (artista abominable, si mi criterio vale en algo), etcétera. Siempre estábamos aprisionados por la muchedumbre y en cada ocasión en que volví a presentarme ante ella parecía haber olvidado por completo nuestros encuentros anteriores: mi fervor, expresado más por la intensidad degollada de la mirada que por la elocuencia del verbo, no conseguía dejarle huella. Lo más parecido a un momento de intimidad que tuvimos —dejando aparte el episodio de la ensaladilla— fue un comentario suyo al ver que de mi bolsillo sobresalía el programa hípico: «Vaya, ¿le gustan los caballitos?». Asentí con entusiasmo y traté de sintetizar en unas pocas frases la enormidad de mi afición, pero no hubo manera. Me interrumpió con amable condescendencia: «Yo también voy a veces, ¿sabe? Por acompañar a papá. Me gusta montar, pero claro, sólo en concurso. A mí ese mundillo de apostantes y...». Antes de que pronunciara una condena más explícita, se la llevó de mi lado cierto oligofrénico treintañero de modales imperiosos y corbata rosa.

Pero ya tenía una pista para infiltrarme en su fortaleza. El padre iba al hipódromo, por lo visto le gustaban los «caballitos». Ahí estaba en mi terreno. Fustigué de nuevo a Roberto, mi perezoso oráculo, y sus gestiones me costaron una botella de Glenmorangie de doce años. Por fin aportó su informe: don Aquilino, el progenitor de Gilda, se había descubierto recientemente gran afición al *turf,* por influencia de uno de sus socios comerciales de Kentucky. Incluso había comprado en esa reputada localidad de hierba azul tres o cuatro carísimos purasangres, que pensaba hacer correr en nuestras pistas. Un par de charlas elementales con su mentor americano le habían convencido además de que ya era un gran entendido en los secretos de este complejo deporte. Le gustaba pontificar sobre orígenes, *inbreedings* y presumía de un ojo infalible para calibrar a cada corcel con sólo verlo pasear un momento por el *paddock*. Bueno, nada grave, defectos comunes, yo conocía a muchos como él, tanto entre millonarios como entre modestos pensionistas. Lo relevante para mí es que a causa de su capricho iba de vez en cuando a mi hipódromo, siempre acompañado por una pequeña corte en la que le gustaba hacer figurar a su hija por obvias razones estéticas y de prestigio social. Al saberlo canturreé, feliz: «Ven a mí, corazón, que yo quiero sentirte muy cerca...».

Mi siguiente jugada presentaba un doble reto: por un lado, fijar una fecha en la que el prócer tuviera que dignarse, sin excusa, a visitar nuestro querido recinto; en segundo lugar, encontrar a alguien que me presentase a él en mi contrastada calidad de experto hípico. Conquistada así la privanza con el padre, el acercamiento a la hija era ya una cuestión de arrojo y simpatía que, vista con el optimismo de la lejanía, no me parecía imposible coronar con éxito. Fue bastante fácil establecer que el domingo 27 —hoy, para entendernos— don Aquilino asistiría sin falta al Central: en la tercera carrera, dedicada a debutantes de dos años, tendría lugar la primera aparición pública de uno de sus potros, Longimanus. No hay propietario novato y por tanto entusiasta capaz de ausentarse del hipódromo en la fecha de semejante acontecimiento, salvo infarto propio o de algún muy próximo allegado. Pero ¿quién habría de encargarse de presentarme ante el involuntario dueño de mi acceso a la dicha? De inmediato renuncié a los buenos oficios de Roberto, conocido de conocidos todo lo más y notorio botarate (su fidelidad a la cogorza era la única muestra de perseverancia que nadie le regateaba, le llamábamos Bob Esponja): para causar buena impresión en una familia distinguida, nada menos oportuno que uncir mi nombre al suyo. Debía encontrar un embajador respetable para mi causa. Tras mucho estrujarme las meninges, comprendí con horror que ninguno de mis más cercanos era respetable, ni siquiera capaz de fingir convincentemente la respetabilidad, sobre todo entre los que frecuentaban el hipódromo. A todos les pasaba lo que a mí.

Sin embargo, los enamorados suelen gozar de una especial y especialmente irónica protección de los dioses: si no me equivoco, es eso lo que, más pronto que tarde, les lleva a la perdición. Yo, señor mío, soy escritor; es decir, no exactamente escritor, sino más bien periodista; es decir, no tanto periodista propiamente dicho como colaborador de un periódico. Me encargo de cubrir la minúscula y frecuentemente desatendida sección turfística que, bajo el título «¡A galope tendido!», publica no sin rezongar el diario conservador *Patria y Patrimonio*. Quizá por los muchos años que llevo entregado a esta tarea nada gloriosa, sin causar nunca problemas ni pedir jamás aumento en mis irrisorios emolumentos, gozo de la altanera benevolencia del orondo director del cotidiano, don Teodulfo Expósito, último vástago hasta la fecha de una noble aristocracia periodística. De vez en cuando nos cruzamos en la redacción y al pasar me honra con un «¿qué hay, hombre? ¿Cómo va eso? Siempre al galope, ¿eh?». No faltan envidiosos que lo tienen por una señal de favoritismo y me tildan de enchufado.

Pues bien, lo que son las cosas del querer, precisamente el jueves pasado el director no sólo me saludó como siempre, sino que se detuvo y me preguntó si las carreras del domingo «merecían la pena». Le aseguré que eran una de las más altas ocasiones de toda la temporada. Entonces me participó que pensaba asistir acompañado de una amiga muy especial que quería conocer el ambiente: «Cuento con usted, Rafael, para ilustrarla en cuanto sea necesario». Le aseguré que estaba plenamente a su disposición y a la de esa dama, mientras pensaba: «Favor por favor, favor por favor...». Ya tenía a la figura de insoslayable respetabilidad que además reunía las condiciones más adecuadas para servirme de panegirista ante el padre de Gilda.

De modo que aquí estoy, con el equipo de cualquier otra tarde: los gemelos, el programa con mis sabias anotaciones, pero llevando un corazón distraído, lo que nunca me había pasado antes. Siempre he sido de los que rechazaban cualquier tema de conversación, o incluso de pensamiento, en el hipódromo que no tuviese directa relación con las carreras a las que asistíamos. Me siento culpablemente hereje de mi propia ortodoxia. Para devolverme superficialmente a ella, al primero que me encuentro es a Carlitos, un auténtico guardián de las esencias. Tras un escaso saludo, pasa de inmediato al meollo del asunto:

—¿Crees que va a ganar otra vez la Zarina?

En efecto, muy bien, por ahí hay que empezar: le miro con aprobación, casi con ternura. Ojalá pudiera yo ser como él, como he sido siempre hasta ahora, inflexible en la atención a lo esencial. Me siento casi corrupto por la erosión abrasiva del amor, ese aguarrás sentimental. ¡La Zarina Voladora y su historial inmaculado que hoy desafía a las estadísticas y espera una culminación gloriosa! ¿Qué puede haber más importante para un aficionado que esa expectativa? Y sin embargo...

—Esta vez lo tiene más difícil —le digo—. Se las tiene que ver con Nefertiti, que me parece estupenda, y con Caña de Bambú, que viene de ganar, por no hablar de... Pero creo que la Zarina podrá con todas, ya verás.

Carlitos me mira con enfado desde abajo (es un retaco gordito y malhumorado, más bueno que el pan bendito).

—No *crees* que va a ganar sino que *quieres* que gane. Parece mentira que a estas alturas no distingas entre lo uno y lo otro. Sabes que no hay caballo capaz de ganar veinte veces seguidas en carreras serias. Es algo tan improbable que sencillamente no pasa, como que tires veinte veces un dado y salga siempre el mismo número.

—No vas a comparar a la Zarina con un dado, ¿verdad?

—No, claro: la yegua tiene cuatro patas y el dado seis caras.

—Y la clase ¿qué? Hay dados con truco pero no con clase. Y en cambio ella tiene clase de verdad, sin truco ni trampa.

—Ya veo que vienes romántico. Pues nada, después de la primera carrera nos vemos en el bar. No te olvides en ésta de Monsiváis.

Bendito seas, Carlitos. Eres como el personaje de aquella película de John Ford, que nunca te has enamorado porque siempre has sido *barman*... No sabes lo que te pierdes ni lo que ganas. Pero oigo que me llaman con voz meliflua y sin embargo enérgica. Aquí está mi director, acompañado de una cuarentona jamona y respondona (lo último es suposición por mor de la rima, puesto que aún no ha dicho nada) engalanada como para Ascot. Don Teodulfo ha debido de exagerarle un poco el nivel social de nuestro hipódromo.

—Mira, Blanquita, este muchacho es quien más sabe de caballos del mundo. Y escribe además en nuestro periódico, fíjate qué suerte. Puedes preguntarle todo lo que quieras del tema y ya verás...

La susodicha mira a derecha e izquierda buscando al «muchacho» prometido y al final se conforma conmigo, que me presento con zalamería.

—Rafael Urbina, para servirla.

—¡Ay, qué bonito es todo esto! Y qué emocionante, ¿verdad? Aunque usted, Rafael, ya estará tan acostumbrado... ¿De veras no le molestará que le pregunte cosas? Como es la primera vez que vengo...

—Lo que quiera, señora, será un placer.

—Por favor, llámeme Blanca —dicho con tremendo aleteo de pestañas. Otra caída de ojos como ésta y se los tengo que recoger del suelo—. Bueno, para empezar: ¿quién va a ganar esta carrera? Quiero apostar un poquito.

—Por Dios, Blanquita, que eso no lo sabe nadie —interviene riendo el director, con la bonhomía que da ser dueño de la voluptuosa ingenua.

—Seguro que Rafael sí lo sabe. Y me lo va a decir a mí sola, ¿a que sí?

—Bueno, doña Blanca, no es fácil... Pero ahí está la gracia. La gloriosa incertidumbre del *turf,* que solemos decir. Aunque este caballo, el cuatro, Monsiváis...

—¡El cuatro, Teo! Vamos a jugar al cuatro.

En fin, creo que he salido con bien del primer asalto. Ahora, discretamente, voy a ver si localizo a Gilda y su considerable compañía. Lo más probable, sin embargo, es que no lleguen a la primera carrera: un ligero retraso siempre es considerado signo de distinción por quienes son sólo aficionados ocasionales. Antes de nada, por si acaso, voy a jugarle unas perras a Monsiváis: a mí no me gusta tanto su posibilidad como a Carlitos, pero lo monta el campeón Murillo, lo cual siempre es una garantía. Además, debo reconocer que los estudios científicos de Carlitos, en casi todo opuestos a mi sistema intuitivo y emocional, suelen dar buenos resultados cuando de lo que se trata es de cobrar. En la cola de la taquilla me precede Gaspar, siempre enfundado en su acolchada zamarra verdosa de cazador: sólo le faltan unas cuantas perdices colgando del cinturón. Se las da de hombre de campo, pero un pajarito me ha dicho que en realidad es empleado del metro.

—Hombre, ¿cómo va eso? —me saluda con su pertinaz suficiencia—. Me han dado un soplo para ésta.

—Estupendo, así vas sobre seguro. —Para fastidiarle, me guardo mucho de preguntarle nada.

—Es Patio de Luces —confiesa al fin, mortificado—. No puede perder, la información viene del entrenador.

Sonrío con mefistofélica inocencia: «Ya veremos, ya veremos». Pero antes de ver nada no tengo más remedio que hacer una rápida visita a los servicios. La hipertensión me viene de antiguo (digamos de la época pre-Gilda) y me obliga a tomar regularmente un diurético, el remedio más incómodo para los que debemos pasar muchas horas fuera de casa. «Peor es la insulina», suele decirme un primo mío diabético: sin duda tendrá razón, pero no me sirve de consuelo.

Los excusados del Central destacan más por su abigarrada y popular decoración que por su higiene. Parece imposible que varones adultos atareados en discernir el ganador de la próxima carrera hayan tenido tiempo a lo largo de semanas y meses para dejar en las paredes tantos testimonios humorísticos, obscenos y de insurgencia política. Desde clásicos como «meo con alegría porque esta picha es la mía», hasta la fulminación subversiva «Gonfalone, ladrón y torturador», contra un ministro semiolvidado y al que casi han hecho bueno algunos de sus sucesores. Por no mencionar los intentos de mayor alcance artístico, versiones trabajosas del mismo motivo de *El origen del mundo* de Courbet o formulaciones melancólicamente gigantescas del aparato masculino. Entro con prisa en ese lugar tan rico en simbolismos y me encierro en uno de sus cubículos, porque nunca me han gustado los urinarios alineados que favorecen la conversación de actualidad con el vecino de micción. Elijo sin fijarme demasiado —luego lo comprobaré— el tercero desde la puerta, repleto como cualquiera de leyendas y dibujos. Sobre la taza, a la altura de los ojos, hay escrito con rotulador rojo (¿o barra de carmín?): «Juega Monsiváis». Sonrío mientras me alivio y después sacudo mis preocupaciones: vaya, otra vez ese caballo, pero ya no necesito el consejo. Aunque si le siguen haciendo propaganda, el dividendo va a ser irrisorio.

En la tribuna, el lugar habitual que ocupa cada cual define nuestra perspectiva hípica: atrás, adelante, más arriba o pegados a la pista. Algunos prefieren concentrarse en la salida de la última curva y los comienzos de la recta final, otros se sitúan hacia la mitad para disfrutar mejor las incidencias de la lucha y quienes comparten mi gusto se colocan conmigo no sólo frente a la meta sino unos pasos más allá, para paladear mejor los trancos decisivos y la cabeza que se estira dando la victoria por centímetros. En mi atalaya habitual está ya situado Carlitos, que por alguna secreta perversión se priva de prismáticos y prefiere preguntarme a cada momento durante la carrera cómo va situado su participante elegido. Mientras los caballos van entrando a lo lejos en los cajones de salida, hago una inspección circular entre el público. A mi derecha, en los palcos que acogen a los espectadores más privilegiados y a los profesionales, diviso a mi director con su conspicua y jubilosa acompañante. ¿Y Gilda? Por el momento, no hay Gilda.

De modo que no me queda mejor consuelo que concentrarme en la carrera. Y de paso mantener informado a Carlitos, que no para de tirarme de la manga: «¿Cómo van ahora? ¿Cómo van ahora?». Por lo demás, la prueba se resuelve sin demasiada emoción, porque Monsiváis ya toma la cabeza cuando entran en la recta y no hace más que aumentar cómodamente su ventaja hasta cruzar la meta con una delantera de tres cuerpos sobre su inmediato perseguidor. El sabio Murillo, en esta ocasión, lo ha tenido fácil. Con regodeo algo malsano veo a Patio de Luces resignarse a un deslucido cuarto puesto. Carlitos anota el orden completo de llegada en su programa como información para futuros cálculos, mientras repite sin siquiera mirarme su rúbrica favorita: «Estaba claro».

En lo meramente crematístico mis ganancias van a ser modestas, pero no hay que menospreciar en cambio el éxito que acabo de obtener a ojos de la acompañante de don Teodulfo. Aquí llega Blanquita rebosante de gratitud, seguida por la oronda benevolencia del director de *Patria y Patrimonio.*

—¡He ganado, he ganado! ¡Ay, qué listo eres, Daniel, cómo te quiero!

—Rafael, para servirla.

—¿No te lo dije, Blanquita? Este hombre es un genio. Con esa cabeza que tiene, si no le hubiera dado por el pasatiempo de los caballos habría podido llegar a... a... ¡a ministro!

La matrona se me viene encima, toda arrullos perfumados y cliqueteo de abalorios.

—Y ahora vas a decirme quién va a ganar la próxima, ¿a que sí? Y yo te voy a querer mucho, mucho.

—Blanca, no agobies a Rafael, mujer —dijo don Teodulfo con algo de fastidio.

—Naturalmente, doña Blanca, lo intentaré, pero en este juego es como en todo, a veces se acierta y otras... Aunque yo voy a hacer todo lo posible. Deme un poquito de tiempo para pensarlo bien, ¿de acuerdo?

—Claro, yo te doy todo lo que quieras. Pero seguro que ya sabes el ganador y lo que quieres es tenerme intrigada...

—No crea, no.

—Venga, Teo, vamos a cobrar mientras el experto se lo piensa.

Vamos a ver cómo me las arreglo yo ahora para mantener la fama de infalible. La segunda carrera es un *handicap* con veinte participantes, a cual peor. Puede ganar cualquiera o, mejor dicho, ganará el que menos cojo esté. Pero por desgracia no tengo acceso al parte médico de los minusválidos concurrentes. En estos casos, es de rigor tratar de recabar el auxilio de Carlitos. No está a la vista, de modo que le supongo en el *paddock,* auscultando a los pobres jacos. En cambio, me tropiezo casi de bruces con Gilda, la diosa esquiva, que marcha procesional hacia los palcos reservados acompañada por una pareja de mediana edad y un adolescente. Cuando pasa junto a mí la saludo tímidamente con una sonrisa que ella me devuelve distraída, evidentemente sin tener ni idea de quién soy. En cambio el señor que va con ella, un tipo alto de pelo cortado al cepillo y con aire de haber sido en tiempos mejores comandante de algún campo de concentración, me asesta una ojeada de incontrovertible asco. Para animarme pienso que probablemente mira a todo el mundo así, por lo menos la primera vez. En cualquier caso resulta evidente que no me espera un asedio fácil.

Tal como había supuesto, Carlitos está en el *paddock*, contemplando con aire más bien lúgubre a los jacos que dan vueltas por él.

—Menuda mierda. No hay ni uno sano.

—Tienes razón. En fin, son de segunda parte de *handicap*. Mira, el ocho, Risotto, parece un poco más... ¿no?

Carlitos se limita a resoplar con desdén.

—Ése no llega ni a la curva.

Después consulta un momento los números y signos cabalísticos que lleva anotados en el programa, antes de anunciarme en tono dubitativo y encogiéndose de hombros:

—A mí me sale Salmorejo. Pero vete a saber...

Por lo visto, todos los pencos de la carrera llevan nombres de gastronomía popular. Inmediatamente me apresuro a buscar a Blanca para recomendarle al elegido de Carlitos, aunque añado que es una carrera difícil y que más vale no invertir mucho en ella. Me gano una palmada patriarcal en el hombro de don Teodulfo, de la cual deduzco que es el momento oportuno para solicitarle el favor que puede hacerme dichoso. Pero en ese instante el diurético dicta su férrea ley y debo correr a los servicios para cumplir su mandato fisiológico.

Casualmente vuelvo al tercer cubículo, quizá guiado por ese instinto tan humano de encariñarse enseguida con los paisajes familiares. Sin embargo, en esta ocasión hay novedades: sobre la taza, en vivaz rojo carmín, hay escritas unas palabras pero no son las de antes. Ahora pone: «Juega Macarrón». En cuanto he cumplido mi desahogo, salgo fuera para comprobar que en efecto se trata del mismo cubículo que visité en la carrera anterior. Uno, dos, tres: lo es, lo es. Cosa rara, ¿no?, esa mutabilidad de las cosas humanas, incluidos los grafitos que pronostican en el meadero. Porque ya sé que un tal Macarrón, ínfimo en su nada excelsa categoría, va a tomar parte en la prueba que está a punto de comenzar. Cerca del hipódromo de Epsom, donde se disputa el famoso Derby, hay un *pub* que tiene un pozo en su patio: es tradición que, en la víspera de la gran carrera, aparezca allí escrito misteriosamente el nombre del ganador. Pero francamente, no es lo mismo un retrete que un pozo inglés... Sin embargo, se apodera de mí un ánimo ligero y bromista: corro a la taquilla y hago una apuesta combinada Macarrón-Salmorejo. ¡El menú del día!

Cuando me la estoy guardando en el bolsillo, me encuentro otra vez con mi director y pareja, que vienen de realizar su jugada. No puede haber mejor momento para plantear mi demanda, lo que hago de la forma más humilde y fervorosa que me es posible. Otros defectos pueden achacarse a don Teodulfo (yo mismo sería capaz de enumerar a bote pronto quince o veinte), pero no el de hacer oídos sordos a peticiones que no impliquen gasto pecuniario y que en cambio le permitan hacer alarde de su reconocida posición en la élite social. De modo que accede de inmediato a mi ruego, que tampoco desagrada a doña Blanca, y ambos me acompañan como una protectora guardia pretoriana hacia los palcos reservados. En cuanto llegamos al indicado, penetra con gesto amplio y mundano:

—Don Aquilino, cuánto de bueno.

165

—Querido director, qué gusto verle por aquí.

Estamos en el olimpo, para qué decir más. Justo es mencionar que don Teodulfo se vuelca en su tarea diplomática:

—Aquí le presento a Rafael Urbina, uno de los colaboradores del periódico en quien más confío. No creo exagerar si le digo que es realmente gracias a él y a unos pocos más de su talante por lo que llega *Patria y Patrimonio* cada mañana a su cita con los lectores.

Pienso que si tal responsabilidad fuese aproximadamente cierta, me haría el haraquiri. Don Aquilino nos presenta al resto de su familia: «Mi hermana Euterpe, la célebre pintora y académica, y su hijo, mi sobrino Ariel, mi hija Hildebranda...». Con una reverencia y lo que creo podría ser una sonrisa de complicidad, señalo:

—A la señorita ya tengo el honor de conocerla.

Sin fingir ni un atisbo de curiosidad —hay que reconocer que hipócrita la chica no es—, mi Gilda comenta: «Pues ahora no caigo». Le facilito pistas:

—Es natural, cómo va a recordarme... La saludé en la espléndida exposición de su tía y le comenté lo impresionado que estaba por los (¿inenarrables?, ¿inabarcables?, ¿incomprensibles?) increíbles cuadros que estábamos disfrutando.

—¡Ah, usted es el de los caballos! Monta en el hipódromo, ¿no?

Agradezco embelesado esta sesgada reminiscencia de mi tirana:

—No, montar precisamente no. A mi edad...

De inmediato me maldigo por haber mencionado el tema de la edad, que no es precisamente de los que pueden favorecerme. Pero Gilda parece ahora mejor dispuesta hacia mí y me asume en su tarde hípica con el mismo afecto displicente con que hubiese aceptado que alguien le devolviese un pañuelo caído. Lo malo es que también su padre me presta cierta atención y recaba datos:

—Entiendo, joven, que escribe usted comentarios políticos.

—No, no... —Siento un escalofrío premonitorio de mayores males—. Yo estoy en la sección de Deportes. Llevo la crónica de las carreras de caballos.

—Pero también tendrá un ideario patriótico, supongo yo. —Don Aquilino me aquilina, digo me aniquila, con su mirada acusatoria.

—Sí, claro, mucho, pero yo no sé, es que lo mío...

La gratitud es prenda de almas nobles y doña Blanca acude a mi rescate:

—Rafael es un auténtico genio en esto de los caballos. ¡Siempre sabe quién va a ganar!

—¡Ay, qué buena es usted, doña Blanca!, pero exagera un poquito... —Me sale un gemido de corrido. Tampoco el director me abandona, no hay como tener amigos en las altas esferas.

—Rafael cumple un cometido más científico que ideológico, por decirlo así. Nuestro frente político ya está inequívocamente asentado, como bien sabe don Aquilino.

El mencionado levanta la mano, a modo de barrera para detener esa apresurada afirmación.

—Pues la verdad es que últimamente ciertas opiniones vertidas en su diario me han hecho concebir dudas.

—Usted dirá. ¿Quizá algún malentendido? —comenta obsequioso pero seco don Teodulfo.

—Recientemente he leído a uno de sus columnistas defender el derecho a la huelga.

—Que es constitucional, don Aquilino, aunque a veces se perpetren abusos en su nombre.

—Todo lo constitucional que usted quiera, pero a mí me parece que el derecho a la huelga en un país como el nuestro es derecho a la subversión y al pillaje. El comunismo...

—Perdone, pero quizá habría que matizar...

—¡Ya han salido! —chilla emocionada Blanca, salván-
donos de la refriega política—. ¡Corre, Salmorejo, corre!

A mí me empieza a caer bien esta señora.

El nutrido escuadrón de segundones se desplaza muy
compacto hasta desembocar en la recta final. Aquí ya empieza a estirarse y va dejando tras de sí a rezagados, que
no pueden los pobres ni con su rabo. A ciento cincuenta
metros de la llegada, la cosa está ya sólo entre dos maltre-
chos campeones, Salmorejo (con dos patas vendadas) y
Macarrón (con vendas en las cuatro extremidades). Lu-
chan con denuedo, cabeza contra cabeza, y hay algo de
emotivo en su duelo porque no sólo intentan vencer al
contrario, sino, sobre todo, a sus propias limitaciones, a
sus dolores musculares y a la fatiga de un esfuerzo que
casi les supera. Más que doblegar al adversario tienen
que sobreponerse a sí mismos. Pienso: «¿No es siempre
así, cuando la vida aprieta?». En los últimos trancos, Macarrón estira el cuello como para beber su postrer tazón de
éxito y consigue vencer. Blanca me mira, desolada:

—¿Quién ha ganado?

—Pues el otro. Pero hemos estado muy cerquita, ya lo
ha visto.

—Claro, pero así no cobro.

—A ver si en la próxima nos recuperamos...

Pongo cara compungida, aunque no dejo de considerar
que mi secreta apuesta combinada a los dos primeros va a
proporcionarme un buen pellizco. De inmediato, siento el
habitual remusguillo íntimo de «¿por qué no habré jugado
más?». Eso es lo que menos me gusta de apostar, que te
quedas frustrado cuando pierdes e insatisfecho cuando
ganas. Menos mal que no estoy aquí por motivos crematís-
ticos.

Don Aquilino nos invita a todos a acompañarle al *paddock*
para ver a su potro, el debutante en esta tercera carrera. Pe-
netramos en solemne desfile al recinto de propietarios,

encabezados por su augusta figura. Yo procuro ponerme a la par de Gilda:

—Es un momento emocionante, ¿verdad?

—Bueno, sí —lo dice no muy convencida—. Ojalá gane el de papi, claro.

Poco a poco van saliendo los potros, con su nerviosismo simpático de neófitos. Todos tienen un aire jugoso y alerta, como juguetes recién comprados al abrir el paquete de regalo. Uno de los últimos en aparecer es Longimanus. Buenas hechuras, se mueve muy bien, pero ciertamente está aún algo atrasado. Creo que con él habrá que esperar. Don Aquilino sonríe satisfecho y saluda al preparador, que se nos acerca zalamero. Un viejo zorro que vive de las rentas de su pasado y maneja más caballos de los que puede razonablemente atender. Según él, la carrera está ya decidida antes de empezar. El propietario asiente, satisfecho, y luego se vuelve hacia mí, mostrándome con amplio gesto de la mano a su vasallo de cuatro patas:

—Bueno, ¿y qué opina el experto?

—Muy bonito, preciosa lámina. —Vacilo un momento, pero luego me decido, sonriendo discretamente—: Creo que será para más distancia y no tiene origen precoz, de modo que el año que viene estará mejor que ahora.

—¿Cómo que el año que viene? ¿Cómo que más distancia? —se subleva don Aquilino—. Es un hijo de Kahyasi. Velocidad pura.

—Kahyasi ganó el Derby y por lo general produce hijos con mucho fondo. Además, no suelen ser precoces.

—No crea que hablo de lo que no sé, joven. —Ya se encampanó el prócer—. Estudio el pedigrí de todos y cada uno de los caballos que compro.

—Y yo me dedico a esto, don Aquilino.

Una imprudencia, ya, aunque ¿qué otra cosa podía decirle? No tengo títulos académicos, no he triunfado en nada, voy a cumplir cincuenta malditos años... pero de carreras de caballos sé un rato largo. ¡Mucho más que él, con todos sus millones, su prepotencia y su hija adorada, ay, inútilmente adorada! A ver, don Aquilino, capullo, así a bote pronto, ¿quiénes fueron los padres de Mill Reef? No vale buscarlo en los libros, cuidado. ¿No se acuerda? ¿O es que quizá nunca lo ha sabido? Pues Never Bend y Milan Mill, para que se entere. Ande, váyase a la mierda, hágame el favor. Pero esto no lo dije, claro. El día que quiera suicidarme, escribiré primero una carta al juez.

—Prefiero no discutir —zanja don Aquilino, dicho en el tono de quien anuncia que nunca come bocadillos de cucarachas. Y se vuelve sin más para seguir recibiendo cucamonas de su entrenador.

Yo trato de recuperar —si es que alguna vez la tuve— la atención de Gilda, pero ella está ahora departiendo con el joven y apuesto dueño de otro de los participantes. De modo que, a falta de cosa mejor, intento decir algo simpático a doña Euterpe, la famosa y para mí infame pintora. Es chata de cara, chata de estatura, chata de inspiración: la chata bajo el tejado de zinc.

—Desde un punto de vista plástico, las carreras de caballos son admirables, ¿verdad? Tienen una estética que...

—Sí, la estética muy bien, pero ¿y la ética?

—No sé si la comprendo.

—¡La ética, la moral! Y la inmoralidad. Supongo que sabrá de lo que estoy hablando. Para empezar, ¿alguien le ha preguntado a los caballos si quieren correr?

—Supongo que no, señora.

—Pues ahí lo tiene. ¿Le parece ético obligar a alguien a hacer algo que probablemente no quiere hacer? ¿Le gustaría a usted que le obligasen a correr, aunque no tuviese ganas?

—Mi caso es diferente, doña Euterpe. Yo corro poquísimo. No lograría llegar colocado ni en el *handicap* más modesto.

—No se lo tome a broma, señor, esto es muy serio. Abusamos *sis-te-má-ti-ca-men-te* de los animales. Los maltratamos. Mire a esos pobres caballos, dóciles, resignados, a los que pronto se molerá a fustazos.

—Bueno, no viven mal, comparados con los pollos, los cerdos y las terneras que comemos.

—¡Peor me lo pone! A eso me refiero. ¡Tanta matanza para llenarnos el estómago! ¡Qué salvajada! Deberíamos comer llorando.

Tengo una fugaz visión de doña Euterpe mordisqueando un muslo de ave mientras le corren lagrimones por la cara. Para no soltar el trapo de una inoportuna risa, comento:

—Nunca lo había pensado, señora. Yo amo a los caballos y por eso me gusta verlos correr, que es lo que mejor hacen.

—Pero nadie les pregunta. ¿Y sus derechos? ¿Acaso no tienen derechos, como usted y como yo?

—¿Derechos... *humanos?* Pero son animales...

—Hasta hace poco los esclavos negros no tenían derechos. Y tampoco las mujeres, hasta hace aún menos. ¿Cuándo se los vamos a reconocer a los animales?

No se me ocurre nada cortés que decir, pero ahora interviene bruscamente el silencioso Ariel:

—Claro, es concluyente. Si hasta los negros y las mujeres tienen por fin derechos, ¿por qué se los vamos a negar a los chimpancés y las vacas?

—Niño, no seas impertinente —le regaña su madre.

Los *jockeys* están montando ya y los caballos comienzan a salir a la pista. Nuestra procesión también se retira, en el mismo orden que antes pero en dirección contraria. Me emparejo con Gilda y le pregunto si quiere que vaya a apostarle algo. La olvidadiza me responde en su habitual tónica:

—Gracias, Samuel, eres muy amable, pero no me gusta apostar. —Duda un momento, equivocada pero traviesa—.

Oye, ¿quieres que te llame Sam? Ya sabes, como el de *Casablanca*...

—Con tal de que me llames... —suspiro yo.

Al salir del *paddock,* es Ariel quien decide hacerme compañía. No es la conquista que yo quería hacer, pero por lo visto es la única que he hecho.

—Mi madre está loca de remate —me comunica, confidencial—. Y mi tío es peor todavía. Has estado muy bien, pero ten cuidado con él. ¿Dónde vamos?

—Yo tengo que ir a los servicios. Luego apostaré un poco.

Se viene conmigo, encantado de la vida. Es un chico alto, delgado, con notables ojos grises: nada que ver afortunadamente con su achatada madre. Está a punto de llegar a esa edad desabrida en que se desvanece la gracia y aún no llega la madurez. Pero todavía sigue en el lado bueno.

Al entrar en el rincón sanitario, advierte que paso de largo ante los urinarios y me dirijo a los cubículos.

—Ah, prefieres en uno de ésos. ¿Quieres que entre contigo?

—¡Claro que no! Espera fuera...

Precisamente el tercer apartado es el único que tiene la puerta cerrada: ocupado. Para hacer tiempo, empiezo a lavarme cuidadosamente las manos. Ariel asiste a mis abluciones con curiosidad.

—¿Te lavas las manos *antes?*

—Antes y después. Son manías.

Asiente, satisfecho, y comienza a atusarse con los dedos el pelo revuelto, de lustre admirable, mirándose al espejo. Tiene unas pestañas larguísimas, como los purasangres. Por fin se abre la puerta del cubículo. Aparece un gordo elefantiásico, que se queda en el umbral, remetiéndose los faldones de la camisa y tratando de abrocharse el botón de la barriga y los que le siguen más abajo. Parece que ahora no cabe ya en su ropa, como esas maletas en las que no logramos meter de nuevo las prendas que hemos sacado de ellas. Como el proceso parece que va para largo, entre resoplidos y jadeos apopléticos, le ruego:

—¿Me permite, por favor?

—¿Qué pasa, es que no hay otro? —gruñe, pero se aparta para dejarme entrar.

Cierro precipitadamente la puerta y acudo a la pared de los oráculos. En efecto, ahí está el correspondiente a la próxima carrera, en escarlata oscuro, listo para ser leído (de paso también meo, porque el maldito diurético no descansa): «Juega Casino Royal». La recomendación, además de milagrosa, está bien orientada según criterios racionales: el potro es un hijo de Oasis Dream, un origen que promete rapidez y precocidad. El fantasma del váter conoce su trabajo, de eso no cabe duda.

De modo que me dirijo a las taquillas, seguido por el asiduo Ariel. Al verme pasar, don Teodulfo me llama:

—Hombre, dinos algo, que aquí Blanquita quiere jugar.

—Son debutantes, don Teodulfo, y ya sabe lo que dijo la mula Francis en semejante ocasión: ni ellos mismos saben quién va a ganar.

—Pero bueno, ¿qué tiene que ver aquí una mula?

Supongo que soy el último hombre vivo sobre la tierra que recuerda haber visto *Francis en las carreras*.

—En fin, que apueste a Casino Royal, a ver si hay suerte.

—Entonces, el de don Aquilino...

—Creo que está un poco verde todavía.

Es evidente que acoge la noticia con agrado. Haciendo cola en la taquilla encuentro al pretencioso Gaspar.

—Vaya petardo el de la anterior, ¿eh? Quién iba a suponer...

Con revoleo de prestidigitador, le muestro mi apuesta.

—Pues mira, he cogido la gemela.

—Pero si pagan treinta a uno... —protesta dolorido.

—¿Solamente? Vaya, pues yo me esperaba más. —No lo he podido remediar, todos queremos ser atroces de vez en cuando.

Ariel me ve recoger los billetes de mis ganancias con pasmo entusiasta.

—¡Joder, tú sí que sabes!

En cambio yo estoy recordando el viejo dicho que asegura al afortunado en el juego poca suerte en amores: en mi caso suena desagradablemente verosímil. Pero mi fiel escudero Ariel no tiene la culpa.

—Toma, te regalo un ganador a Casino Royal. Que se fastidie tu tío.

Volvemos al palco hermanados por nuestra complicidad en el desacato. Don Aquilino, sombrío y desafiante, aplaude preventivamente a su paladín cuando trota hacia la salida. Mi director le acompaña con unas tibias palmas, mientras Blanca me lanza una breve sonrisa de bienvenida. Por mi parte, yo sonrío sin fortuna a Gilda, que probablemente me está confundiendo en ese momento con su aborrecido profesor de aritmética de la escuela primaria. La carrera, a continuación, tiene poca historia. Ya desde el comienzo tres participantes se destacan de los demás y entre ellos Casino Royal es el que sin duda va más cómodo y con galope más centrado. Le cuesta poco esfuerzo despegarse de sus rivales a media recta y ganar por un par de cómodos cuerpos, sin que su jinete le exija demasiado. Longimanus apunta un momento y luego cede, llegando entre los zagueros: evidentemente necesita más distancia, más tiempo para madurar y, en mi opinión, también le convendría otro propietario.

Después, predomina en el palco un cortés recogimiento funerario, puntuado por un tímido «otra vez será» de don Teodulfo. Don Aquilino me lanza una de sus flamígeras miradas, responsabilizándome evidentemente del desastre y esperando detectar la mínima muestra de recochineo por mi parte. Ni que decir tiene que mantengo un semblante severo y hasta compungido. En cambio, la que estalla de gozo es Gilda, para sorpresa de la concurrencia.

—¡Es el de Luigi, es el de Luigi!

—Pero ¿qué dices, mujer? —brama su padre.

—¡Ha ganado el de Luigi Ridolfi, papá! Te lo presenté en el *paddock,* es un amigo mío.

La máscara trágica del propietario decepcionado se completa con el dolor aún más profundo del progenitor traicionado. Con menos argumento se han escrito óperas. Y su tormento no ha hecho más que empezar, porque a los pocos minutos llega lo peor de lo peor. Bronceado, elástico, rebosando autocomplacencia y masculinidad pletórica, aparece el propio Luigi Ridolfi con la copa de la victoria en la mano. Con zalema caballeresca, ofrece el trofeo a la ya rendida doncella.

—Gilda, es la primera copa que gano. Y quiero que sea para ti... ya sabes por qué. —Luego remata la faena lanzando una deslumbrante sonrisa de noble príncipe a don Aquilino—. El suyo también ha corrido bien. Está un poco falto, pero seguro que pronto le veremos hacer grandes cosas.

El desdichado plutócrata sólo acierta a lanzar un temible bufido, probablemente similar al preaviso del tiranosaurio rex cuando se disponía a saltar sobre su presa para despedazarla. La bella, por su parte, acepta la copa, la besa y muestra su gratitud de una forma inconfundible y... y horrorosa.

Salgo a galope tendido del palco. Ariel corre tras de mí, como el potrillo recién nacido sigue a su madre.

—¿A dónde vamos ahora?

—A ver caballos, Ariel. ¡Vamos a ver caballos! —Y me echo a reír como un sabio loco de tebeo.

—¿De qué te ríes? —Ariel está dispuesto a compartir mis carcajadas, por intempestivas que parezcan.

—De mí, claro. ¡Imagínate que se me había olvidado que lo único que de verdad me interesa son los caballos! ¡Menudo imbécil estoy hecho!

—Es verdad, son preciosos los caballos. Y las carreras ¡son tan emocionantes! Yo no me imaginaba que fuesen tan súper... súper... —Me agarra de la manga, para que no vaya tan deprisa y me clava sus ojazos acariciantes—. Seguro que tú has visto mogollón de carreras increíbles, ¿a que sí?

Me paro un momento y esbozo un gesto profético. Se me pone sin querer la voz intensa del replicante de *Blade Runner,* cuando rememora aquellas naves llameantes luchando más allá de Orión.

—He visto... he visto a Bannaby ganar el Cadran en París por muy corta cabeza y a Sea The Stars derrotar en el Derby de Epsom a los cuatro campeones de O'Brien. He visto a Espíritu Gentil vencer por fin en la Gran Copa, dejando atrás a cuerpo y medio a Invisible y más allá todavía a los mejores caballos del mundo. ¡Grandes cosas he visto, Ariel, y tú también las verás si sigues fiel al hipódromo!

—Yo quiero ir contigo a muchas carreras.

En el *paddock,* las yeguas están siendo ensilladas y comienzan su majestuoso paseo de exhibición. Carlitos ya está en su observatorio habitual, consultando de vez en cuando las rigurosas anotaciones que lleva en su programa. A guisa de saludo (a Ariel ni le mira, como si le conociese de toda la vida o no estuviera allí) me suelta:

—Cada vez me gusta más Nefertiti. Ésta es su gran ocasión.

—La Zarina no tiene con ella ni para empezar.

—¡Y dale! Lo siento mucho por tu mitología personal, pero hay mil razones para que esa yegua no gane hoy.

—¡Esa yegua! Ni que estuviera tirando de un carro. Estamos hablando de Zarina Voladora, ¿te acuerdas? La única, la reina...

—Anda, para el carro, aunque tu reina no tire de él. ¡Cuándo te convencerás de que las carreras son ciencia, no sentimentalismo!

—Y ¿por qué no va a ganar hoy también la Zarina, como las diecinueve veces anteriores?

Carlitos suspira resignadamente y se dispone a iniciar su lección: no le falta más que la pizarra o, para ser modernos, el Powerpoint.

—Para empezar, la distancia es un poco corta para ella. Ya sabes que se rezaga mucho de salida, no logrará llegar a tiempo. Segundo, a ella le va la pista algo blanda y hoy está dura como una piedra. Se romperá las patas, pobre viejita. Tercero y más importante, Nefertiti, pero también Caña de Bambú no han hecho más que mejorar. Ahora están en su plenitud y la Zarina, te pongas como te pongas, ya tiene siete añazos.

—¡Ahí está! —nos interrumpe Ariel. La campeona desfila ante nosotros, tan grandota y desgarbada como siempre, con su apariencia despistada y algo dormida. Indudablemente, se le empieza a notar la edad: parece más huesuda y el pelo de las ancas está menos lustroso. Gane o pierda, ésta va a ser sin duda su última carrera antes de retirarse a la yeguada. Pero sigue siendo ella misma, la incomparable, con todo y pese a todo: al llegar a nuestra altura baja la cabeza como saludando, para mostrarnos mejor la pequeña estrella blanca de su frente. También sus distinguidas rivales impresionan: la alazana Caña de Bambú, tan fina y frágil en apariencia, pero que ha destrozado a los machos en su última carrera; y la viril y casi malencarada Nefertiti, que parece burlarse de la exquisitez de su nombre con su fuerte musculatura de atleta sin melindres. Y la torda Longue Carabine, y Samarella, y todas las demás. Preciosa carrera, nada fácil de pronóstico. Pero yo ya sé de qué lado está mi corazón, vamos, lo que aún queda de él.

Me doy media vuelta y Ariel me adivina la intención.

—Tenemos que ir al servicio, ¿no?

—Yo por lo menos sí —gruño, algo avergonzado. Me sigue a buen paso, sin añadir palabra.

En los lavabos hay bastante gente, pero mi cubículo mágico está desocupado. Entro en él con inquietud y hasta angustia, como si esperase ver allí escrita mi sentencia. Y en efecto, el enigma del muro me condena sin apelación posible: «Juega a Caña de Bambú». Leo y releo esas palabras, hasta froto con el dedo alguna letra, sin poder borrarla. Se me queda una pálida sombra rojiza en la yema, como de sangre seca.

Cuando salimos, tropiezo de cara con Blanca, que viene del tocador de mujeres. Enseguida me apremia pidiéndome el soplo que volverá a darle ganancias.

—¡Todo a Zarina Voladora! ¡Sin dudar!

—¡Huy, chico, qué claro lo tienes! Cuánta pasión... —Luego me acerca la boca al oído, fumigándome con su Chanel—. A mí me gustan los hombres *muy* apasionados...

Veré la carrera en la tribuna popular, como acostumbraba antes de codearme con la alta sociedad, acompañado por Carlitos y Ariel, que renuncia al privilegio del palco, y de paso a la familia, para estar conmigo. Cruzan ante nosotros las yeguas, camino de los cajones de salida, a paso de cánter: sobre mi Zarina va Murillo, otro veterano que sabrá lo que hay que hacer. Su tranquila presencia es el único augurio favorable, entre tantos negativos.

Ya han salido. Como es su costumbre, Zarina remolonea y pierde varios cuerpos. Hoy me parece que va más descolgada que nunca, como si la carrera le aburriese y ya no quisiera saber nada de más triunfos. Algún día hay que renunciar, algún día se pierden finalmente las ganas y se rechaza con desdén la lucha: ahí os quedáis con vuestros trofeos y oropeles. Las demás aceleran, cada vez más rápido, aprovechando su ventaja: codiciosas. Al desembocar en la recta final, toma el mando con paso decidido Nefertiti. La siguen de cerca Samarella y luego Caña de Bambú. Los gemelos me tiemblan en las manos como si yo también fuese galopando y me cuesta enfocarlos. Barro con ellos el pelotón hacia la cola, buscando a Zarina. Allí la veo: avanza poco a poco, ya las ha alcanzado, incluso ha logrado rebasar a una rezagada. Pero aún está lejos, muy lejos de las de cabeza. Ahora Caña de Bambú se ha puesto segunda y está a punto de dar caza a Nefertiti, cuyo jinete empieza a manejar el látigo. Faltan doscientos metros para la llegada. Atravesando el pelotón viene en tromba Zarina, zigzagueando entre sus adversarias y dejándolas atrás sin aparente esfuerzo. Pero aún le falta mucho... parece que la meta llegará antes que ella.

—¡Venga, Zarina! ¡Hala, bonita, que ya son tuyas! ¡Venga, mi reina!

Soy incapaz de gritar y mirar por los prismáticos al mismo tiempo, de modo que los bajo para animar mejor. Ariel me secunda, con voces y saltos: en un brinco tropieza conmigo y casi nos caemos los dos de la grada. Cuando recupero el equilibrio, ya están a punto de cruzar la línea de llegada. Zarina se ha emparejado con Caña de Bambú y ahora la rebasa con su habitual tranco desgalichado pero irresistible: un cuello, medio cuerpo, tres cuartos. Murillo lleva la fusta en la mano, oscilando, pero no pega: sólo se la enseña a la altura de la cabeza como para recordarle cuál es su deber y su destino. Ya ha ganado, se acabó: veinte de veinte. Al cruzar la meta, el gran Murillo, tan sobrio que nunca se permite gestos superfluos, se pone en pie por primera vez sobre los estribos levantando el brazo en un gesto insólito y triunfal.

El éxtasis, el temblor de la alegría después del temblor de la incertidumbre. Ariel se abraza a mí, me besa, no hay modo de quitármelo de encima. Carlitos me rinde un saludo con la mano en la frente: «Esta vez tenías tú razón, sigue siendo la mejor». Y yo no hago más que repetir:

—¡Es la clase! ¡La clase y la sangre! La pureza de la sangre noble...

Ahora me parece que veo mal, con ojos nublados. ¿Estoy llorando? Llorando por ella, que se va victoriosa, por el esfuerzo y el riesgo de la gloria, porque ya no volveremos a verla, por todo lo que se acaba.

VIERNES

A Xabi Mendia el salón del desayuno, a pesar de que la oferta del bufé se mantenía en su nivel de excelencia habitual, se le empezaba a antojar como un campo de refugiados. Los rostros de quienes estaban allí desde el primer día mostraban la tirantez del fastidio y la contrariedad. La frase más repetida en todas las mesas, que incluso se leía en los labios de los que ya no la pronunciaban por cansancio o discreción, era: «Yo *tengo* que volver a casa, como sea. ¡Ya está bien!». Luego, los más dados al patetismo añadían sus motivos de urgencia, el inexcusable compromiso académico, la inmediata boda de la hija, la preocupación del cónyuge o la salud quebradiza de la anciana madre, como si debieran bastar para que cualquier volcán con buen corazón se apiadase de ellos. Pero el monte Ireneo proseguía impertérrito con su cenicienta coacción.

De modo que gradualmente la mayoría iba irritándose contra las autoridades santaclareñas. ¿Por qué no abrían de una vez el puñetero aeropuerto? Seguramente se estaba exagerando un peligro, meramente hipotético, que distinguidos especialistas cuestionaban. ¿Acaso alguna vez la mera ceniza había derribado un gran avión? ¿No se podía volar por debajo de la ceniza, o por encima o... o lo que fuese? ¡Incompetencia! ¡Corrupción! Es inaguantable que lo que no tiene voluntad ni se deja convencer con razonamientos tuerza la voluntad razonable de los hombres: por lo tanto, la culpa debe ser de otros hombres, torpes o malignos. ¡Si las cosas se hubieran hecho como es debido, no estaríamos como estamos! Y para colmo ya no hay Dios al que acusar, como hizo Voltaire tras el terremoto de Lisboa.

A fin de cuentas, el intento de orientar la queja y exigir responsabilidades venía a ser una cuestión filosófica. Planteada, eso sí, por damnificados que por lo general o no sabían nada de filosofía, o no se interesaban por ella fuera de los seminarios universitarios. Precisamente esa jornada del malherido congreso iba a estar dedicada a la filosofía, aunque el resto de Santa Clara, como anunciaban con alegre inconsciencia grandes cartelones, se aprestaba a celebrar la Exaltación del Cochino Autóctono. ¡Vaya ocurrencia!

Cuando Xabi intentó reclutar a Nirbano para ir a la primera charla del día, se encontró con un cortés pero firme rechazo.

—No, lo siento, hoy me tomo vacaciones. Como hace buen tiempo, saldré a pasear, si me lo permiten las bicicletas. La filosofía me aburre.

Se le veía un poco más arrugado y grisáceo que de costumbre, como si las cenizas volcánicas estuvieran cayendo directamente sobre él. Su envidiable mata de pelo ya no parecía de un blanco tan resplandeciente, amarilleaba a tramos con un tono de orín. Y a través de la exquisita fragancia cítrica de su loción *after shave* le llegó a Mendia un tufo insidioso y sombrío, indescriptible: el olor a viejo. Hay quien se ha suicidado a los cincuenta años para evitarlo. Aunque pudiera ser que a Nirbano sencillamente le empezasen a escasear las mudas.

—Pero bueno, don Nicolás, no me diga que toda la filosofía carece de interés —protestó Xabi Mendia—. Hay filósofos y filósofos...

—En efecto, tengo entendido que hay dos clases de filósofos: los que no saben nada y los que no saben ni eso.

Esta pueril malignidad sublevó al joven vasco, que se había licenciado en Filosofía antes de dedicarse al periodismo y hasta planeó en su día redactar una tesis doctoral sobre la interpretación de don Quijote por Unamuno, Ortega y Ramiro de Maeztu.

—Por favor, hablemos en serio. ¿A qué saber o no saber se está refiriendo usted?

—Me refiero a que la filosofía es tan aburrida como la ciencia, pero mucho menos fiable.

—Creí que la sabiduría de los científicos no le entusiasmaba demasiado...

—Mire, Mendia —Nirbano resopló burlonamente—, yo comparto la opinión de Robert Louis Stevenson: lo que la ciencia dice del cosmos son muchas cosas dudosas y todas ellas terribles. Pero aun así las prefiero a las caprichosas capillas teóricas de los filósofos. Por lo menos la ciencia siempre es la ciencia de todos, *nuestra* ciencia, mientras que la filosofía es en cambio la de fulano o mengano, con nombres y apellidos. Una cabezonada particular.

—Perdone si me atrevo a corregirle, don Nicolás —aunque hacía años que no leía un libro de filosofía, Xabi Mendia guardaba lealtad y hasta cierta inconfesable ternura por su primer amor intelectual—, pero creo que la función de la ciencia y la de la filosofía son distintas. La ciencia conoce y la filosofía piensa.

—Vaya, pues acláreme eso —exigió el otro, con una paternal ironía que irritó aún más a Xabi.

—En fin, la ciencia *conoce*, es decir, describe lo que hay y explica más o menos su funcionamiento. Pero la filosofía lo *piensa*, o sea, que busca su sentido, relaciona las partes con el posible todo, practica la abstracción desde las formas de lo inmediato al concepto que las abarca.

Al final notó que se estaba liando y guardó silencio, un poco avergonzado, pero aún convencido de que tenía más razón de la que sabía expresar. Nirbano silbó entre dientes, aprobadoramente.

—Muy bien, muy bien. ¡Cuánto celo! Así me gusta, Mendia. Es bueno comprobar que la vieja llama ateniense sigue aún viva entre algunos jóvenes. En cambio, a mis años... Creo recordar que ya era escéptico cuando tenía su edad, de modo que figúrese ahora. Pero vaya, vaya a escuchar a esos maestros. Al final de la jornada me contará usted si ha sacado algo en limpio.

Saúl David se reunió con Xabi cuando se dirigía al Salón Imperial. Estaba más desarreglado que nunca, sin afeitar y con los ojos encandilados. Le cogió del brazo y por un momento Xabi pensó que iba a pegarle.

—¿Te has enterado de la noticia?

—No me digas que ya han abierto el aeropuerto...

—¡No, hombre, qué más quisierais! —Tenía la cara enrojecida y risueña tan cerca de la de Xabi que al hablar le rociaba con gotas de saliva y un aliento espeso—. Es algo mucho más emocionante: ¡el Premio Nobel ha desaparecido!

—¿Cómo que desaparecido? ¿Acaso se ha marchado en... en barco o algo así?

—¡Venga, despierta ya, muchacho! Te digo que ha desaparecido. ¡Visto y no visto, *disparu, missing!* Por lo visto anoche no regresó al hotel, aunque todas sus cosas siguen en la habitación. Y lo mejor de todo es que se sospecha... —Hizo una pausa dramática, esbozando muecas como un conspirador de opereta—. ¡Se sospecha que puede haberle raptado la IRENE! ¡Qué golpe de efecto! Por fin van a salir en la primera página del *New York Times*. Casi me siento orgulloso de ellos, ya ves.

Luego le aclaró que nada era aún oficial y que él tenía la información de un *hacker* amigo suyo que entraba y salía a todas horas del *e-mail* del jefe de policía.

Por el momento, el resto de los participantes no parecían aún saber nada y ocupaban sus puestos en la sala de conferencias con aburrida normalidad. Eso sí, el dispositivo de seguridad se había multiplicado todavía más, de modo que el acceso al salón era más lento que nunca y se formó una larga cola para entrar. Las carteras de mano y los bolsos eran registrados minuciosamente, lo que suscitaba bastantes bromas y algunas protestas.

—Por lo visto nos están entrenando para que no olvidemos los controles del aeropuerto, por si vuelven a abrirlo algún día —comentó en voz alta el novelista Futurano, que se había levantado de buen humor.

Xabi Mendia pasó junto a la azafata de sus desvelos y le lanzó un viril e intencionado «¡buenos días, Marina!». Ella maulló un «¡hoolaaa!» acariciante que no le llamó a engaño, porque ya se lo había oído prodigar otras muchas veces a otros tantos. El reclamo severo de la filosofía había atraído algunas caras nuevas al habitual elenco de las jornadas. El chismoso Saúl David estaba en su salsa: disfrutaba tanto que podría decirse que el Festín se celebraba para dar pábulo a su blog, lo mismo que Homero aseguró que las generaciones de los hombres caen y son aventadas como las hojas en otoño para que los poetas tengan algo que cantar. Le señaló a Xabi un sesentón más bien orondo que lucía unas enormes gafas amarillas:

—Ahí tienes a Shoemaker, ese divulgador que se ha hecho millonario escribiendo prontuarios de ética para adolescentes. Dicen que es bígamo y adicto a varias drogas duras.

—Viéndole, me extrañaría otra cosa —confirmó Mendia.

El muy esperado conferenciante que iban a escuchar era Hipodamo Bronco, líder indiscutible de los pensadores atribulados. Bastaba con mirarle la cara, agónica y miope, para comprender que a partir del primer día de la creación todo habían sido ya disgustos para él. Salvo la palabra, que manejaba con truculenta fluidez, lo negaba todo: el Capital y el Dinero que compran cuanto alienta, la Máquina que aplasta al hombre, el Trabajo que lo esclaviza, el Poder que lo prostituye, la Democracia («partitocracia» en realidad, aclaraba suspirando) que pervierte al pueblo poniéndole a favor del poder que le manipula, el Tiempo que niega la eternidad presente de la vida y nos condena a perecer, el Amor que bloquea la espontaneidad del goce, el Ser que nos obliga... pues eso, a ser. Por no mencionar la Guerra, el Ejército, la Policía, la Seguridad Social... En fin, una generalizada catástrofe que le amargaba, pero cuya perpetua denuncia contra viento y marea le activaba como la descarga eléctrica galvaniza la pata de una rana muerta. Una cohorte de jóvenes indignados y algo catatónicos le seguían por doquier con esa desesperación que entretiene tanto como la esperanza.

—Se le tiene por insobornable —comentó el irreverente Saúl David al oído de Xabi Mendia— porque nunca es posible extraer la mínima consecuencia práctica de sus teorías. Si fuese igual de estéril pero optimista en lugar de pesimista, todos le tendrían por un cantamañanas. Pero mira, mira con qué satisfacción le aplauden los de la primera fila, miembros de la Academia, el secretario de Cultura, el decano de la Facultad de Filosofía, prebostes varios: a los integrados les gusta el apocalíptico, porque no les disputa sus privilegios y al denunciar males grandilocuentes deja pasar por debajo las vilezas menores de cada día, que son las rentables. Ellos le celebran para purificar su alma sin arriesgar sus privilegios.

Lo cierto es que Xabi Mendia estuvo en parte aburrido durante el patético galimatías de Hipodamo Bronco, que sólo se hacía inteligible cuando recaía en el tópico, y en parte distraído, dándole vueltas en su magín a la supuesta desaparición del Premio Nobel. ¿Habría algo de verdad en el asunto o sería una conjetura bloguera del hiperactivado

Saúl David? Pronto salió de dudas, porque antes del almuerzo ya todo eran rumores sobre el asunto entre los congresistas. Futurano se le acercó algo congestionado, le volvió a contar a su modo la noticia que ya sabía y añadió, siniestro:

—La policía anda haciendo preguntas a todo el mundo.

Lo dijo como si denunciase alguna forma de tercer grado que pendiera sobre las inocentes —y por lo general vacías— cabezas de todos ellos.

Xabi guardaba cola pensativo para llegar al bufé cuando alguien dijo a su lado:

—¿Javier Mendia?

La voz sonó por encima de su cabeza, como una llamada divina. Era profunda, algo ronca, pero en conjunto nada desagradable. Procedía de la enorme mujer policía cuya constante vigilancia ya le había impresionado antes.

—Sí, señora. Soy yo —se rindió Xabi.

—Acompáñame, por favor. El capitán quiere hablar contigo.

¿Debía enfadarse por ese tuteo que quizá le menospreciaba o más bien aceptarlo como una señal de simpatía y familiaridad que indicaba la ausencia de malquerencia contra él? Xabi Mendia dejó la cuestión en suspenso, o entre paréntesis como hubiera recomendado Edmund Husserl, y siguió sin rechistar a la monumental enviada del destino.

El capitán Dos Ríos le aguardaba en una salita del *business center* del hotel que por lo visto había convertido en su oficina provisional. Se levantó cortésmente al verle para estrecharle la mano y después le ofreció asiento frente a él.

—Muchas gracias por aplazar su almuerzo para atenderme, señor Mendia, será un momento nada más. Estamos recabando ayuda de ustedes para aclarar una inquietud que tenemos y de la que probablemente ya habrá oído hablar. No es nada oficial, pero su colaboración puede sernos preciosa.

Le sonrió con generosa complicidad masculina, pero inmediatamente se puso serio y empezó a preguntar.

—Tengo entendido que usted es vasco, ¿verdad, señor Mendia?

—Soy donostiarra.

—Perdone, pero ¿eso qué significa? —dijo receloso el capitán—. ¿Algo así como «etarra»?

—Aún no, aún no... Significa que soy vasco, como usted ha dicho, pero no con dedicación exclusiva. Vasco... entre otras cosas.

El capitán suspiró y para disimular su fastidio volvió fugazmente a sonreír.

—Bueno, vasco, donostiarra, perdone mi ignorancia. ¿Es la primera vez que visita Santa Clara?

—Sí, señor.

—¿Tiene usted aquí amigos o conocidos? ¿Mantiene contacto con algún grupo político?

Ahora fue Xabi quien sonrió.

—No, señor. Mis únicos contactos en la población local son los organizadores de este Festín. Y si se refiere usted a IRENE, puede creerme: los vascos dotados de razón política, precisamente porque tenemos que padecer a *liberadores* criminales en casa, somos quienes sentimos mayor repugnancia por cualquier forma y pretexto de terrorismo. Los que excusan a esos grupos o incluso simpatizan con ellos son siempre quienes viven más lejos de su actividad.

—Por supuesto, señor Mendia, de ninguna manera he querido insinuar... —El capitán estaba visiblemente azorado, pero se relajó al ver que no había hostilidad ni reproche en su interlocutor—. En todo caso, le diré que me alegra hablar con alguien inteligente. Permítame que continúe con estas preguntas rutinarias. Según tengo entendido, ayer no asistió usted a la cena preparada para los invitados a este congreso. ¿Puede decirme por qué?

—Estaba algo cansado y, francamente, no me gustan los grandes banquetes ni las demostraciones folclóricas.

—Ya veo. ¿Se quedó usted en el hotel, entonces?

—Así es. Tomé una cena ligera y subí a mi cuarto para leer un rato antes de acostarme.

—Su habitación está en el segundo piso, como la del señor... —El capitán consultó sus notas, vaciló y luego renunció a pronunciar lo impronunciable—. Como la del Premio Nobel. ¿Le vio usted esa noche? ¿Se encontró con él... casualmente?

—No, señor, no le vi, ni siquiera sabía que se hospedase en mi misma planta. Me encerré en mi habitación y no me encontré con nadie. Como le digo, estuve leyendo una novela policíaca hasta conciliar el sueño.

Xabi Mendia decidió subversivamente callar la visita que le había hecho el amante despechado, porque mencionarla quizá le hubiera complicado la vida al pobre hombre sin evidentemente ayudar en nada a la investigación. Tras dos o tres preguntas redundantes más, Dos Ríos se despidió de él muy cortésmente, agradeciendo su colaboración. Lo que más le dolió a Xabi, sin embargo, fue que cuando llegó al bufé ya sólo quedaban restos.

Antes de la primera conferencia de la tarde, Xabi Mendia se encontró con Virginia Pueris, que también iba hacia el Salón Imperial.

—*Demonstres ubi tuae tenebrae?* —inquirió la señora.

Xabi, que no entendió nada en realidad, exageró la pantomima de la ignorancia.

—¿Y eso qué es?

—Un verso de Catulo —repuso ella, echándose a reír—. En buen cristiano, que dónde te metiste ayer por la noche. No estabas en nuestra fiestecita, por lo cual te felicito.

—¡No, por favor, basta de interrogatorios! Acabo de sufrir uno de la policía y ya lo he confesado todo.

—No te des tanta importancia, que nos han hecho preguntas también a los demás. Por lo visto creen que han secuestrado al Premio Nobel.

—Ya me extrañaría... En cualquier caso, ni tú ni yo tenemos nada que ver con el asunto, de modo que no sé por qué nos tratan como si *seríamos* sospechosos.

En cualquier caso, los rumores sobre el presunto secuestro y el intercambio de especulaciones y datos confidenciales «de buena tinta» (había quien recitaba de memoria y párrafo tras párrafo el comunicado de los terroristas) consiguieron que hubiese más gente formando corrillo fuera de la sala de conferencias que dentro. La primera y así devastada charla de la tarde correspondía a Magdalena Combray, de la Universidad Complutense de Madrid. La profesora era muy joven y doctoralmente atractiva, vestía con un estudiado descuido de buen gusto y estaba irreductiblemente convencida de que los animales no racionales tenían tanto derecho a tener derechos como los humanos.

—Lo que cuenta no es si hablan o razonan, ¿vale?, sino si pueden sentir dolor. Y casi todos los animales es evidente que sufren, ¿vale?, padecen el dolor como ustedes y como yo. De modo que torturarlos o imponerles sufrimientos es tan éticamente incorrecto como hacer lo mismo con seres humanos. Consideramos un abuso poner nuestra raza sobre las demás, eso es racismo, ¿vale?, o preferir el sexo masculino al femenino es machismo, ¿vale? De modo que también es injusto considerar que nuestra especie tiene derecho sobre las demás, ¿vale?, eso es *especieísmo*.

Como la chica era más bien guapa y con el punto dominante que le gustaba en las mujeres, Xabi Mendia estuvo dispuesto a darle la razón. Sólo en el plano teórico, claro está, nada que afectase a su dieta carnívora ni a su afición a los toros. Pero una vez que acabaron los aplausos, Virginia Pueris expresó su discrepancia.

—Profesora Combray, en mi opinión eso que define usted con horrible nombre como «especieísmo» es en realidad la ética misma. Porque la ética estriba precisamente en *preferir* a nuestros semejantes humanos y distinguirlos entre todos los restantes animales o cosas. O sea, reconocer que tenemos respecto a ellos unas obligaciones específicas y que les concedemos una dignidad inconfundible.

Su interlocutora se agitó un poco en el asiento: era evidente que le gustaba la polémica y que estaba preparada para afrontarla.

—¿Y puedo preguntarle en qué se basa esa especial y específica «dignidad» humana?

—Si no me equivoco, en que somos libres.

—Perdone que insista, pero no veo muy bien en qué consiste esa «libertad» que tanto nos magnifica.

—No, si puede que no nos magnifique, pero sin duda nos compromete y nos define. Si no recuerdo mal mis lecturas de Séneca, creo que ser libre quiere decir ser un sujeto capaz de tomarse a sí mismo como objeto y transformarse de acuerdo a un proyecto propio. Ningún otro animal es capaz de tanto, y en cambio, nosotros no podemos dejar de hacerlo, aunque a veces quisiéramos.

—¿Y la compasión? —requirió Magdalena Combray, segura de pisar terreno firme—. Para mí, el fundamento de la ética es la compasión por todos los seres capaces de padecer dolor, ¿vale?

—Con mis excusas a Schopenhauer y a usted —dijo sonriendo Virginia—, creo que la ética nace de la compasión por los únicos seres condenados a elegir. O sea, los humanos.

Después, la deserción fue masiva. Apenas una docena de irreductibles se mantuvo en el Salón Imperial, donde un académico reputado, el doctor Inanity, amenazaba con dar una lección titulada «Metafísica del poder de Hegel a Giorgio Agamben». Xabi Mendia fue uno de los que siguieron en la trinchera filosófica, mayormente por no tener que darle la razón antifilosófica a Nicolás Nirbano (con quien empezaba a sentirse desalentadoramente de acuerdo en su fuero interno). Por algunas intervenciones en sesiones anteriores, había descubierto que el conferenciante —un vejestorio bajito de pelo escaso pero muy alborotado por alguna ventolera privada, que parecía llevar toda la ropa torcida y no sólo su mugrienta corbata— tenía tendencia a hablar con la falsa hondura de quien profesionalmente determina qué es lo profundo y qué no. De modo que esperaba su clase magistral con un entusiasmo mitigado, por decir lo menos.

Y entonces, como tantas veces, ocurrió lo inesperado. Mientras el doctor Inanity repasaba sus notas antes de tomar la palabra, algunos de los asistentes hablaban entre ellos con aire conspirador. Finalmente, un robusto profesor alemán de aspecto decidido —incluso algo agresivo— se puso en pie y pidió la palabra.

—Doctor Inanity, todos estamos seguros de que su conferencia será tan competente y digna de estudio como cuanto procede de usted. Sin embargo, vemos que la tiene escrita, de modo que no tardaremos en conocer su contenido por medio de cualquier publicación especializada. Aquí todos somos del gremio, como puede usted comprobar. Pero ahora que le tenemos a usted en vivo, por decirlo así, preferiríamos, si no le importa, oír su versión de un suceso muy comentado en el que se vio envuelto el pasado año, junto a algún otro colega universitario... Supongo que sabe a lo que me refiero. Doctor Inanity, ¿qué pasó en aquel avión?

Al interpelado, de puro nervioso, se le escaparon un par de hojas de la mesa, que bajaron planeando majestuosamente hasta el suelo. Primero se puso lívido, después enrojeció. Habló atragantándose:

—Señores, esto es irregular, completamente irregular...

Con tono casi imperioso, el profesor alemán insistió en su demanda, secundado por varias voces de otros miembros del público.

—¡Sí, sí, queremos saber lo del avión! ¡Cuéntenos qué pasó!

Tras resistirse un poco, Inanity cedió. Se le veía abrumado, pero también algo desafiante, como Sócrates ante sus acusadores al comenzar su apología. Atropelladamente, empezó a narrar.

Plan de vuelo

Ante todo, algo debe quedar meridianamente claro: siempre he admirado a Elías Toledano. Ninguno de los incidentes de los que ahora me dispongo por primera vez a brindar noticia (y que han dado lugar a tantos absurdos rumores y malentendidos, cuando la sencilla crónica de lo ocurrido tiene la ventaja de ser mucho más asombrosa que cualquiera de esas ficciones) puede empañar mi arrobado pasmo ante sus dotes intelectuales ni mi afecto por su persona. Quizá en esta ocasión se equivocó, pero errar es de sabios. ¿Acaso ustedes no se equivocan nunca? Claro que sí, claro que sí. ¿No me he equivocado yo mismo alguna vez? Pues también, según creo recordar. Las circunstancias, además, favorecían el engaño incluso de los mejor preparados: el asunto era oscuro, las apariencias engañosas, la hipocresía del adversario mayúscula, la enormidad de lo que estaba en juego difícil de calibrar a primera vista. Lo más evidente era lo imposible. Y, evidentemente, eso fue lo que pasó. De modo que a fin de cuentas no era imposible, concluirán ustedes, socarrones, cómodamente atrincherados en su sillón favorito mientras esperan la hora de cenar. Ya, ya, qué fácil es ser listo cuando ha caducado la ocasión de mostrar perspicacia. Pues sepan que a ustedes no les admiro ni pizca, ni siquiera les respeto más allá de lo que impone la estricta cortesía. A quien sigo

venerando y respetando es a él, a mi amigo el profesor Toledano. Aunque se equivocase, trágicamente.

Ahora que debo iniciar mi relato comprendo que no es
fácil establecer inequívocamente cuándo empezó todo.
Como soy catedrático de Metafísica doy por cierto que la
cadena ontológica de los efectos y las causas se remonta
hasta el inasible infinito para luego remansarse en lo absoluto, definitivamente: y también hacia allí mismo transcu-
rre y regresa a lo largo del aún velado futuro. De modo
que señalar el principio y el final de cualquier serie de sucesos es siempre un ejercicio caprichoso y arrogante, sin
duda estéril. Pero como la vida humana es corta y ustedes
se me aburren, daré el banderazo de salida a mi narración
tomando como punto de partida mi propia memoria, por
incierta que sea. Para mí todo empezó cuando Elías —tengo
derecho a llamarle así, pues somos colegas— abrió sin avisar la puerta del irrisorio cubículo que la universidad me
ha destinado como despacho y me solicitó un favor. Se trataba de completar la terna de una comisión para conceder
ayuda económica a un doctorando. Por lo visto, en el último momento había fallado uno de los miembros por indisposición (yo conocía al miembro y supuse de inmediato
el tipo de indisposición que le aquejaba) y mi amigo Toledano recurría a mí en desesperación de causa.

—Si no acabamos hoy, tendremos que repetir todo el
papeleo el mes que viene —gimió.

No podía negarme, pese a que por lo común siempre
rehúyo este tipo de compromisos burocráticos. No tengo
paciencia para leer los trabajos presentados, no presto
atención a lo que cuentan los candidatos: me distraigo me-
ditando sobre los grandes temas que casi siempre ocupan
mi mente. ¿Qué más me da que sea la señorita Zutana o el
señorito Fulano quienes cobren un modesto estipendio del
Estado por repetir trabajosamente ideas de otros, por lo
común desordenando lo razonablemente ordenado? ¡Que

los bequen, los subvencionen y los premien a todos en buena hora, pobres diablos! Y a mí que me dejen en paz. Siguiendo este mismo desengañado criterio, cuando llega el inevitable trance de los exámenes siempre apruebo a todos mis alumnos. Ya sé que los colegas lo consideran una prueba más de mi desidia, pero en cambio yo pienso: ¿para qué darles un disgusto si ya se encargará de suspenderlos la vida? Desde luego, Elías conoce de sobra mis opiniones al respecto, de modo que sin duda acudió a mí no a pesar de ellas, sino precisamente confiando en ese desapego. En caso de apuro, recurramos al escéptico amable...

Tomamos posiciones tras la mesa enorme, oscura, mohosa, inquisitorial, poniendo cara de compungida severidad. Junto a nosotros se instaló en majestad el indescifrable doctor Teutones, que según los cálculos menos optimistas había rebasado ya ampliamente no sólo la edad de jubilación, sino incluso el plazo habitualmente concedido por la naturaleza a la vida humana posbíblica, pero que seguía misteriosa y polvorientamente presente en nuestro claustro de profesores. Después de unos breves gruñidos de cortesía académica, Toledano, que ejercía como presidente de lo que fuésemos así constituidos, llamó al primero de los dos aspirantes al mecenazgo. Resultó ser una señorita ya entrada en años —para ser señorita, quiero decir— de estatura sumamente breve y, en cambio, anchura más que notable. Estaba decidida a asestar al mundo desprevenido una tesis titulada *La conciencia infeliz hegeliana y el inconsciente femenino,* cuyas directrices mayores e incluso menores nos expuso con una prolijidad que partía de lo ininteligible para alcanzar pronto lo inaguantable. Naturalmente yo ya soy perro viejo y desconecté a las primeras de cambio: sin cambiar mi expresión de atención sufrida, me refugié en la grata rememoración del cruce de piernas de Sharon Stone en *Instinto básico.* Tras un lapso de tiempo incalculable, pero que podría haber sido doloroso de haber presta-

197

do atención, noté por diversos auspicios que la doctoranda daba por concluida su exposición de méritos. El admirable profesor Toledano hizo un par de valerosas preguntas, yo carraspeé que todo me parecía tenebrosamente claro y el doctor Teutones empezó a sonarse. Fue un proceso largo, porque se sonaba sin fuerza, en extensión más que en intensidad, de manera prolongada, exánime y burbujeante. Por fin guardó el sucio pañuelo y se proclamó satisfecho, nasal y académicamente. Todos secundamos su aprobación y la candidata fue despedida con parabienes.

La experiencia me había dejado ya con pocas fuerzas y menos ganas, de modo que sugerí que, en vista de la indudable competencia de la docta dama, era inútil prolongar más nuestra entretenida reunión. Elías, uno de cuyos pocos defectos a mi juicio es que a veces se pasa de oficioso, insistió en que debíamos escuchar al segundo aspirante. El tipo sin duda llamaba la atención. No, no voy ahora a alardear de especial intuición o perspicacia: cuando se es inteligente no se necesita parecerlo. Por tanto me guardaré de decir que nada más verle presentí una oscura amenaza ni nada de corte siniestro. Al contrario, tenía más bien buena pinta: no muy alto pero fibroso y ágil, de rostro afilado, vivaz con un atractivo toque de melancolía. Indudablemente arábigo: su ficha decía que era nacido en Yemen y se llamaba Abdalá Zaradín. Un guapo con personalidad, modelo *beau ténébreux*. Lo mejor, sus ojos, de brillante azabache, que paseó por nosotros un poco descaradamente mientras nos evaluaba con una leve sonrisa. A mí me cayó inmediatamente simpático.

En cambio el tema de su tesis en ciernes, *El origen del mundo en la mitología babilónica*, me interesó bastante menos que él. Supongo que expuso su proyecto de modo documentado, aunque en ocasiones dejándose ir bastante más allá de lo académicamente prudente. Vamos, digo yo, que conozco poquísimo el tema. Cuando acabó, Toledano guardó silencio después de un leve suspiro. Teutones renunció incluso a sonarse y permaneció hierático o quizá dormido. Me pareció algo injustificada tanta frialdad, de modo que me arriesgué a una muestra de curiosidad para animarle: «¿Mitología *babilónica? ¿*No sería mejor decir mesopotámica?». Una bobada, ya lo sé, pero motivada por la cordialidad. Me miró un largo instante, hasta que sentí algo de azoro. Luego sonrió abiertamente: «Yo prefiero babilónica». Nada más. Y así acabó su comparecencia.

Fiándome demasiado de mis deseos, como suele pasarme a pesar de que soy un estricto racionalista, supuse que nuestra deliberación sería convenientemente breve. La cosa empezó bajo un signo alentador porque el mohoso Teutones estableció de inmediato: «Los dos han estado muy bien, de modo que yo suscribo lo que decida la mayoría». Lo dijo como si fuésemos un areópago de doscientos y no un trío de próximas calaveras. Toledano me miró y a continuación me escuché con cierta sorpresa definiéndome más de lo que suelo: «Para mí el chico es mejor, de calle». También mi amigo fue algo más tajante de lo habitual: discrepaba de mi criterio y se inclinaba sin vacilar por su contrincante. Desde luego, me daba exactamente igual una que otro y normalmente hubiera acatado su veredicto sin rechistar, aunque sólo fuese para irme cuanto antes a dormitar en mi cubículo. Pero, por lo visto, el demonio de la contradicción se apoderó de mí: me puse a defender con vehemencia la causa del babilónico. Como apenas había atendido a ninguna de las dos exposiciones, mi argumentación fue confusa y terca. Utilicé un inapropiado tono sarcástico para derogar a la primera candidata, lo que evidentemente molestó a Elías. Me rebatió con sequedad y contraatacó señalando con fastidiosa precisión incongruencias y exageraciones gratuitas en el proyecto del yemení. Fui incapaz de rebatirle, pero no estaba dispuesto a dar mi brazo a torcer. Me limité a repetir, enfurruñado: «Pues a mí me parece con todo el más serio de los dos». Y Elías, con expresión nada amena, retrucó: «Ya, es demasiado serio para lo que puede respaldar documentalmente». Teutones estaba un poco atónito y asistía a nuestro pugilato adoptando una compostura claramente reprobatoria.

La actitud militante de mi colega Toledano no dejó de sorprenderme (ahora pienso que la mía también debió de chocarle un poco a él). Por supuesto, yo estaba convencido de que a fin de cuentas le daba igual un candidato que otro; además, tampoco estábamos eligiendo al próximo rector, sino atribuyendo una risible ayuda económica al novato menos malo. Siendo ambos proyectos de tesis presentados más o menos igual de prescindibles y confusos, me parecía evidente que el joven Zaradín tenía una cierta intensidad personal que resultaba menos grisácea. En él había algo por lo que se podía apostar razonablemente, sobre todo con dinero de la Administración Pública. Entonces ¿qué le pasaba al bueno de Elías? Era improbable que sufriese un arrebato feminista y pensara en cuotas de género, discriminación positiva y cosas así. Recordé sus cáusticos comentarios al respecto y además estaba convencido de su firme independencia de criterio. Aunque, sí, tuve que reconocer que había en él un punto oscuro, un rincón visceral en el que a veces ese espíritu superior se enrocaba de modo casi sectario. Alguna vez se lo había yo afeado, con más ironía que acritud, como corresponde a la bonhomía de mi carácter y al aprecio que le tengo.

Elías Toledano es judío. Escéptico total en cuestiones religiosas, ateo practicante incluso, pero judío de pies a cabeza y sobre todo en su fiero corazón. ¿Hace falta decir que no tengo nada contra los judíos y que admiro su abrumadora nómina de talentos, desde Freud y Einstein a Christian

Dior o Woody Allen? Por no mencionar al inmarcesible Spinoza... Espero de la benevolente audiencia que no vaya a tacharme de antisemita a estas alturas a mí, precisamente a mí, por una reflexión crítica cordial y desprejuiciada. No tengo nada, ya lo he dejado claro, contra los judíos, pero a veces me inquieta y me fastidia que deban serlo *tanto*. ¿Por qué se sienten obligados a judaizar constantemente, a todas horas y a cualquier respecto, de modo tan obsesivo y a veces hasta sin darse cuenta? Casi todos los judíos que conozco podríamos decir que son judíos profesionales, con todo el andamiaje ideológico y sentimental que eso conlleva.

Ése era mi punto de amistosa discrepancia con el admirable profesor Toledano. Su actitud ante cuanto oliese a islámico e incluso a árabe era siempre de recelo, cuando no de abierta reprobación. Creo que no lo podía remediar y ése era su talón de Aquiles o, mejor dicho, su talón de Moisés. Si yo me hubiera atrevido a mencionarlo en esta ocasión, tengo por seguro que lo habría negado con indignación sincera. Y sin embargo, estoy convencido de que su inmediata animadversión hacia el yemení se debió a este prejuicio inconfesable. Que acontecimientos posteriores confirmaran de manera dramática y a la vez inédita tal prevención no la hacen por principio más recomendable.

Forcejeamos un poco más, con creciente desgana por mi parte. Sabía de antemano que iba a ceder y, más que pretender convencer a mi obstinado rival, intenté retrasar lo más posible el fastidioso y algo humillante momento de la rendición. Finalmente ocurrió lo previsto, redactamos y firmamos el acta de la sesión y llamamos a los dos aspirantes para comunicarles nuestro fallo (que a mi juicio lo era en un doble sentido). La verdad es que nuestro laborioso veredicto causó un mediocre impacto en sus más directos destinatarios: la ganadora apenas mostró júbilo, tan convencida estaba la muy presumida de merecerlo; y el postergado mostró una indiferencia displicente y un punto sarcástica. Mientras recogía sus papeles en una cartera verdosa por el uso, el ancestral Teutones suspiró un «¡bien está lo que bien acaba!», y con ese apotegma digno de su talento desapareció rumbo a la catacumba más próxima. Creí advertir cierto sentimiento de culpa en la forma en que Elías agradeció mi colaboración y abrevié la ceremonia de los adioses para castigarle un poco. Mientras caminaba lentamente por el pasillo, dudando entre dirigirme a mi cubículo o al bar, el babilónico se puso a mi altura con paso ágil y un poco oblicuo, como la marcha del alfil. Me miró un fogoso instante, y dejó caer un «gracias» en un tono indefinible, antes de alejarse rápidamente.

Quizá pensé que así se cerraba el episodio, pero en realidad todo acababa de comenzar. Dos días después, cuando me recuperaba en el despacho tras dar una clase sobre Edmund Husserl que me había aburrido incluso a mí, llamaron discretamente a la puerta.

—Adelante.

Pero no entró nadie. Unos segundos después, oí fuera una voz suave, casi humilde:

—Soy Abdalá.

Y allí estaba. Sumamente cortés y respetuoso, pero no menos decidido. Quería que yo me encargara de dirigir su tesis, que me convirtiese en su mentor. Sólo yo me había interesado por su proyecto intelectual y había comprendido su importancia. Le había defendido, aunque sin éxito, frente a la incomprensión y el prejuicio. Protesté débilmente. Sí, el prejuicio. Estaba acostumbrado a padecerlo. Pero eso ahora no tenía mayor importancia. Lo que contaba era que él necesitaba no sólo un profesor para respaldar los trámites académicos de su doctorado, sino algo más. Pausa dramática: mucho más. Para él, yo no era simplemente un profesor.

—¿Ah, no? —me inquieté.

—No. Usted es un buscador, como yo. No alguien ufano de sus conocimientos, sino inquieto y ansioso de aumentarlos. Usted es un sabio, porque sabe lo mucho que le falta por saber.

Respiré hondo y volví a protestar, aunque sólo por coquetería. A mi edad uno está ya de vuelta y puede resistirlo todo, salvo los elogios de la juventud. ¿Un sabio? Pues sí, en efecto. Los colegas me tienen por uno más de ellos, otro burócrata de la rutina docente, menos brillante que la media (he publicado muy poco, sólo mi tesis doctoral sobre Leibniz en una editorial universitaria y varios artículos en semiclandestinas revistas de cátedra); los alumnos se arrastran bostezando por mis clases para cumplir el trámite del curso, sin el mínimo interés por lo que les digo ni motivarme para decirlo con mayor entusiasmo. Dentro de poco me jubilaré y nadie se dará ni cuenta. Pero yo he pensado mucho, claro que sí, y sigo pensando todavía para mi coleto, aunque cada vez con más bruma y desánimo. De pronto, un joven inteligente lo comprende y me distingue, me *reconoce*. Sentí como si se abriera una puerta ante mí, cuando ya todas parecían irse cerrando. Aunque uno debería tener cuidado antes de cruzar ciertos umbrales que no sabemos a qué territorios ignotos van a darnos acceso...

Dos días más tarde mataba el tiempo en mi despacho, entre la clase de las nueve que acaba oficialmente a las diez y media (procuro concluirla a las diez menos cinco) y la que comienza a las doce (en mi caso, a las doce y veinte). Ante mis ojos, fatigados por tantos grandes clásicos, yacía un artículo que me había remitido el profesor ayudante de sociología Pérez Murcia: «¿Demócratas o liberales?». Se trata de un joven combativo, un indudable jabalí de la piara del progreso acelerado —revolucionario pero gubernamental, claro, como es debido— y, sin embargo, debo reconocer que me aburre. No él, pobre criatura, sino la política a cuya palestra se lanza una y otra vez. Yo la política se la aguanto a Platón, a Aristóteles, al divino Spinoza y, todo lo más, a Rousseau: pero no a Pérez Murcia ni a los que por ahí se agitan en el aquelarre contemporáneo. Como el empeñoso muchacho valora mucho mi criterio (y seguramente quiere pedirme una carta de recomendación para alguien, porque no para de zascandilear), intenté leer las ¿quince?, no, caramba, son veinte, páginas de su artículo en pulcra separata. Pero nada, que me atasqué. Entreví sus habituales alusiones a cómo la virtud salvadora de internet nos librará para siempre del aristocratismo de los eruditos y cómo cualquiera alcanzará la excelencia intelectual con sólo apelar a la nube de sabiduría virtual, sin pesadas iniciaciones ni esfuerzo. Los mediocres y los indolentes siempre esperan su absolución por medio de la técnica: a veces la consiguen y lo llamamos progreso.

Entonces llamaron discretamente a la puerta. Di el permiso requerido y, como no entró nadie, adiviné que era Abdalá. Un tipo curioso, este exótico y agraciado Zaradín, tímido en las formas y audaz en los contenidos. Muy respetuoso, desde luego, pero con una latente desvergüenza en el fondo de su trato. ¿Me di cuenta entonces? Pues no, la verdad. Tengo la noble ingenuidad del niño.

Me trajo ese día un buen fajo de fotocopias, condensación primordial de la investigación que venía realizando desde hacía «mucho, muuuuchísimo tiempo», según confesión propia. Las repasé amablemente para complacerle, sin demasiada atención y desde luego sin entender ni jota. A vista de pájaro resultaba demasiado babilónico para mí, aunque no escatimé tibias exclamaciones de «¡vaya!», «¡hum!», «esto sí que parece... ¡vaya!». Además de textos transcritos en caracteres arábigos, abundaban las representaciones algo borrosas —fotocopias de fotocopias— de figuras barbudas y aladas, bajorrelieves con escenas de caza, caballos encabritados montados por fieros arqueros, leones acribillados con lanzas y flechas, etcétera, que me recordaron mi deambular juvenil en Londres por las salas del Museo Británico, mientras esperaba la siempre caprichosa y tardía hora de apertura de los *pubs*. Pero una lámina me llamó especialmente la atención por su rara nitidez —parecía haber sido calcada o copiada manualmente— y por su desagradable monstruosidad tentacular.

—Ésta no parece mesopotámica —comenté tímidamente, por decir algo.

Me miró fijamente, con sus ojos de terciopelo enfurecido (¡ay, Dios, qué estoy diciendo!). Después me mostró el teclado feroz de... o sea, que me sonrió.

—Pues no, más bien no. ¿Ve? Tenía yo razón. Usted se da cuenta, *percibe*. Los demás pasan de largo.

Añadió que él mismo había copiado esa figura de un libro muy antiguo, traído de su país, del que quizá no hubiese muchos ejemplares. Un volumen precioso.

Por darle gusto —noté que me complacía complacerle— comenté que me encantaría ver el original, si cualquier día tenía la amabilidad de traerlo a mi despacho. Acentuó la indescifrable y casi pícara —no es la palabra, pero en fin— sonrisa.

—Lo siento, no quiero llevarlo de aquí para allá. Es tan antiguo, tan valioso...

Me encogí de hombros: en tal caso... Entonces dimos un paso más allá, al más allá. Serio y ceremonioso, me aseguró que, sin embargo, se sentiría feliz de mostrármelo si en cualquier ocasión le hacía el honor de ir a su casa. «Mi modesto alojamiento a su entera disposición». Algo así.

Nunca había ido a casa de un alumno, aunque la verdad es que ninguno me lo propuso antes de Abdalá. Por decirlo todo, no suelo ir a casas ajenas en ningún caso ni tengo el mal hábito de invitar a nadie a la mía. Prefiero encontrarme con la gente en espacios públicos, sean despachos, bares o restaurantes: la retirada siempre es más fácil y se evitan las ceremonias y las situaciones embarazosas. Considero que las casas son lugares para escapar de los agobios de la sociabilidad, no para ampliarla. Y a pesar de tales precedentes acepté casi de inmediato el ofrecimiento de Abdalá. ¿Por qué? No estoy seguro. Supongo que las normas rutinarias están para ser transgredidas de vez en cuando, ¿no? Pero es que, además, el exótico muchacho me producía una especie de trastorno, nada desagradable: como si su trato insuflara en mi vida un hálito de novedad y aventura, la oportunidad —la *última* oportunidad— de comenzar algo realmente distinto, como si me abriera una puerta al jardín tentador y un poco escalofriante de lo inesperado. Así fue, desde luego. Y aún me sobresalto al recordarlo. ¡Qué razón tuvo aquel viejo pagano que nos advirtió de que los dioses, cuando nos son favorables, ignoran nuestros deseos y, cuando nos son hostiles, los cumplen!

Tres tardes después me encontré llamando a la puerta de Abdalá, no la metafórica a la que acabo de referirme, sino a la de su apartamento, perdido en uno de esos barrios de nuestra ciudad que ayer fueron residenciales y hoy están colonizados por abigarrados negocios coreanos, carnicerías marroquíes y locutorios donde sólo se telefonea a Ecuador, Perú o Bolivia. Mi protegido —¡qué irónico resulta ahora llamarle así!— compartía cuatro habitaciones interiores, casi desamuebladas, con otros jóvenes. Al menos así me pareció, porque me dio pocas explicaciones sobre su vida doméstica. Cuando me abrió la puerta, cedí el paso antes de entrar a una muchacha que salía: blusa negra, pantalones negros, ojos peligrosos y muy sombreados, estilizada aunque con buenas formas, una tentación para muchos e inasequible hasta como tentación para mí. No me miró, claro, pero sonreía para sí misma y yo, sin motivos, me adjudiqué su sonrisa. «Es Aixa. Vive aquí». Abdalá me llevó a un cuarto algo mayor y me depositó en

LOS INVITADOS DE LA PRINCESA

un sillón tembloroso, tras vaciarlo de un fajo de papeles con signos que me hicieron pensar en partituras musicales. Se movía por la habitación ligero y algo encorvado, muy servicial, silencioso: calzaba babuchas, si no me equivoco.

—¿Quiere beber algo, profesor?

Adopté la posición étnica que imaginé más respetuosa y con resignación pedí té, el brebaje que peor soporto. Me llevé mi primer revolcón.

—Lo siento, sólo tengo bebidas alcohólicas. Y no queda hielo, la nevera está jodida, o sea, no funciona bien. ¿Le gusta el ron?

Enseguida me encontré con un vaso grande en las manos —ilustrado con el nombre de una cerveza muy conocida, seguramente había sido sustraído de algún bar— lleno hasta la mitad con un licor rojo oscuro. Hacía mucho tiempo que no bebía ron, no lo recordaba tan denso y fuerte, con sabor a canela. «De esto más vale no tomar demasiado», pensé con falsa prudencia, pero empezando a sentirme eufórico. Abdalá se acuclilló a mi lado, provisto de un tarro similar y con su habitual mirada inquisitiva, expectante.

—De modo que aquí vivís —comenté, sólo para establecer una primera complicidad. Y por ocultar mi azoro tomé un trago demasiado grande del especiado ron que me hizo toser.

—Lo importante no es dónde se vive sino cómo se vive. Y sobre todo: para qué se vive —sentenció Abdalá. Luego, como para aliviar tanto dogmatismo—: Pero usted ya lo sabe, ¿verdad?

¡Para qué vivimos, nada menos! El afán de respuestas absolutas típico de la juventud. Buscar el «para qué» de la vida facilita tanto la existencia como mirarse los pies mientras andamos facilitaría nuestro caminar: tropezón seguro. No hay «para qué» sino «por qué»: porque hemos nacido y no hay otro remedio que seguir adelante hasta que la muerte nos licencie del esfuerzo. Pero esas cosas las descubre uno por sí mismo, cuando el tiempo y sus achaques descascarillan la purpurina de las grandes palabras y desmochan las altas torres del ideal. A los jóvenes no se les pueden quitar de golpe las ilusiones, hay que darles cuerda, conviene que no despierten demasiado pronto. Supuse que el neófito a mi cargo sería un buen musulmán y que por ahí se orientaba el «para qué» beato de su cuestión existencial. De modo que opté por arrullarle un poco, con sabia imprecisión de docente experimentado.

—Claro, claro, aunque no resulta fácil. Ciertas creencias ayudan mucho, si se tiene la suerte de... Supongo que eres una persona religiosa, ¿no?

Soltó un auténtico bufido y pegó un par de saltitos en cuclillas, como una rana encolerizada.

—¡Religioso, yo! ¡A estas alturas, después de tantos siglos! ¿Espera de mí acaso una jaculatoria? ¡Alá es el único Dios y Mahoma su profeta! Por favor, déjese de niñerías. Creí que estábamos hablando en serio, de igual a igual. ¿Me quiere arrodillado? ¿Se arrodilla usted, acaso? No estamos ahora hablando de creencias, profesor.

Un poco desconcertado y casi molesto por su tono, cambié inmediatamente de registro. Desde luego, el ejercicio crítico de la razón parte de la duda y suele volver a desembocar en ella, las creencias tradicionales de cualquier cultura nos parecen, en el mejor de los casos, fórmulas poéticas, etcétera. Abdalá apenas me escuchaba, concentrado en degustar su ron con un chasqueo casi libidinoso de lengua tras cada trago. De pronto levantó la vista para mirarme a la cara; seguía acuclillado, con el vaso en la mano derecha y la izquierda apoyada en el suelo, como si se dispusiera a iniciar una danza cosaca. Entonces empezó a reírse de forma silenciosa y continua, extraña: con la boca muy abierta (incluso percibí que su aliento tenía un olor peculiar, almizclado, que se sobreponía al del licor), pero sin producir más que un leve siseo jocoso. Logró hacerme sentir incómodo, aunque traté de acompañarle forzadamente en su hilaridad, como buen hombre de mundo.

—¡Creencias, dudas! ¡Después de tantos siglos, profesor, imagínese! Mire, yo ni creo ni dudo: yo he visto y por tanto yo *sé*. Y sobre lo que no sé no tengo dudas ni siquiera conjeturas, porque ya no se me revelarán más novedades... afortunadamente. ¡Bastante carga tengo ya, demasiada carga de saber!

«¡Demasiada carga, demasiado peso!», canturreaba y luego volvía a reírse. Vaya, el chico no debería beber. Quiere darse importancia, pretende impresionarme: lo cual demuestra que soy alguien especial para él. Así pensaba yo entonces, sintiéndome incluso un poco halagado, aunque ya me sonaba dentro, con sordina, una señal de alarma. Puesto que le gustaba hablar enigmáticamente, nada mejor que hacerle volver a tocar tierra con una pregunta concreta. Quise demostrarle que una mente madura debe guardar cierto orden.

—Entonces, Abdalá, dime, ¿cuál crees que es la finalidad de tu vida?

Cerró la boca risueña, inspiró profundamente y después repuso en un tono cavernoso, distinto a su voz habitual:

—Debo conseguir mi rescate.

—A ver, ¿en qué sentido? No comprendo esa metáfora.

—¡Mi rescate! ¡Tengo que comprarlo a cualquier precio! Que será alto, muy alto... Pero ya no puede haber regateos. Necesito el rescate... y el olvido. De una vez. Le aseguro que no tendré escrúpulos y pagaré cuanto sea preciso. Ya no puedo más... ¡ya no más!

Volvió a su canturreo «demasiada carga, demasiado peso». Entonces alguien más entró en la habitación. Una

alta sábana gris, sin rostro y aparentemente sin extremidades, silenciosa, la caricatura obvia de un fantasma, tanto
más impresionante por su aire postizo y grotesco. La intrigada curiosidad que había mantenido hasta entonces se
convirtió en malestar. Solté un gruñido de fastidio.

—¿Qué pasa? —inquirió Abdalá, no menos agresivo.

—No me gustan las mujeres con burka.

—¡Vaya, qué moderno! —se burló él—. ¿Y cómo sabes
que es una mujer?

La estatura, la anchura de los hombros velados... Por
debajo de la larga falda aparecían unos zapatos gruesos,
de enorme talla.

—Es un hombre... —murmuré, aún más perturbado.

Abdalá volvió a reírse con la boca abierta, sin ruido ni
gozo.

—Claro, es un compañero. Vive aquí con nosotros.

—Y ¿por qué va así, todo tapado? —gemí.

Con un tono bajo, casi murmurando la severa confidencia, me dijo:

—Porque está *cambiando*. No quiere que le veamos cambiar. Tiene derecho, ¿no?

La desagradable sombra gris cruzó la habitación con
zancadas nada femeninas e hizo mutis por la puerta del
fondo. Se llevaba puestas todas las preguntas que suscitaba. Yo me sentía a la vez incómodo y exaltado. «Tengo
que irme —pensé—. Es hora de irse». Con voz innecesariamente enfática, que a mí mismo me sorprendió, pro-
clamé:

—No quiero beber más.

—Ah, ¿no? —comentó, sinuoso, mi anfitrión. Y luego,
esgrimiendo un grueso y romo cilindro blanquecino, dictaminó—: Pero debes probar esto. —Había pasado sin remilgos a un improcedente tuteo.

Encendió el petardo y le dio un par de caladas hondas,
de experto, ansioso. No me gustan las drogas, creo que la

tarea intelectual exige mente clara y espíritu sin brumas: como dijo el sabio, prefiero las claridades áticas a las nieblas hiperbóreas (lo mejor de mi obra, nada desdeñable, está ahí para probarlo). Y sin embargo, cuando tuve el humeante tóxico entre los dedos, me lo llevé a los labios y aspiré con fruición... seguida por un acceso convulsivo de tos. La extravagante situación me tenía cautivo, como desposeído de la hasta entonces férrea voluntad. Abdalá ejercía una excesiva y nefasta influencia sobre mí, aunque seductora y gratificante. Yo no era yo: mejor dicho, era otro yo, peor que yo pero también yo, al fin y al cabo. No es fácil no ser yo, no abundan las alternativas, pero no es imposible empezar a serlo de un modo inferior y más desvalido que el yo habitual en que confiamos.

El resto de la velada no diré que fuese silencio sino confusión. Fumé y primero no ocurrió nada especial: creo recordar que me reía, entre toses, y Abdalá me hacía eco con su carcajada sibilante y silente. Después vi cosas, sobre todo en las paredes, una red de telarañas rojizas en la que pulsaban algo similar a paramecios vibrantes. ¿O eran ojos sin párpado ni rostro? Seguí riendo, aunque estaba aterrado. Más adelante —o antes, quién sabe, el tiempo fue lo primero que se me fundió como un cubito de hielo en té hirviendo— encontré en mis manos un libro de hojas ásperas, como impreso en papel de lija. No era demasiado grande, un volumen en cuarto, pero sumamente grueso y desde luego pesado, como un lingote de oro que sorprende al tratar de levantarlo. Al abrirlo apareció la extraña ilustración mesopotámica que me había llevado hasta allí: no se estaba quieta, eso puedo asegurarlo, movía algo así como tentáculos o filamentos. Volví a reírme: «¡Es imposible!». Y luego, no sin alivio, pensé que me había vuelto loco y eso lo explicaba todo. Loco en aquella casa, nada más que allí. Mañana, en mi despacho, volvería a poder dar lecciones de lógica y cordura al mismísimo Bertrand

Russell. En tal esperanza me refugié entonces, mientras me asediaba el carnaval de grima y espectros. Traté de volver las páginas del grimorio, pero se resistían a mis esfuerzos como si formaran un bloque sin fisuras: no había forma de ir más allá del raro y tembloroso dibujo que desafiaba mi sensatez, obsceno y temible. Le insulté en voz alta, chillando casi, para después piropearle entre susurros con arrumacos delirantes. Me resulta imposible conjeturar cuánto tiempo dediqué a tales arrebatos porque me parece que duraron siglos, pero probablemente fueron cosa de minutos, segundos quizá.

Después me encontré en la escalera oscura del inmueble, sin libro ni compañía. Apenas recuerdo haber bajado a trompicones, aunque no olvido en cambio que oí largo rato el llanto de un niño, incesante y esdrújulo. Más tarde me encontré en la calle, con bultos de variado tamaño y forma que deambulaban, unos rehuyéndome y otros deslizándose cautelosos en pos de mí. En medio de la calzada alcé los brazos, imperioso, y logré parar un taxi, que me recogió más por miedo a atropellarme que por deseo de servicio. Cuando estuve dentro le pregunté muchas veces, en todos los tonos de voz, riendo y llorando: «¿Lo ha visto, lo ha visto?». Pero sin duda también le dije mi dirección, porque lo siguiente que recuerdo es la íntima emoción de haber recuperado la salita de mi casa, con su televisor apagado y la vieja lámpara familiar alumbrando una pila confusa de periódicos atrasados. Aunque nunca nos salvemos del hogar, es el hogar lo que nos salva.

No fui a clase al día siguiente, ni tampoco al otro. Luego recuperé mi rutina, con el ánimo valeroso y casi insensato que me caracteriza. Me convencí de que nada malo me había pasado, al contrario, más bien algo bueno: me había corrido una pequeña juerga con la mocedad exótica... Según transcurrían las horas, alejando lo más inquietante de mis recuerdos, me fui sintiendo más contento por haber roto mi aislamiento académico y haberme acercado con campechanía a un alumno que necesitaba mi tutela: ¿acaso no son ellos, los jóvenes prometedores, quienes dan sentido a nuestra tarea y no los colegas intrigantes o los burócratas obtusos? Rumiaba éstas y otras cuestiones existenciales en la barra del bar de profesores, degustando el abominable vino tinto al que ya estaba resignado, cuando me abordó Elías Toledano.

—¿Sigues frecuentando a *ese* chico? —me soltó a bocajarro, con un punto casi acusador en la voz que me molestó un poco. Conociendo sus obsesiones, no dudé ni por un momento respecto al «chico» de referencia.

Sin altivez, cordial y compañero siempre, repuse que en efecto le había visto varias veces e incluso había ido a su casa para ver un libro que... Mi colega se sobresaltó de una manera que me resultó del todo improcedente y exagerada.

—¿Que has ido a su casa? ¿Solos tú y él? Pero cómo se te ocurre... ¡menuda imprudencia!

Decidí que ya era hora de ponerse serio.

—Vamos, Elías, por favor, no seas cabezota. —Admito que sentí cierto placer en tomarme la libertad de calificarle así, pese a mi inalterable admiración por él—. Cualquiera diría que le tomas por un terrorista o algo parecido. Supongo que ya sabes que no todos los árabes jóvenes militan en Al Qaeda.

Me permití una sonrisa picaresca, que el profesor Toledano no secundó. Siguió tan grave como un inquisidor.

—Y tú ¿cómo sabes que ese tipo en concreto no tiene lazos con los islamistas radicales?

—¡Venga ya! Créeme, le conozco un poco mejor que tú. Abdalá ni siquiera es un musulmán creyente. Te aseguro que es menos religioso que tú o que yo. ¡Si vieras cómo bebe! Le encanta el alcohol y... otras cosas.

Esta confidencia no le convenció. Gruñó que beber no demostraba nada, pues también los suicidas del 11 de septiembre se habían corrido francachelas antes de pilotar los aviones fatídicos. Siguió enumerándome motivos de sospecha contra Abdalá, de inconsistencia, a mi juicio, patente. Como remate llegó la tópica gota capaz de colmar el vaso: había hablado con un comisario de policía amigo suyo, especialista en antiterrorismo, para que vigilase de cerca al yemení, llevando la indagación todo lo lejos que hiciese falta. Me puso una mano en el hombro, con gesto más amenazador que paternal:

—Te aconsejo que procures alejarte discretamente de él. No quiero que te veas envuelto en nada desagradable.

Le miré con asombro mezclado de auténtica lástima, aunque no sé si fui lo suficientemente elocuente para que lo notase. ¡Que un intelectual de su talla, tan preparado, un verdadero sabio al que no me humillaba reconocer como maestro en varios campos de estudio, se mostrase tan obcecado por su prejuicio étnico! Cuando había árabes o simples musulmanes de por medio, mi ilustre colega se mostraba no sólo sectario, sino desconfiado hasta las lindes de la paranoia. Pero lo de Abdalá era sencillamente un abuso, un auténtico exceso. Incluso su deseo de protegerme me pareció ofensivo. Adopté una actitud seca y digna, todo lo severa que pude sin transgredir el respeto que a pesar de todo nunca le perdí... ni le he perdido.

—Elías, creo que te has pasado —así dije, porque también soy capaz de una contundencia epigramática casi cruel. Dicho lo cual, me despedí brevemente y salí del bar, dejándole a solas con su conciencia y con el pago de las consumiciones.

El acto siguiente de este drama (o quizá más bien farsa trágica, en el sentido de las danzas de la muerte medievales) fue la aparición de Abdalá en mi despacho, con su acostumbrado aire semifurtivo. Venía a despedirse de mí, el único cargo académico —cito sus palabras— que había mostrado interés por su trabajo, además de tratarle con lo que se atrevía a calificar de simpatía. Frustrado por la hostilidad de los demás y por el ambiente general de incomprensión, había decidido cambiar de aires académicos. Probaría suerte en la universidad norteamericana de Miskatonic, en cuyo departamento de estudios mesopotámicos contaba con un compatriota amigo. De modo que en un par de días salía rumbo a Boston. Con todo, su amable visita de despedida no era totalmente desinteresada: le vendría muy bien para acompañar el visado y disipar recelos una carta de recomendación de su persona y su trabajo, dirigida a las autoridades académicas de su universidad de destino por alguien internacionalmente influyente como yo. Está bien, ya sé que no soy internacionalmente influyente (probablemente lo cierto es que no soy influyente en ninguna parte), pero ¿a quién no le complace un elogio aunque sea inmerecido, o sobre todo si es inmerecido? Para Abdalá, joven e inteligente, erudito y misterioso, yo era alguien a tener en consideración. Un muchacho amable y valioso, al que sólo yo había sabido calibrar como merecía: ¡cuánto iba a echarle de menos! Empecé a sentir nostalgia de él aunque todavía estaba sentado delante de mí.

En unos minutos le facilité un papel convencionalmente elogioso, con mi firma y el sello del departamento. En cuanto se lo di, se puso en pie y me tendió la mano.

—Ha sido un placer conocerle, profesor. Es usted una buena persona.

—Lo mismo digo, lo mismo digo. —Me sentí bastante emocionado—. Espero que volvamos a vernos. Quizá vaya a visitarte a Nueva Inglaterra. En cualquier caso, no olvides informarme de tus progresos.

Negó lentamente con la cabeza, mirándome a su manera peculiar y excesiva.

—No, ya no volveremos a vernos. Lo mejor es que se olvide de mí. Por su bien, amigo, olvídese de mí y de las cosas... de cuanto vio y sintió estando conmigo.

«Qué innecesariamente truculenta es la juventud», pensé. Cuánto le gusta inventar situaciones dramáticas antes de que el tiempo se encargue de traer los dramas verdaderos. De pronto me acordé del consejo no menos truculento que me había dado Elías Toledano. Bueno, por lo menos ambos estaban de acuerdo en que debía hacerme a un lado. Le recompensé con una sonrisa paternal y así nos despedimos. Para siempre, en efecto: ahora sí que me estremezco al constatarlo.

Luego las cosas se precipitaron, como suelen decir los novelistas para abreviar. Cuarenta y ocho horas más tarde entró sin llamar en mi despacho el profesor Toledano, en un estado de agitación deplorable y también algo alarmante.

—¡Estaba equivocado! —lo proclamó casi a gritos—. ¡Completamente equivocado! ¡Qué imbécil, qué imbécil!

No soy rencoroso, de modo que me abstuve de hurgar en su herida. Me porté como un buen príncipe.

—Supongo que te refieres a Abdalá. Y me alegro de que por fin...

Indómito, soltó un resoplido lleno de desprecio.

—¡Qué Abdalá ni qué niño muerto! Entérate, su verdadero nombre no es Abdalá Zaradín.

—Vaya, hombre, ¿no me irás a decir que en realidad se llama Bin Laden? —comenté, tratando de introducir en nuestro diálogo ese toque wildeano que me ha hecho ser apreciado en los círculos de buena compañía.

—Pues mira —me respondió con seriedad crispada—, creo que hubiera sido un alivio. Sí, muy preferible. Claro, por eso la policía registró el apartamento y no encontró propaganda terrorista, ni armas, ni vídeos subversivos...

Por lo visto, los inquisidores sólo encontraron unos cuantos libros, raros y viejos, pero nada que pudieran considerar peligroso. Ni siquiera había un ejemplar del Corán. «¡Lo que es la ignorancia!», pienso yo ahora, aunque también tuve el maldito grimorio en las manos y no sospeché nada. Lo único que les alarmó fue el estado de un compañero de piso del yemení, al cual se llevaron inmediatamente a un hospital con todo tipo de precauciones para evitar contagios o Dios sabe qué. El inspector amigo de Elías se mostró muy turbado por el caso y le dio pocos detalles, pero según parece mostraba síntomas de una enfermedad degenerativa, parecida a la del famoso hombre elefante. «Estaba cambiando», me repetí interiormente, mientras rememoraba la alta sombra gris del burka.

—Pero yo he seguido buscando... he buscado toda la noche porque recordaba algo... —Mi amigo Toledano pasaba del susurro a la vociferación como un maníaco—. ¡Abdalá Zaradín! Es un nombre falso, claro, un disfraz. ¡Está en Sprague de Camp, allí lo he encontrado por fin! Estuvo todo el tiempo delante de mis narices...

No supe a qué se refería, pero comprendí que lo mejor era quitarle importancia al asunto. De modo que intenté tranquilizarle diciendo que a fin de cuentas Abdalá o como se llamase ya no sería un incordio porque se había marchado. Sólo conseguí sobresaltar aún más a mi amigo con esta noticia.

—¿Que se ha marchado? ¿A dónde? O sea, ¿*cómo* se ha marchado? No irá en... ¿en avión?

Se lo dije. Siempre había creído que lo de «tirarse de los pelos» no era más que una forma de hablar, pero entonces comprobé que es una práctica real, al menos en ciertas ocasiones.

—Pero ¿no te das cuenta? ¡Se los lleva, se los ha llevado a todos! ¡Quiere pagar su maldito rescate! ¡Cree que bastarán para saldar el precio de su liberación, de su muerte! Seguramente había planeado ese vuelo hace mucho mucho tiempo. ¡Y yo convencido de que era un terrorista islámico! ¡Hay que impedírselo! ¡Tenemos que impedírselo!

Me escandalicé un tanto, porque no creo que los catedráticos de Filosofía debamos *aullar,* ni siquiera ante amigos y sean cuales fueren nuestros motivos. Por lo demás, resultaba obvio que ya no podíamos impedir el viaje porque, según mi parecer, el vuelo de Abdalá debía de haber despegado hacía algunas horas. Claro que quizá se le podría detener en el aeropuerto de Boston, cuando llegase, si es que había alguna acusación inteligible contra él. Esta posibilidad sensata no logró calmar a mi amigo. Se puso a gemir como un niño asustado: «No llegarán, nunca llegarán...». Francamente, a pesar de que no carezco de recursos en las relaciones humanas, yo no sabía ya qué hacer o qué decir.

En pleno desbordamiento emocional, se presentó en el despacho un bedel insólitamente agitado, seguido de cerca por un caballero de aire a la vez torvo e imperioso que resultó ser el inspector de policía amigo de Toledano. Venía a buscarme para llevarme inmediatamente al aeropuerto: no, no es que fuesen a deportarme, sino que, por lo visto, requerían mi presencia urgente en la torre de control. Lancé algunos balidos de protesta, pero sólo para salvar la cara, porque resultó evidente desde el principio que el funcionario estaba dispuesto a transportarme al lugar indicado por las buenas o por las peores. Además, debo reconocer que me picaba la curiosidad y hasta sentí algo parecido a la excitación de la aventura, como cuando fui a casa de Abdalá. A un profesor universitario al que no le falta mucho para la jubilación no suelen ocurrirle demasiadas cosas emocionantes: ¿por qué desaprovechar una ocasión tan insólita? Siempre hay tiempo luego para echar de menos la confortable rutina y el sosiego perdido (en mi caso ese tiempo llegó menos de dos horas después).

De modo que me puse la gabardina, sintiéndome casi Humphrey Bogart, y seguí con paso animoso al inspector escaleras abajo. Mi amigo Toledano insistió en acompa-

ñarme, aprovechando su privanza con el policía y con tal
determinación que no admitía réplica. En aquel momento
se lo agradecí, porque mi afán de protagonismo no era excluyente y la prudencia aconseja no renunciar al apoyo de
un conocido en circunstancias imprevisibles. Cruzamos el
amplio vestíbulo de la facultad despertando bastante expectación a nuestro paso, vistas las prisas y el aire descom-
puesto que llevábamos. Del trayecto hasta el aeropuerto lo
único que recuerdo de modo indeleble es la sirena del vehículo policial, sonando como en las películas: el cumplimiento de una vieja ilusión juvenil. Por lo demás, la compañía dejaba bastante que desear: el inspector no abrió la
boca en todo el apresurado viaje, a pesar de mis preguntas
muertas al nacer, y además me lanzaba de vez en cuando
una mirada siniestra y acusadora, como si conociese una
culpa secreta que afeaba mi alma. En cuanto a Elías, pobre
Elías, no paraba de rebullir en su asiento, a mi lado, suspirando y hasta creo que sollozando en algunas ocasiones.

Fuimos directamente hasta la torre de control del aeropuerto, a sirenazo limpio. Allí todo era agitación, desorden
y caos rampante. Gente sudorosa en mangas de camisa,
con traje y corbata o de uniforme, todos congestionados
por igual, empezaron a hablarme a la vez por la izquierda
y por la derecha, agarrándome el brazo o tirándome de la
manga. Una verdadera tortura. A trompicones, me fui
enterando de lo ocurrido, y que no podía ser más alarmante. Abdalá Zaradín, o como fuese su nombre verdadero, se había apoderado del avión que le llevaba a Estados Unidos cuando estaban en pleno Atlántico. Al parecer
era una especie de secuestro, aunque no estaba claro qué
pretendía ni cuáles eran sus reclamaciones. Por cierto,
tampoco estaba claro cómo había logrado dar ese golpe de
mano, estando solo y sin armas. «¡Lleva un libro, sabe usted!», me gritó al oído un militar del ejército del aire, como
si eso lo explicara todo. Lo único establecido fuera de cual-

quier duda en la comunicación entrecortada que la radio del aeropuerto mantenía con el avión secuestrado es que Abdalá reclamaba mi presencia: quería hablar conmigo y con nadie más. «Pero, bueno», pensé, quejoso y pueril, «¿no me había dicho que me olvidase de él?». En cualquier caso, él no parecía ahora dispuesto a olvidarse de mí.

A mí, que apenas he viajado en avión media docena de veces en mi vida, la torre de control me resultó fascinantemente aterradora. Me sentaron ante un panel de mandos, junto a un fulano en mangas de camisa que llevaba puestos auriculares y hablaba ante un fino micrófono que parecía a punto de comerse con la emoción. De vez en cuando un señor con corbata y chaqueta, cuya profesión de psicólogo saltó a la vista de mis ojos avezados, se le acercaba por detrás y le daba consejos sobre lo que debía decir. Todas sus recomendaciones eran obvias o redundantes, lo cual consolidó mi convicción de que era efectivamente psicólogo. Me dotaron a mi vez de auriculares y por ellos me llegó el remoto pandemónium. El sonido venía entrecortado por chasquidos y un persistente ruido de fritura chisporroteante, pero sobre todo por la angustia en la voz de quien hablaba tratando de conservar una imposible calma.

—Por favor, permanezca tranquilo, estamos cumpliendo sus instrucciones. Le ruego que me permita... ¡No, estese quieto, Alcázar! No es momento de hacer tonterías... ¡atrás, señorita, no se le acerque! Le estoy dando una orden, maldita sea, por favor... Va a volver a leer ese libro... ¡Oiga, se lo ruego, deje el libro, la señorita ya se marcha! ¡No, por favor, por favor...! ¡Ay, Dios mío!

Sonaron crujidos varios y una especie de leve explosión o disparo. Una voz femenina se puso a chillar y luego se calló de repente, con una especie de gorgoteo. Uno de mis acompañantes le pasó un papel al tipo en mangas de camisa, mientras me señalaba. Con voz apremiante, me introdujo en el laberinto:

—¡Aquí, torre de control! ¿Me escuchan? Ha llegado el profesor. Lo tengo a mi lado. Vamos, profesor, diga algo.

¿Que si balbuceé? Hombre, claro. A ver, en mi lugar les hubiera querido ver a ustedes. ¿Acaso hay algún «protocolo», como dicen ahora, para casos como éste? Dije a trompicones mi nombre y mi graduación, como si fuera un prisionero de guerra, lo que no estaba demasiado lejos de la realidad. Luego, con timidez desesperada, añadí: «Abdalá, ¿me oyes, Abdalá? No vayas a hacer nada... nada irreparable, amigo».

No hubo respuesta. Después volví a escuchar al comandante del avión.

—Ahí está su amigo el profesor... como usted quería. Hemos cumplido lo prometido. ¿Qué quiere decirle? Basta, por favor, no se ría así... Hable, hombre de Dios, diga algo. Hemos hecho todo lo que usted ha pedido.

Más silencio. Y después sonó una voz, irreconocible, indescriptible casi, pero que debía de ser la de mi antiguo alumno.

—Profesor, dígales la verdad. Usted ya sabe... Ahora puede decírselo a todos, para que entiendan y se arrodillen. Por fin voy a pagar mi rescate. ¡Seré libre, libre para morir al fin! Para mí todo acabará, por fin, por fin... pero para ustedes aún queda lo peor. ¡Sin remisión, sin esperanza! ¡Ellos quieren volver... y están volviendo! Miren a su alrededor... ¿acaso no es evidente? ¿No ven las señales, no se dan cuenta de lo que está a punto de llegar? ¡Ya llegan, ya están llamando a la puerta... derribarán la puerta de inmediato! ¡Nada los detendrá! ¡Dígaselo, profesor, usted lo sabe, usted lo ha visto! ¡Ordéneles que se arrodillen... que se arrodillen todos... aunque no les servirá de nada!

No le entendí, desde luego, ni sabía a qué se refería. Pero su tono bastó para angustiarme, el graznido de su voz. Se me saltaron las lágrimas sin poderlo remediar, porque pese a mi apariencia severa soy persona muy sensible.

221

Entre sollozos repetí una y otra vez «¡por favor, Abdalá, por favor!». No se me ocurrió nada más. Entonces, sin aviso, Elías Toledano se me vino encima y me quitó los cascos de la cabeza. Su gesto fue tan brusco que me derribó con silla y todo —era una de esas con ruedecitas, ya saben, no muy estables— y me encontré en el suelo, desvalido y moqueando lloroso. Desde allí abajo le vi ponerse los articulares y comenzar a tronar como un antiguo profeta. Era el rugido de Jeremías y Daniel: estaba magnífico.

—¡Te llamo por tu nombre, Abdul Alhazred, árabe loco y maldito! ¡Hagas lo que hagas estás condenado! ¡Nunca te dejarán libre! ¡Arrepiéntete y no hagas daño a más inocentes! ¡Yo soy Jehová, dijo el Señor, y no tendrás más dioses delante de mí! ¿Quién es comparable a Él? Extendió su diestra sobre sus enemigos y se abismaron en lo profundo del mar. ¡La tierra se los tragó! ¡Haz penitencia, maldito, y no agraves más tu condena! ¡Deja marchar a mi pueblo antes que Su cólera...!

Siguió vociferando, rechazando a empellones a quienes querían hacerle callar. Por uno de los altavoces de la sala, conectado al avión secuestrado, volvía a oírse el horrendo graznido siseante que me había hecho estremecer, ahora con un coro frenético de súplicas al fondo. Repetía jaculatorias incomprensibles, en su lengua o en alguna otra desconocida. «¡Ya, Ya, Sottot, Sub Nigurat!», yo qué sé. Un galimatías. Todos parecíamos habernos vuelto locos. Yo me arrastraba a cuatro patas por el suelo y los dientes me castañeteaban como una máquina de escribir.

Luego llegó el final. Algo así como un increíble rugido que también podía ser un desgarramiento atroz, seguido de una explosión. A partir de ahí, silencio. Sólo silencio en la torre y también quizá allí, sobre las aguas oscuras del océano.

No sabemos lo que pasó, pero sabemos muy bien lo que perdimos: el gran Boeing con sus cientos de tripulantes y pasajeros. Tuvo que caer al mar, aunque nunca se encontró el más mínimo resto o rastro de esa catástrofe. A veces las cosas suceden así, inexplicablemente. Hubo explicaciones fantásticas, claro, y algunos pretendieron hacerse notar: ¡ah, la tentación de la prensa! El operador de radar de un barco con bandera canadiense que navegaba por aquellas aguas dijo que tuvo en pantalla al Boeing hasta que lo vio desaparecer. ¿Se cayó? Pues sí y no, fíjense: según él, fue más bien como si algo salido del mar lo hubiese *arrancado* súbitamente del cielo. ¡Absurdo! ¿Absurdo? En fin, vaya usted a saber. Lo cierto es que el asunto ya se va olvidando, poco a poco. Han venido después otras catástrofes...

Mi compañero Toledano estuvo de baja varios meses y finalmente acabó por elegir la jubilación anticipada. Los nervios le traicionaban, creía que le hacían el vacío en la facultad: todo muy judío, si me permiten la incorrecta confidencia. Yo he seguido viéndome con él de vez en cuando, aunque su compañía no sea precisamente amena: no quiero que me suponga en la cohorte de maledicentes, si es que la hay. Se equivocó, sin duda, pero no tuvo la culpa de nada de lo ocurrido. Ni yo tampoco, desde luego. Por mi parte, sólo quise comprender, ser tolerante y sin prejuicios, ayudar. Pero a veces la mejor de las voluntades no basta. No, está claro que no basta.

SÁBADO

A Xabi Mendia le despertó bien temprano la animación lasciva que reinaba detrás de la cabecera de su cama, en el cuarto de al lado. Todo eran sacudidas y gemidos de muelles, gruñidos porcinos, jaculatorias eyaculadas: «¡Que no, que no, bárbaro!», «pero ¿qué quieres ahora...? ¡Ah, eso sí que no!», «¡así, más fuerte, sigue, no pares...!». Y la más repetida: «¡Javier, marrano!». Cada vez que la oía, Xabi —ya empalmado por contigüidad— pensaba: *«Tua res agitur»*. Como todo tiene un final, tanto lo malo como lo bueno, al rato el jolgorio languideció y cesaron los ruidos. Luego, como el estampido del postrer cohete encargado de señalar que los fuegos artificiales han concluido, esta confesión en un tonillo mimosamente pueril:

—¡Qué sinvergüenza soy!

De la que Xabi obtuvo dos lecciones. La primera, que la señora o señorita reconocía así haberlo pasado de maravilla; y en segundo lugar, que la falsamente contrita tenía un acento inocultablemente gallego.

Estos acontecimientos en la vecindad llevaron a Xabi Mendia a una sentida reflexión sobre la situación actual de sus asuntos eróticos. Grandes expectativas, como hubiera dicho Charles Dickens, pero en la práctica, nada de nada. La semana tocaba a su fin, el Festín llegaba a los postres y, aunque el volcán seguía por el momento inasequible al

225

desaliento, había serios indicios de que iba perdiendo fuelle. Era muy posible que en las próximas veinticuatro horas se despejase ya el espacio aéreo. Entonces no habría más remedio que volver a casa con el marcador en blanco. Amargo resultado, que ofendía el pundonor del corresponsal de *Mundo Vasco* y más aún por el victorioso ejemplo que le daban los trajinantes de la habitación inmediata. Estaba en los minutos de descuento, había que intentar algo *ya*.

En estas cavilaciones se encontraba todavía al regresar del desayuno, cuando cruzando el vestíbulo del hotel tropezó con sus amigos Nicolás Nirbano y Saúl David. Señalando un cartelón les dijo en tono de albricias:

—Bueno, hoy al menos parece que la festividad de la jornada sale por fin de la cocina y entra en la literatura. Ahí lo tenemos: Día de Chateaubriand.

—Lamento decepcionarle, Mendia —dijo zumbón Nirbano—, pero el fervor turba sus ojos y no ha leído usted bien. No pone «de», sino «del». Sólo una letra, desde luego, pero que marca la distancia enorme que separa al poeta del filete.

—Y la letra es una ele —completó Saúl David—, la misma que diferencia a Santa Clara de Santa Cara, como solemos llamar los resignados nativos a esta isla de precios exorbitantes.

El equívoco les hizo reír a los tres, aunque Xabi se quedó algo corrido. Como a veces la erudición sirve para aliviar un poco los desengaños, Nirbano les explicó que esa forma de preparar el solomillo fue inventada por Montmirail, cocinero del excelso vizconde. Como éste fue ocasionalmente diplomático además de escritor, llegó a ocupar la embajada de Francia en Londres y durante ese cargo la destreza de Montmirail hizo más por su reputación ante los ingleses que todos sus méritos literarios.

—Desde luego es una preparación algo pesada para los gustos *low fat* del día, pero aun así hoy todavía lo comen probablemente muchas más personas de las que siguen leyendo las *Memorias de ultratumba* —concluyó don Nicolás.

Como continuaba sin saberse nada del paradero del Premio Nobel, las especulaciones y rumores sobre el asunto alcanzaron un cenagoso paroxismo. En el Salón Imperial se habían suspendido las charlas de la mañana y tenía lugar una especie de asamblea improvisada, en la que todo el mundo participaba a voces con un entusiasmo que se había echado a faltar en las sesiones más académicas. El secretario Fulgencio, sin afeitar y con pronunciadas ojeras (se diría que el secuestrado era él), trataba de poner orden y calma chicha allí donde nadie reclamaba esos anestésicos.

—¡Señores, por favor, un poco de... por favor! No hablemos todos a la vez. Dentro de un momento el capitán Dos Ríos nos informará sobre cómo van las pesquisas. ¡Por favor, señoras y señores!

En el centro de la sala trataba a toda costa de hacerse oír un mozo achaparrado y con grandes entradas que decía ser profesor de ciencia política.

—¡Propongo que esta asamblea redacte un manifiesto de protesta y recoja firmas entre los asistentes!

—Ya salió el del manifiesto —comentó Nirbano, acerbo—; en ocasiones como ésta es mera cuestión de tiempo. Los hay adictos a los manifiestos como a la heroína.

—Pero un manifiesto de protesta ¿contra qué? —suplicó desolado el secretario—. ¿Y dirigido a quién?

—Pues para mostrar nuestra más enérgica repulsa a este secuestro —repuso el otro con vehemencia. Estaba muy excitado y contentísimo de tener algo por lo que excitarse—. ¡Es un atentado contra la cultura y contra la libertad de expresión! Propongo que lo titulemos «Todos somos...» —trató de recordar el patronímico polaco, pero abandonó pronto— «¡Todos somos el Premio Nobel!».

Como es lógico, hubo abundantes aplausos.

—Me permito recordarle que no tenemos constancia de que se trate de un secuestro —indicó Fulgencio, retorciéndose las blancas manitas.

De varios puntos de la sala se alzaron voces sulfuradas, descartando esa objeción timorata:

—¡Y qué otra cosa va a ser, hombre! ¡Queremos saber toda la verdad!

Entonces se puso en pie el profesor Oriol i Pagès, con cierta solemnidad. Contaba con un grupo de admiradores, que inmediatamente pidieron silencio para escucharle mejor, como dijo el Lobo a Caperucita.

—Señor secretario, amigos todos, seamos sensatos: una vida está en peligro y con eso no se puede jugar, no ya por razones morales, tan difíciles de sustentar, sino biológicas. No nos dejemos arrastrar por maximalismos. Sin duda los secuestradores también tienen sus razones, aunque nosotros no las compartamos al cien por cien. ¿Qué piden al gobierno? ¿Un rescate pecuniario? ¿La puesta en libertad de algunos de sus compañeros presos? ¿Leer una declaración reivindicativa en la televisión pública? No son cosas imposibles de conceder, si se tiene cintura política. Nuestro proceso evolutivo indica que es preferible resolver los conflictos negociando que por la fuerza. Insisto en recordarles que hay una vida amenazada y eso es más serio que cualquier ideología.

Los partidarios del sabio catalán aplaudieron, pero también hubo bastantes protestas —«¡No, no cedamos al chantaje terrorista!»— y algunos ponían cara de desconcierto porque no habían entendido lo dicho por el uno y los otros.

—¡Pero si nadie ha pedido nada de nada! ¡Si ni siquiera sabemos...! —bailoteaba el secretario, al borde del coma histérico.

—Ya que a usted le gusta tanto la filosofía —le comunicó Nirbano a Xabi Mendia, con maligna satisfacción—, le diré el axioma principal de la mía: para que funcione aceptablemente la democracia son mucho más peligrosos los imbéciles que los malvados. Sobre todo por su abundancia. Y porque hay que escucharlos.

En ese momento, el agobiado secretario lanzó un gemido de alivio, como el náufrago acosado por los tiburones que ve en lontananza el barco próximo a rescatarle.

—¡Aquí tenemos al capitán Dos Ríos! Por favor, capitán, si puede usted informarnos...

El apuesto oficial se mostraba hoy algo menos pinturero que en pasadas ocasiones. Parecía empequeñecido, más cargado de hombros y con los cabellos entrecanos peor organizados. Con el nerviosismo se le había puesto una especie de agarrotamiento raro en la boca, de modo que su noble gallardía parecía ahora antipática. Sin embargo, tampoco en esta ocasión le faltó el favor de las damas y bastantes de ellas chistaron enérgicamente pidiendo silencio para que se le oyera mejor. No hacía falta, todo el mundo estaba pendiente de él. Y, como suele suceder en esos casos, decepcionó al auditorio. Aseguró que nada se sabía del paradero del desaparecido, el cual después de todo era un adulto que no llevaba ausente ni siquiera cuarenta y ocho horas. La suposición del rapto era solamente eso, una suposición, y a su juicio con muy débil fundamento. No había ni rastro de violencia. Desde luego, los rumores de que IRENE había reivindicado tal secuestro, que había enviado un comunicado pidiendo cualquier tipo de rescate, etcétera, eran absolutamente falsos. Por lo demás, como resultaba lógico, la policía seguía indagando sobre el asunto.

Pero no era eso lo que querían oír los asistentes y por lo tanto no lo dieron por bueno. No agradecían que se apaciguasen sus inquietudes, sino que exigían poder desarrollar sus emociones ideológicas, fuesen belicosas o conciliatorias. A fin de cuentas, a ellos tanto unas como otras les salían gratis y de lo que se trataba era de quedar bien ante la parroquia. De modo que el capitán se encontró con una respuesta hostil para la que no estaba preparado.

—¡Queremos saberlo todo, tenemos derecho a la verdad, no consentimos que se nos mienta! ¡Exigimos al Premio Nobel aquí y ahora, en libertad!

El doctor Oriol i Pagès volvió a levantarse para tomar la palabra, envuelto en su capa de sensatez científica como un cuerdo extraviado en un frenopático.

—Comprendo la difícil situación en que se encuentra, capitán. Me hago cargo, me hago cargo, pero está en juego una vida, cualquier vida... Llegado el caso, me permito hablar en hipótesis, ¿no sería preferible negociar con los llamados terroristas que causar un perjuicio irreparable a esa vida, cualquier vida?

Dos Ríos pareció más incómodo que nunca y por tanto respondió con inusual brusquedad.

—Ni las instituciones ni las autoridades de Santa Clara están dispuestas a entablar negociaciones con un grupo terrorista. No somos una república bananera, sino una democracia con todas las de la ley. Pero es que, además, nadie nos ha pedido negociar nada ni hay motivo para pensar...

—¡Ya basta de mentiras! —chilló un exaltado amparado en el tumulto multitudinario.

—¡Soy un oficial y un caballero, señor mío, y además el jefe de la policía! —rugió Dos Ríos, que se había puesto lívido de indignación—. ¡Nunca miento en el cumplimiento de mis funciones! Le exijo que modere su lenguaje o que se atenga a las consecuencias penales de este desacato.

—¡Quieren hacernos callar con amenazas! —voceó otro orate anónimo.

Se organizó —o por mejor decir, se desorganizó— en pocos instantes un tonante pandemónium.

—¡Libertad de expresión, ya!

—¡Un manifiesto! ¡Hay que hacer un manifiesto! ¡Todos somos el Premio Nobel!

—¡No a la brutalidad policial! ¡Vosotros, fascistas, sois los terroristas!

Leal hasta el ridículo, una rechoncha maestra de antropología de la Universidad Veracruzana imploraba en pura pérdida:

—¡Hay que obedecer al señor capitán! ¡Que viva el señor capitán!

—¡Por favor, amigos, por favor, un poco de compostura! —Al pobre secretario, en su intensa aflicción, se le había puesto en la cara una sonrisa fija de demente que no auguraba nada bueno. A su lado, el capitán Dos Ríos, fieramente cruzado de brazos, contemplaba el desbordamiento popular con la misma mirada desdeñosa con la que Gordon recibió en Jartum a las hordas asesinas del Mahdi.

Entonces, precisamente entonces, en la puerta de la sala se formó otro tumulto que se impuso a la atención de los que estaban entretenidos con el tumulto básico de la sala misma. Una voz ronca y grave, por encima de las otras, interpeló al capitán. Xabi Mendia la conocía bien, era la de la policía grandullona que oficiaba como inmediata auxiliar de Dos Ríos. Sólo llamó al capitán, o más bien reclamó su atención, sin añadir nada. Pero a su lado, tan alto como ella pero mucho más temblón y delgaducho, estaba el Premio Nobel polaco al que tanto —y por parte de tantos— se había echado en falta. Tenía un aspecto algo ajado, pero fundamentalmente contento: la cara del día después del segundo día de farra.

Todos le miraron, algunos aplaudieron con evidente incongruencia, otros formularon en voz alta preguntas imperiosas que nadie iba a contestar, ni tenía por qué. Ante la expectación reinante, que apenas comprendía, el poeta laureado se mostró más bien divertido. Sonrió ampliamente, saludó alzando sobre la cabeza las manos entrelazadas como si hubiera obtenido un triunfo deportivo, para finalmente hacer un tímido gesto de excusa, darse media vuelta y desaparecer... otra vez, aunque ahora rumbo a su habitación, para una buena ducha y una siesta reparadora.

Un auténtico anticlímax. Rematado por el secretario Fulgencio que, ya perdida del todo la chaveta, concluyó balando: «¡Damos por terminada esta sesión!». Mientras iban abandonando el Salón Imperial, el profesor de ciencia política adicto a los manifiestos aclaraba a cuantos querían escucharle, que no eran demasiados:

—Es que la otra noche, después de la cena, yo le vi salir del bar donde estábamos tomando la penúltima copa acompañado de dos jóvenes de aspecto bastante raro. Y, claro, más tarde supuse que serían los secuestradores. ¿Lógico, no? Aunque ahora ya no sé qué pensar...

—Seguro que eran los secuestradores —le confirmó Xabi Mendia—. Pero por lo visto le secuestraron con su pleno consentimiento.

—¡Ah, entonces...! Aunque nuestra preocupación era legítima, ¿verdad? Si yo desapareciese mañana sin avisar, me gustaría que alguien se preocupase por mí.

—Claro, cuente conmigo —concluyó muy serio el periodista vasco, tomando el portante.

El asunto de la chocante desaparición y aún más sorprendente aparición del poeta polaco fue la comidilla durante el almuerzo en el Hotel Gran Universo (que también tuvo más de comidilla que de otra cosa, por cierto). Por la tarde, la conferencia programada tenía algunos rasgos curiosos que habían despertado el interés de Xabi Mendia. Iba a estar a cargo de Lince Vharon, un cotizado narrador del género terrorífico, al que muchos puntuaban incluso por encima de maestros como Ramsey Campbell o Stephen King (Xabi Mendia se contaba entre sus lectores más devotos). Pero el tema de su intervención no tenía mucho que ver en principio con los relatos que le habían hecho célebre, porque se proponía disertar sobre «Crítica razonada de la razón crítica». Un planteamiento tan teórico no era lo esperado de un autor encuadrado en la literatura denominada —casi siempre derogatoriamente— como «de género» o «popular». Por lo demás, contravenía las habituales cautelas que recomiendan al escritor no criticar nunca a sus críticos, sea por elegancia o por prudencia.

Lince Vharon era un tipo vivaz y enjuto de menos de cuarenta años, con un rostro fácil de querer desfavorecido únicamente por su acusado estrabismo. Le gustaba ser mordaz, aunque a veces no pasara de retórico, y desde luego estaba dispuesto a ajustarles las cuentas a los críticos literarios sin demasiados miramientos elegantes o prudenciales.

—Por lo común, los críticos no valoran la obra que han leído, que es la que el autor ha querido escribir, sino la que ellos hubieran querido leer, a falta de saber escribirla. La crítica es una especie de policía literaria, pretende detener y hasta ejecutar los gustos distintos a los de quien la perpetra. Son guardavías siempre dispuestos a los cambios de agujas y a mandar a los trenes literarios por otro camino del que pretenden seguir o incluso a confinar a alguno especialmente detestado en la vía muerta. A esas críticas arrogantes y pontificales prefiero incluso las notas de solapa de los libros, que por motivos comerciales se esfuerzan por ofrecer razones para leerlos...

Entre el público se encontraba en lugar preferente León Bautista Minoliva, el crítico literario por excelencia del momento, que sin esfuerzo hubo de darse por aludido.

—Disculpe si le toco algún nervio sensible —dijo con ironía—, pero me parece que usted trata de decirnos que las alabanzas son aceptables, aunque no en cambio señalar los defectos y deficiencias. O sea, que todos los libros deben ser recomendados como excelentes.

—En efecto, algo así —replicó el Lince al León sin inmutarse—, porque desaconsejar una obra es una tarea estéril. Para no leer un libro, cualquier libro, basta y sobra una sola razón: la existencia de todos los demás. Lo difícil y arriesgado es ofrecer motivos convincentes para leerlo. Sobre todo hoy en día, cuando gracias a los blogs, Twitter, etcétera, cada vez hay más gente con la impaciencia de escribir y menos con la paciencia de leer.

Entonces pidió la palabra un mochuelo de aire enervado, que el impagable Saúl David se encargó de presentar a Xabi en un divertido susurro.

—Es uno de los redactores de *La Zarpa Ardiente*, un truculento libelo semiclandestino que se encarga de zapar todos los prestigios establecidos, reprochándoles no estar a la altura de Dostoievski o Thomas Mann. Ya sabes, la indignación justiciera de los semicultos contra aquellos a quienes consideran usurpadores de lo que ellos no pueden alcanzar ni dejar de apetecer.

El mochuelo asestó su zarpazo:

—Diga usted lo que diga, yo creo que los críticos honrados deben denunciar sin contemplaciones la comercialización masiva de las modas literarias.

—Puede que sí, pero a mí me parece que esos críticos creen corregir el mal gusto del público cuando en realidad lo reproducen por su cuenta a otro nivel, más altisonante. Su empeño es dejar constancia de que leen con el meñique erguido y tieso, como toman el té las señoras cursis.

Después se formularon al conferenciante preguntas más personales.

—Ha escogido usted un género literario algo extravagante, algunos dirán que escapista. ¿Por qué no afronta usted sin desvíos fantásticos la realidad cotidiana, donde tampoco faltan los horrores?

—Pues no lo sé, cuestión de temperamento o de pulso creativo. André Breton dijo que él no levantaba acta de los momentos nulos de su vida y para mí lo son todos si no los transmuta la imaginación. Soy tan incapaz de cualquier realismo o costumbrismo como de echar a volar por esa ventana.

Xabi Mendia intervino dubitativamente, un poco en el papel de abogado del diablo:

—Pero ¿no cree usted que hoy son los marginados, los inmigrantes explotados, los ancianos que nadie cuida y los niños a los que nadie educa quienes miran más de cerca el rostro del espanto?

—¡El rostro del espanto! —celebró su interlocutor—. Buen título para un relato de los míos. Mire, puede creerme, soy muy consciente de las muecas sociales de ese rostro atroz. Y estoy dispuesto a hacer casi cualquier sacrificio para aliviar efectivamente tantas penalidades... todo menos utilizarlas como argumento literario.

Después de la cena, cuyo bufé repetido le tenía ya bastante harto, Xabi Mendia no se sintió con ganas de volver al cuarto para leer un rato su novela policíaca. Todo le estaba resultando demasiado doméstico, por no decir domesticado. Entonces recordó que hace un par de noches atrás, al cruzar a esa misma hora o un poco más tarde frente al recoleto bar del hotel, había vislumbrado algunas presencias femeninas pecaminosamente alentadoras.

El local, con las habituales maderas oscuras y cueros gastados de estilo inglés, no estaba muy concurrido. En un extremo de la barra ocupaban los altos taburetes dos jóvenes larguiruchas de faldas cortísimas que proyectaban piernas delgadas y de una blancura casi fosforescente en la penumbra. Charlaban entre sí con más risitas que palabras, pero en cuanto entró Xabi le enviaron ojeadas profesionalmente favorables. En el otro extremo del mostrador, un hombre solitario bebía abstraído una copa que seguramente no era la primera. ¿Quién podía ser? Ni más ni menos que el propio Lince Vharon. Entre sus dos concupiscencias, Xabi Mendia optó por la más antigua y se sentó al lado del escritor.

—Buenas noches.

—¡Hombre, el preocupado por la literatura social! —El recibimiento era un poco irónico, pero fundamentalmente cordial—. ¿Qué quiere usted tomar?

—Un whisky con soda y sin hielo, por favor —Xabi Mendia se dirigió directamente al *barman*—. Y para el señor otra de lo mismo que está bebiendo. Permítame que le invite, como penitencia por mi pregunta. Pero los temas sociales... ¿Sabe?, es que yo soy un gran admirador suyo, pero también de Pío Baroja.

—Seguro que ni le admira ni le ha leído más que yo. Pero a don Pío también le gustaban las fantasías tenebrosas. *La dama de Urtubi...*

—¡Graciana de Barrenechea! Y todas las brujas de Zugarramurdi...

—Naturalmente. Oye, eres el periodista vasco, ¿verdad? ¿Sabes que somos vecinos de habitación en el hotel?

Así se entrelazó una charla que deambuló por gustos comunes, desde Baroja a Graham Masterton y a Jean Ray. Y habrían seguido mucho tiempo si no los hubiera interrumpido una señora que se acercó a ellos con cierta timidez. Era una cuarentona de discreto buen tipo —lo que los franceses llaman una *fausse maigre*, pensó Xabi— a la que unas gafas gruesas daban un aire circunspecto.

—Te presento a Xulia Carro, mi traductora al gallego. A ella le debo parte de la universalidad de mi obra, entre otras cosas. Éste es un amigo vasco, Xulia. Anda, tómate una copa con nosotros.

—No, si no quiero interrumpiros. Venía sólo a decirte que estoy un poco cansada y me subo a la habitación. Hasta luego, Javier.

Se retiró con un contoneo nada escandaloso aunque con un si es no es prometedor. Ese acento galaico, el nombre con que se había dirigido a Lince... las piezas del rompecabezas empezaban a encajar, como habría señalado triunfante Hércules Poirot.

—Entonces ¿somos tocayos, o así? —tanteó Mendia.

—Hombre, nadie puede llamarse de verdad Lince Vharon, ni siquiera yo. Soy Javier Santos Martín, para servir a Lovecraft y a usted. Pero creo que te inquieta otra cosa...

Se acercó a Xabi confidencialmente, poniéndole en el compromiso de mirar al ojo normal o al engañoso estrábico (ambos estaban vidriosos a la par por el alcohol ingerido).

—Supongo que estas noches has oído a Xulia, ¿verdad? Uno de sus encantos es que cuanto más disfruta, más protesta. Yo estoy casado con otra, ¿sabes?, y ella es viuda. Aprovechamos simposios y congresos para escaparnos juntos y pasarlo bien. ¿A que tiene un aspecto bastante recatado? Pues no te puedes imaginar... Montaigne escribió que las mujeres, cuando se acuestan con un hombre, deben abandonar el pudor al quitarse las bragas y recobrarlo al ponérselas. Te puedo asegurar que Xulia, que ha leído a fondo a Montaigne, y por supuesto lo ha traducido al gallego, sigue ese precepto de manera excelsa.

Estas confidencias los acercaron aún más y Xabi Mendia empezó a contarle al otro Javier sus inicios adolescentes en el género terrorífico. El desmitificado Lince le oyó con simpatía algo beoda y a su vez prometió revelaciones autobiográficas:

—Pues mira, yo empecé esta afición siendo un niño muy niño, de los que ya no hay. Ahora te cuento, ya verás...

La cacería del ciempiés

Lo que voy a contar ocurrió cuando yo tenía doce años. O sea, y permíteme dramatizar un poco, hace ya casi seis lustros. La precisión histórica es relevante, porque la calidad de las edades varía con la época: no es lo mismo tener doce años hace un siglo que hace medio, ni tenerlos hoy que cumplirlos dentro de medio siglo más. Mis doce años me certificaban lisa y llanamente como un niño, aunque los de ahora estén casi a la puerta de la madurez y dentro de unas décadas facultarán a cualquiera para ocupar la presidencia del Gobierno, probablemente con la misma competencia o falta de ella a la que hoy nos tienen acostumbrados otros adultos. En fin, ya se verá, pero dejemos el futuro para quienes van a padecerlo. Yo voy a ocuparme sólo del pasado, del mío y de nadie más. Si la memoria no me engaña —y ésa suele ser su principal tarea—, me ocurrieron ciertas cosas que te refiero a continuación.

En aquel entonces —doce años, como te digo— padecía una humillante tartamudez y una acusada propensión al terror. Era muy tímido, aunque no sabría decir si esa timidez ante el mundo —familiares, compañeros de colegio, adultos en general y coetáneos desenvueltos— era causa o efecto de mi tartamudeo. Pero mis miedos íntimos eran de mucha más amplitud y calado. Todo estaba lleno de amenazas y sobresaltos, de sombras ominosas, de vértigos

ante caídas sin fondo, de bestias que reptaban de rincón
a rincón por mi cuarto sin que nadie más que yo las viera
y cuyos ojillos rojos brillaban ávidos en la oscuridad.
Cuando me acostaba por la noche, llegaba al reino de las
pesadillas. Pero no se trataba de sueños angustiosos, nada
de eso: en cuanto conseguía dormirme, mi descanso era
envidiablemente plácido y poblado de fantasías muy en-
tretenidas, como lo sigue siendo hoy, tanto tiempo después. No, las pesadillas me acosaban antes. Para ser precisos, en cuanto apagaba la luz, tras dejar en la mesilla el
tebeo o la novela de compañía que había estado leyendo
un largo rato y que a menudo sólo abandonaba por orden
de mi madre. Entonces comenzaba el asedio de los espectros: vampiros, licántropos, gigantescos tiburones con fauces erizadas de cuchillos que nadaban lentamente en torno
a mi cama y arañas grandes como terneros que empezaban a bajar desde el invisible techo negro. O cadáveres en
distintas pero siempre avanzadas fases de putrefacción,
hirviendo de gusanos, según la detallada ilustración vista
en un semanario que recogía un cuento de Poe y cuya imagen me obsesionó durante muchos meses. En general todos mis monstruos provenían de dibujos en libros y tebeos, porque había visto aún pocas películas y todas ellas
toleradas, que entonces evitaban lo espantoso (vivíamos
en una provincia, no te olvides). Como algunas de las raras excepciones debo mencionar cierto esqueleto demasiado sugestivo que aparecía en *La isla del tesoro* y el cíclope
que mugía y despedazaba intrusos en *Simbad y la princesa*.

Ante todo, yo era un niño lector. No hagas caso de quienes dicen que la lectura es una provechosa afición o un
respetable modo de entretenerse: leer es una forma de
vida, una adicción subyugadora y excluyente. El ansia
de leer es una posesión, en el sentido más diabólico y menos propicio al exorcismo del término. Sobre todo, en los
primeros años de la vida, cuando la imaginación es tierna,

impresionable. Siempre que ahora oigo bienintencionadas voces de alarma sobre lo poco que leen nuestros niños y adolescentes, no sé si compadecerlos o envidiarlos. Se pierden mucho, claro, pero también se libran de una insoslayable servidumbre, abrumadora y feliz. Supongo que hoy padecerán otras esclavitudes no menos exigentes —internet, YouTube, Twitter...—, porque ningún ser inteligente y libre puede sacudirse la necesidad de un yugo, sólo elegir entre los que se le ofrecen. Pero quienes nos vimos impelidos a la lectura desde el principio sabemos que nada llega a limitar más (ni más gozosamente) que ella ni nada consolida mejor nuestro parentesco con lo infinito. Que, para seres finitos como nosotros, es lo fatal.

Lo que agravaba aún más mi caso era el gusto morboso que orientaba esa pasión avasalladora. Mis lecturas favoritas recaían siempre en lo macabro y lo espeluznante, con altos ocasionales en el oasis de lo simplemente terrible. Fuese en tebeos o en libros, buscaba ante todo el escalofrío, las zarpas y los colmillos insaciables, el relente mefítico de la tumba. No resultaba fácil satisfacer mi capricho inconfesable. Mi madre, que era quien vigilaba con más atención mis lecturas, procuraba obstaculizarlo siempre que estaba en su mano. «Eso no, que te pones nervioso y luego no duermes», decía mientras confiscaba un ejemplar del tebeo *Cuentos de la cripta* o una biografía popular ilustrada de Jack el Destripador con fotos atroces —y atrozmente malas— de sus víctimas. Pero siempre podía refugiarme en los clásicos, ante los cuales, como mujer culta que era, no se sentía capaz de poner objeciones: imposible negarme los relatos de Poe o el *Frankenstein* de Mary B. Shelley, porque la enorgullecía que quisiera leerlos a mi corta edad. La misma tolerancia amparaba a Gaston Leroux, H. P. Lovecraft o *La metamorfosis* de Kafka (¿acaso hay historia más terrorífica?). El prestigio de los autores o la reputación erudita de algunas antologías me permitía burlar su censura, por otra parte nada rígida. Además yo aprovechaba cada estrecha rendija en el muro del espanto: me bastaba una mínima alusión para poner en marcha a toda máquina mi fábrica mental de pesadillas. En cuanto se apagaba la luz de mi cuarto, memoria e imaginación fraguaban las peores amenazas. Me costaba dormirme, créeme.

No deja de ser un enigma por qué alguien tan propenso al espanto —por entonces también me obsesionaba la idea de la muerte de mis padres e incluso la mía propia, precozmente degustada— estaba a la vez ávido de alimentarse con fantasmas ajenos. Muchos años después me enteré de que la desventurada reina María Antonieta, mientras esperaba la guillotina en su reclusión de la Conciergerie, mataba el tiempo —supongo que así habrá que decirlo— leyendo sin cesar historias góticas y relatos de miedo. Como si quisiera combatir el terror histórico que la tenía atrapada necesariamente con los terrores de la literatura, optativos y fantásticos. Así se vacunaba contra el espanto inoculándose dosis imaginarias del mismo veneno, puesto que lo verdaderamente temible de la realidad no tiene cura. ¡María Antonieta, nada santa pero muy mártir, patrona de mi alma! Fui devoto tuyo y llevé ofrendas a tu altar incluso mucho antes de conocer tu destino y el imposible antídoto con que quisiste alejarlo de tu ánimo convulso.

Mi padre era un destacado cirujano (fue uno de los pioneros de los trasplantes de corazón en nuestro país, aunque sus primeras intervenciones sólo obtuvieron éxitos de corta duración) y viajaba con mucha frecuencia. Solía estar varios días seguidos fuera, en congresos y reuniones importantes que a veces llegaban a durar toda una semana. Yo lo prefería así, porque en tales ocasiones mi madre y yo quedábamos mano a mano, el uno para el otro: mejor dicho, debo precisar, ella sólo para mí. Entonces podíamos tener largas conversaciones (aún más prolongadas por mis tropiezos y balbuceos enfermizos, que siempre soportaba con adorable paciencia); el tema lo proporcionaban casi siempre mis lecturas, pues me encantaba comentarle todos mis descubrimientos literarios. Con astucia, me centraba en aquellos autores que sabía contaban con su plena complicidad (Sherlock Holmes y Hércules Poirot figuraban entre sus personajes favoritos), pero omitía los inventores de pesadillas que sin duda habría desaprobado.

A veces cometí errores peligrosos: llevado por el entusiasmo, la obligué a compartir conmigo «El horror de Dunwich» —mi primer cuento de Lovecraft— y lo condenó inapelablemente como muestra suprema de «mal gusto», la descalificación más grave a la que podía llegar (era partidaria de la censura estética, nunca de la moral). Me dijo muy seria: «Eso no es para ti», y me hizo prometer que nunca volvería a leer a Lovecraft. Yo, que acababa de comprar con los ahorros de tres pagas semanales *El color que cayó del cielo y otras narraciones*, le juré que nunca frecuentaría al autor maldito: de modo que esa lectura clandestina enriqueció para mí sus intrínsecos escalofríos con los añadidos por la culpabilidad. A partir de esa advertencia y otras similares, no volví a comentarle relatos siniestros que fuesen más allá de «El escarabajo de oro» y «El corazón delator» de Poe (incluso omití mencionar la predilección que sentía por «El extraño caso del señor Valdemar», por si denunciaba demasiado a las claras mis aficiones morbosas).

Por lo demás, ella adoraba la precocidad de mis lecturas y la intensidad casi maníaca de mi afición: creo que no había yo todavía cumplido diez años cuando me regaló *El candor del padre Brown* y a partir de entonces Chesterton y su personaje se convirtieron en el santo y seña de la complicidad entre nosotros. Hoy todavía lo releo a veces, entre lágrimas. Dice Virgilio que aquél a quien su madre no ha sonreído jamás conocerá después la benevolencia de los dioses: desde luego nunca he creído percibir tal benevolencia en mi vida adulta, pero al menos sé que no es por culpa de mi madre.

Cuando mi padre estaba ausente, mis terrores nocturnos se hacían más llevaderos. No es que desde luego disminuyesen en frecuencia o intensidad, pero al menos podía, sin reparo ni pudor, pedir auxilio. En la habitación a oscuras, invadida de trasgos y desenterrados patentes sólo para mí, sin esperar a los extremos de la agonía, lanzaba mi llamada de socorro: «¡Mamá!». Era un balido vergonzoso al que nunca me atrevía si mi padre estaba en casa, la voz temblorosa de la oveja cuando constata la presencia del lobo en el aprisco. Estoy seguro de que en mi lecho de muerte balaré lo mismo y con el mismo acento, aunque ya definitivamente sin respuesta. Pero aquellas noches afortunadas en el infortunio de su espanto, mi madre acudía. Yo la llamaba muy bajito, pero ella siempre me escuchaba: probablemente estaba esperando oír mi reclamo. Llegaba envuelta en el arrullo falsamente severo de sus reconvenciones, oliendo a la colonia suave con que se perfumaba por las noches, limpia y hermosa: encendía la luz de la mesilla y me daba un vasito pequeño —poco más de un dedal— de fragante agua de azahar, supuesto remedio milagroso que calmaba los nervios. ¡He bebido tanto después y de lo más fuerte, esperando lograr algo semejante, sin resultado duradero! Pero el azahar o el simple azar funcionaban entonces más a mi favor. Empezaba a serenarme. «¿Quieres que te deje un rato la luz encendida?», me preguntaba y yo asentía, tembloroso y triunfal. «Pero no vuelvas a ponerte a leer, ¿eh?». No, no era ya el momento. Prefería sumergirme por fin en los mares del sueño, sin tempestades ni alarmas, donde aguardaban sólo fantasías dichosas.

Aunque no fuese lo más frecuente, en ocasiones mi madre acompañaba a mi padre en los viajes, sobre todo en los que tenían menos relación con el trabajo (no recuerdo en cambio que ella nunca viajase sola: en aquel entonces, en nuestro atrasado país, las mujeres casadas apenas tenían una vida propia, independiente de las obligaciones y caprichos de su marido). Cuando la elección dependía de ella, su destino favorito era siempre París. Antes de conocerlo bien mucho después, en las escandalosamente felices jornadas de mi juventud levantisca y libertina, esa ciudad ya formaba parte de mi mitología privada a través de las glosas entusiastas de mi madre a ciertos nombres refulgentes: Place Vendôme, Rue Rivoli, Café de la Paix, la Madeleine... Y Fauchon, de donde siempre llegaban exquisiteces, como por (sabroso) ejemplo el primer *confit de canard* que me fue dado probar en mi vida. Durante esas ausencias, me quedaba solo en casa con lo que en la jerga burguesa de la época se llamaba «el servicio». Para mí hoy la palabreja, caída ya aquella acepción en democrático desuso, suena con hiato: «Ser vicio, ser... vicio». Luego verás por qué.

El servicio en casa lo componían fundamentalmente tres personas. Dos de ellas externas, el chófer de mi padre y una asistenta que se dedicaba principalmente a la limpieza, pero también planchaba y repasaba la ropa con la ruidosa máquina Sigma de coser, y una cocinera que dormía en casa. Durante los primeros años de mi infancia, este último papel lo desempeñó Genoveva (como no le gustaba su nombre, vaya usted a saber por qué, prefería que la llamásemos María), una de esas «criadas de toda la vida» que llevaba con mi madre desde antes de casarse (mi madre, claro, pues Genoveva-María era una solterona irremediable). Cuando yo la conocí era una vieja chismosa y amargada, de un humor insoportable; aunque según mamá era «muy buena» y «me quería mucho», jamás logré apreciar señales dignas de mención de ese cariño. En cualquier caso, dejando a un lado su posible bondad y sus mal expresados afectos, lo indudable era que sus habilidades culinarias estaban bajo mínimos, aunque de joven hubiese sido «una gran cocinera», si había que creer el caritativo juicio de mi madre. Sus platos, siempre los mismos, eran invariablemente abominables, alternando con imparcialidad venenosa lo quemado y lo crudo, lo chorreante de grasa y lo reseco. «Son las prisas», decía ella, como si siempre comiésemos en casa con la premura del estado de sitio. Como soportaba mal las críticas, que normalmente la hacían empeorar por enfado, y evidentemente cualquier mejoría era inimaginable, hubo que jubilarla. Mi madre soltó unas lágrimas, supongo que fruto de la nostalgia, pero mi padre se mantuvo firme. Bien indemnizada aunque lanzando masculladas maldiciones contra la injusticia del mundo, Genoveva-María salió de nuestro hogar rumbo al de una hermana también soltera, cuya existencia y cuyo estómago se dedicaría a dañar a partir de entonces. Fue todo un pequeño drama familiar que a mí, que la detestaba cordialmente, me traumatizó sin embargo casi como la pérdida de un ser querido. Por entonces apreciaba tanto el equilibrio que prefería que todo siguiese invariable, hasta lo malo. Ahora, tras tantos cambios de fortuna posteriores, me doy cuenta de cuánta razón tenía...

Su sustituta en la cocina y en el dormitorio de servicio fue Cristina. Ciertamente no llegó por vía de ninguna agencia, pues mi madre no se fiaba de ese tipo de oficinas, sino por una recomendación personal: era la tía de una joven bastante ajada pero aún voluntariosamente pizpireta que venía una vez por semana a casa para oficiar de peluquera y manicura. ¡Amable época aquélla en que se valoraba más la opinión positiva e interesada de un pariente que los informes objetivos pero impersonales de los especialistas! No sé si Cristina era propiamente estrafalaria, pero a mí me lo pareció por cuestión de volumen: gorda hasta el desbordamiento, inmensamente globular, ostentaba siempre manchas húmedas en los sobacos y un ligero amago sombrío en el labio superior. Se desplazaba por la cocina con una velocidad de crucero nada desdeñable en vista de su tonelaje, resoplando y canturreando: cuando yo aparecía, me dedicaba siempre una sonrisa algo piadosa que descubría un diente de oro. Su voz era masculina, bronca, y manejaba expresiones que yo no había oído antes: mi madre, suspirando, comentaba que era «un poco malhablada».

Por lo demás, se ganó el aprobatorio consenso familiar por la vía del paladar. Era una cocinera irrefutable que triunfaba siempre en los platos clásicos y que, de vez en cuando, proponía novedades seductoras que pese a los remilgos de rutina («esto es un poco fuerte, ¿no?») se abrían paso contra los prejuicios. De nuestra mesa, por ejemplo, siempre habían estado ausentes las vísceras, proscritas por su bajo precio y cierta fama malsana, «esas porquerías...», comentaba mi madre torciendo el gesto, mientras mi padre se encogía resignadamente de hombros. Pero Cristina insistió un día en servirnos una pequeña cazuela de riñones junto al habitual filete y «sólo para probar». Obtuvo un éxito clamoroso con mi padre y conmigo, que repetimos la dosis hasta rebañar el plato; incluso mi madre, algo a regañadientes, convino en que estaba muy rico, «aunque de esas cosas convenía no abusar, porque tienen mucho ácido úrico». Después llegaron los callos, las mollejas y hasta las manitas de cerdo, en suculento y sucesivo tropel. Fue toda una doméstica revolución gastronómica, complementada con licencias similares en recetas de pescado o en los postres. Los sanísimos y aburridos menús familiares recibieron poco a poco un perverso toque transgresor y empezamos a esperar la hora de comer no sólo con apetito, sino también con concupiscencia. Mi madre aún guardaba ciertas escandalizadas reservas ante tantos cambios, pero mi padre estaba encantado y hasta solía guiñarme el ojo cuando llegaba ante nosotros una fuente humeante de fragancias insólitas y casi obscenas. Y es que yo, que había sido un tiquismiquis hasta entonces para la comida, había por fin empezado a comer «como un hombre», según su encomiástica apreciación. De modo que en ese aspecto todo iba bien.

Las objeciones contra Cristina —maternas, desde luego, pues allí estaba la dirección doméstica de los asuntos familiares— fueron enseguida por otro lado. Era una mujer indudablemente «vulgar». El calificativo no era una simple descripción de su carencia de refinamiento educativo, sino que apuntaba a algo más peligroso: a ciertas faltas posibles contra la decencia, a un relajamiento de costumbres. La verdad es que el contraste entre la oronda Cristina y la anciana y hepática Genoveva-María era demasiado detonante. No es que la nueva cocinera fuese un pimpollo adolescente, porque sin duda ya no cumpliría los cincuenta... como poco. A mis ojos juveniles, parecía mucho más vieja desde luego que mi siempre fragante madre. Pero había que verla emperifollarse los sábados para su salida semanal. No diré que se ponía vestidos ajustados porque tal cosa no existía para su talla y desparrame de formas: pero siempre los elegía de colores chillones, con dibujos llamativos (tenía uno de palmeras y cocos: ver para creer), casi siempre muy escotados o «ventilados», como decía con sorna mi padre. Añádase a esto los relentes de pachulí más pegajosos, los labios y uñas del más agresivo escarlata y una sombra para ojos de idéntico grosor y tono que el bigote pintado de Groucho Marx. Cuando asomaba en el cuarto de estar para despedirse por esa tarde, mi madre cabeceaba reprobadora y lanzaba su habitual suspiro-gruñido de condena. Como buen estómago agradecido, mi padre comentaba sonriendo «pero si está muy graciosa...», y su mujer le respondía «sí, como una...». Se callaba el resto, por consideración a mis oídos, siempre demasiado atentos.

Un domingo, al levantarme, comprendí por indicios y medias palabras que durante la noche había ocurrido algún escándalo doméstico. Logré reconstruirlo aproximadamente a base de completar reticencias con mi propia intuición. Por lo visto, ya muy de madrugada, Cristina había vuelto —o mejor dicho, había sido transportada— a casa en un estado de aletargamiento que evidentemente no se debía a lo tardío de la hora o a un exceso de abstinencia. Cuando ya bien entrada la mañana fue de nuevo capaz de mantenerse en pie por sí sola, tuvo que escuchar una severa reprimenda y hacer explícito su definitivo propósito de enmienda. Después escuché a medias un debate entre mis progenitores: mamá insistía en que «ya Pili —la sobrina peluquera— había comentado que debía tener cuidado con la bebida», mientras que mi padre, con su tolerancia de hombre de mundo, quitaba importancia al incidente y glosaba como final del tema «nada, cosas que pasan, con tal de que no se repita...». Después de desayunar, me hice el encontradizo en la cocina para comprobar de primera mano los estragos de la culpabilidad. La cocinera parecía algo más sudorosa y congestionada que de costumbre, pero por lo demás no se la notaba especialmente afectada. Me saludó con su habitual voz aguardentosa y me sonrió como hacía siempre. Por mi parte yo también le sonreí un poquito, en silencio: lo bueno de ser tartamudo es que nadie espera de uno parrafadas significativas, ni para bien ni para mal.

Fue precisamente en aquellos días cuando tuve un encuentro de mucha mayor relevancia para mí que la aventura juerguista de Cristina: en una antología de relatos terroríficos descubrí por primera vez un par de cuentos de M. R. James. No se me olvida, eran «El maleficio de las runas» y «Silba, muchacho, que alguien vendrá». A partir de ese crucial momento supe que el viejo magíster inglés había escrito para mí y que yo estaba destinado desde el origen del mundo a padecer deliciosamente sus fantasmas: un bulto de trapos animado por la malevolencia, un espantapájaros que no se resiste a pasear por el sembrado que debería proteger, la boca peluda llena de colmillos que encontramos al meter la mano bajo la almohada... Era la confirmación de mis sobresaltos cotidianos, los peligros que yo sabía que sólo esperaban a que apagase la luz. Espantarse con los Grandes Antiguos de Lovecraft es como temer una invasión desde el extranjero, algo cuya magnitud impresiona, pero que siempre nos pilla un poco lejos, mientras que el escalofrío producido por las presencias indeseables de James se parece al recelo que sentimos por nuestros vecinos, cuya hostilidad es más inmediata y probable. Empecé a buscar por todas partes esa nueva droga literaria con la misma desordenada pasión con que aquel alemán loco intentaba localizar las ruinas fantásticas de Troya.

Así llegó el primer fin de semana en que debía quedarme solo con Cristina en casa. Papá y mamá se iban juntos a la boda de una prima que iba a celebrarse en una bonita aunque mal comunicada ciudad costera. La ocasión no parecía demasiado especial, pero mi madre no las tenía todas consigo. Antes de marchar me prodigó una serie de instrucciones y de medidas prudenciales insólitamente prolijas. Luego, con un poco de azoro, me recomendó implícitamente que vigilase a la nueva cocinera. Era una buena mujer, claro, pero si yo veía algo raro, «si notas que está *rara*» en cualquier sentido... pues debía contárselo en cuanto volviesen. Luego me miró un poco preocupada mientras yo ponía mi cara de máximo despiste inocente sin que me costase ningún esfuerzo mayor. Acabó recomendándome que esos días leyese sólo cosas «bonitas» para no ponerme nervioso por la noche (me facilitó algo de dinero extra para comprar tebeos) y que sobre todo estudiase mis lecciones. Ahora los niños lectores son considerados estudiosos casi automáticamente, pues hasta los padres creen que leer es una forma de estudiar: mejor avisada, mi madre distinguía perfectamente entre mi afición a la lectura (desmesurada) y mi aplicación escolar (la mínima compatible con la prudencia). A veces entraba en mi cuarto y ordenaba: «Venga, no leas más: estudia».

De modo que se fueron y nos quedamos Cristina y yo mano a mano. Pasé la tarde como siempre, del modo menos estudioso posible: tumbado en la alfombra de mi cuarto leyendo con toda morosidad el último álbum de Tintín que acababa de conseguir, *Objetivo: la luna*. Nunca he comprendido por qué suele considerarse señal de aprecio por un libro acabarlo de una sentada y lo más rápidamente posible («me lo leí de un tirón, no pude soltarlo hasta el final, me lo liquidé en tres horas...»). A mí me ocurre exactamente lo contrario desde mis años más mozos: sólo me apresuro con los bodrios, para librarme cuanto antes de ellos. En cambio, cuando me gusta una lectura, hago durar el placer todo lo posible. Me encanta leer la página deliciosa tres veces y luego cerrar el volumen con feliz sacrificio y pasarme el resto de la jornada pensando en el momento glorioso en que reanudaré la lectura otro poquito. Después de estirar la dicha hasta lo extenuante, cuando ya sólo quedan pocas páginas, me las zampo de golpe con éxtasis y remordimiento, como quien se deja por fin ir a la eyaculación perversamente aplazada... Bueno, quizá esta metáfora no sea la más acertada para aplicarse a un Tintín, pero tú ya me entiendes.

Entre viñeta y viñeta fui a la cocina para beber un poco de agua. Cristina estaba en su puesto de mando en los fogones, toda arrebolada, removiendo con parsimonia el contenido de una cacerola puesta a fuego lento. Me fijé en que tenía a su alcance una botella de vino más que mediada y un vaso grande, de los que utilizábamos para beber agua o coca-cola, lleno hasta arriba de un líquido rojizo que no era evidentemente ninguna de esas dos cosas. Me recibió muy animada, sonriendo con su diente de oro al aire, y me propuso cenar con ella en la cocina dentro de un rato, para ahorrarse idas y venidas, poner el mantel en el comedor, etcétera. Era algo muy razonable pero también insólito, porque yo siempre cenaba en el comedor, tanto si estaban mis padres como si no. Me sonó a una especie de aventura y también, por qué no decirlo, a algo parecido a una transgresión. O sea, que me encantó. Asentí enfáticamente con la cabeza, sonriendo también, porque siempre que era posible procuraba ahorrarme el trabajoso calvario de las explicaciones verbales.

Una hora más tarde, con aire falsamente desenvuelto, me senté en la mesa de formica de la cocina, mientras Cristina servía los platos y ocupaba amplia y majestuosamente su sitio frente a mí. También se agenció otra botella de vino recién abierta, con la que llenó hasta arriba el gran vaso que ya le conocía. Mientras comíamos unas deliciosas pochas con chorizo, que figuraban entre mis platos favoritos aunque quizá no fuese el más adecuado para esa hora, ella me preguntaba cordialmente si me gustaba la escuela y qué tal iban mis notas. Yo respondía escuetamente, más con gestos y muecas que con las difíciles palabras, mientras contemplaba con admiración cómo ella trasegaba vino sin cesar. Cuando ya quedaba menos de media botella, su pulso al llenar el vaso se había hecho más incierto y su habla más confusa: ahora tropezaba casi tanto al hablar como yo, lo que aumentó mi simpatía por ella. Al ver mis ojos fijos en el copazo que se llevaba por enésima vez a la boca, sonrió torcidamente:

—Coño, me gusta el vino. Me pone contenta, ¿sabes? A ti te gustará también cuando seas mayor, ya verás. Es lo mejor de lo mejor. —Se atizó otro largo lingotazo, dejando caer algunas gotas por la barbilla—. A ti no te importa que beba un poco, ¿eh?

Negué enfáticamente con la cabeza. Luego, reuniendo valor y casi de corrido, le dije:

—Me... me gusta... me gusta que te pongas contenta.

Soltó una carcajada ronca y luego un enorme eructo. Se palmeó el pecho, como para digerir mejor y gruñó «¡joder!». Luego sacó de un bolsillo de la bata una cajetilla y cogió un pitillo. Tardó en encenderlo, porque no lograba prender la cerilla y después parecía incapaz de encontrar con la llama la punta del cigarrillo. Por fin pudo aspirar una bocanada con plena satisfacción. «Después de la comida, nada como un cigarrito. Tú no fumas todavía, ¿verdad? ¿Quieres una calada?». Negué, un poco escandalizado pero con aire casi mundano. En casa sólo mi padre fumaba habitualmente, pese a su profesión: cuando alguien se lo reprochaba solía decir: «Es que nosotros sabemos que uno puede morirse de tantas cosas...». Apenas había visto a mi madre intentarlo dos o tres veces, tosiendo risueña y apagando el pitillo mucho antes de acabarlo. Por supuesto, jamás alguien del servicio había fumado en nuestros lares. Y sin embargo, ahí estaba Cristina, chupando y soplando humo con evidente deleite como si fuera la cosa más habitual del mundo y no un gesto revolucionario. Por lo demás, sus ojos mostraban cierta dificultad para enfocarme y manejaba el pitillo con ademanes tan amplios e imprecisos que a veces parecía llevárselo a la nariz o a la oreja en lugar de a la boca. La botella de vino se había acabado ya hacía rato. ¿Sería la segunda o la tercera que se echaba al cuerpo?

Por fin espachurró la colilla en el plato y, apoyándose con las dos manos en la mesa, se puso en pie no sin cierto esfuerzo. La cara enrojecida le relucía y una mecha de pelo se le pegaba en la frente sudorosa, lo que sorprendentemente la rejuvenecía. Como una niña obesa que ha corrido, saltado y cantado hasta hartarse en la excursión del colegio. «Voy a encender la radio», anunció con voz pastosa, «la música es muy bonita, muy bonita...». Cruzó la habitación dando tumbos, como si estuviera en la cubierta de un barco con mala mar. De vez en cuando farfullaba algo inaudible entre risitas y soltaba tonantes eructos. Tardó en encontrar la radio, aunque la tenía delante de las narices y luego bregó un poco embarulladamente hasta hacerla sonar. La cocina se llenó de una música muy animada, casi demasiado para mi gusto. «¡Esto se baila!», anunció con estropajoso entusiasmo. «¡Venga, vamos a bailar!». Lancé mi tímido balido: «Es que... que... no sé». Generosa, se ofreció a enseñarme: «¡Ven aquí, chaval! ¡Hay que alegrarse!». Me llamaba haciendo gestos apremiantes con las dos manos tendidas, mientras oscilaba como un globo enorme mecido por el viento.

Y fui a ella, obediente, electrizado, con el mismo espanto feliz que sentía al leer cuentos de miedo. Me enlazó con dificultad, porque ni su prominente barriga ni mi escasa estatura favorecían la formación de nuestra pareja. «Así vas bien, muy bien», me animaba y canturreaba la música que atronaba por la radio. Pero la estabilidad le fallaba y más que llevarme con el compás de la melodía se apoyaba en mí para no caerse. Apestaba a sudor y vino: estrujado, yo procuraba sostenerla mientras daba pasitos cortos a derecha e izquierda. De pronto el ritmo que escuchábamos aceleró y Cristina intentó una especie de cabriola lateral, que la arrojó violentamente contra la puerta del horno. Se dio en la voluminosa cadera un golpazo de consideración. «¡Joder! ¡Me cago en la Virgen!», aulló indignada.

El traumatismo acabó con su buen humor. Apagó la radio de un manotazo y luego lanzó una ojeada borrosa sobre la mesa llena de platos sucios, las botellas vacías y el fregadero lleno de cacharros, como si todo fuese una fatalidad que contemplaba por primera vez. Exhaló un gruñido ronco que acabó en un eructo especialmente hondo y cavernoso. Con los ojos semicerrados resopló: «¡Que le den por culo a todo! Mañana... mañana veremos. Venga, a dormir». Se apoyó con todo su peso sobre mí, para que la llevase, como si yo fuera un taxi. Abrumado, a pasitos cortos, conseguí que llegásemos hasta la puerta de su cuarto. Apenas se sostenía en pie y además cojeaba de la pierna magullada. Abrió la puerta de un empellón y, sin encender la luz, se precipitó a tumba abierta en el interior. Me quedé un momento en el umbral, recobrando las fuerzas.

—Cris... Cristina. ¿Es... estás... estás con... conten... conten... ta?

Se quedó parada a medio camino de la cama, balanceándose y respirando ruidosamente. Luego me pareció que se reía entre dientes y, sin volverse, gruñó: «¡Pues claro! ¡Contenta de la vida! Vete a la cama de una vez».

Ya en mi cuarto, antes de acostarme, traté de volver un momento sobre la expedición interplanetaria de Tintín, pero el álbum precioso quedaba inerte y apagado en mis manos. Imposible, no tenía la cabeza para eso. Mi propia aventura en la cocina monopolizaba el vuelo de mi imaginación. Presté oído: por la puerta abierta, desde el fondo del pasillo, me llegaban unos monumentales ronquidos, como los estertores de una ballena agonizante. Los escuché con una especie de sucia satisfacción, aunque me preocupó un instante mi habitual vulnerabilidad: era evidente que si me acosaban terrores nocturnos no tenía a quién acudir en busca de consuelo. Cristina estaba fuera de combate, bien sabía yo por qué. Pero en vez de angustiarme, me sentí de pronto fuerte y seguro. Era yo quien velaba su sueño, a distancia, y por tanto nadie tenía ya que ocuparse del mío. Apagué la luz poseído de una inédita confianza y, en efecto, me dormí casi al momento y superé el reto de la noche de un plácido tirón.

Por la mañana, remoloneé un poco en la cama hasta levantarme. Se oía trajín en la cocina. Cuando llegué a desayunar, todo estaba ya en orden: no había platos ni cacharros sucios, tampoco botellas vacías o cenizas acusadoras. Cristina me sirvió con lacónica premura. Me miraba de vez en cuando de reojo, como esperando algún comentario mío sobre la noche pasada. Yo procuré dar todo tipo de muestras de normalidad y buen humor: me hubiera gustado que el maldito frenillo no me impidiese mostrarme dicharachero. Sabía que estaba preocupada por el informe que daría a mis padres cuando llegasen por la tarde y me hubiese gustado tranquilizarla, decirle que yo era un cómplice y no un acusica, que conmigo su secreto estaba seguro. En efecto, nada más llegar mi madre me requirió al dormitorio, mientras ellos se cambiaban de ropa y deshacían el equipaje. ¿Cómo había ido todo? ¿Qué tal me las había arreglado con Cristina? Dentro de las escasas posibilidades de mi elocuencia, mi falso testimonio fue todo lo banal y favorable que pude improvisar. «¿Ves, mujer?», comentó mi padre satisfecho, mientras se desanudaba la corbata. «Mejor así, mejor así...», suspiró ella, a medias convencida. Y yo experimenté por primera vez que cada forma de lealtad implica también como reverso una traición. El paso de los años me ha familiarizado tanto con esa paradoja que ya no le doy importancia, pero entonces fue un descubrimiento emocionante, el atisbo de lo atroz y mágico que aún estaba por llegar.

A partir de aquella jornada, sin más guiños ni comentarios subrepticios, quedó implícitamente asumido que yo no iba a denunciar los sucesivos excesos etílicos de Cristina. Lo sabía ella, lo sabía yo, era un secreto entre ambos que ninguno formularía en voz alta ni siquiera ante el otro. De modo que cuando pocas semanas después volvimos a quedarnos solos, fue perfectamente natural que en el almuerzo, tras haberse solazado abundantemente con el vino, como la otra vez, apareciese a la hora del postre una botella de coñac. Era de una marca barata y debía de ha-

berla comprado ella misma para su uso privado, porque
en casa mis padres no tomaban esa bebida, sólo se guardaba una botella aristocrática de Napoleón apenas empe-
zada para algún invitado exigente. Mientras se servía su
habitual dosis familiar en vaso grande, Cristina me aclaró:
«Como el *coñá* no hay nada». Dos vasos después se quedó
profundamente dormida en la mesa de la cocina. Roncó
toda la tarde y bajo ella se formó un charco amarillento cuyo
olor no dejaba dudas. A la hora de cenar tuve que conten-
tarme con una simple tortilla francesa, que preparó con
cierta dificultad porque aún se encontraba toda abotagada.

La siguiente festividad tuvo un carácter mucho más orgiástico. Ya con los primeros tragos generosos de vino me
comunicó alegremente su propósito: «¡Hoy vamos a co-
gerla de campeonato!». Agradecí ese plural que me reconocía también como bacante consorte, aunque yo no
bebiese. Después, ya muy animada y con lengua incipien-
temente algodonosa, bromeó: «¿Sabes cuánto voy a beber?
¡Hasta que me salga por las orejas...!». Acompañó esa declaración de intenciones con un gesto ondulante de ambas
manos, muy gracioso, como si tuviera orejas de Dumbo y
por ellas saliesen surtidores. Me hizo reír. Desde luego, estaba totalmente lanzada. Acabó con las botellas de vino y
después vació hasta la última gota de la de coñac. Fui un
rato a mi cuarto y cuando regresé a la cocina me la encontré caída en el suelo, manoteando y tratando inútilmente
de incorporarse: parecía una tortuga enorme panza arriba,
incapaz de darse la vuelta. Luché por ayudarla, pero no
resultaba nada fácil porque pesaba muchísimo y además
no lograba coordinar el movimiento de las extremidades.
Soltaba grandes carcajadas, pero otras veces gimoteaba
como si le doliera algo. Tenía los ojos en blanco como cuentan en las novelas que son los de los ahogados. Por fin conseguí ponerla de rodillas y luego, con sus brazos del tamaño de almohadas sobre mis hombros, empecé a intentar

levantarla. Fue el momento que eligió para vomitar larga y ruidosamente en las baldosas, aunque me llevé buena parte de los jugos malolientes. Al fin logré entronizarla en la silla más próxima, aunque muy ladeada y amenazando nuevo derrumbe, y corrí a mi cuarto para cambiarme de pijama y darme una ducha caliente con abundancia de jabón. Después regresé para ayudarla a llegar hasta su cama, hazaña que me llevó casi veinte minutos y me dejó orgulloso de la inesperada solidez de mis músculos nada aparentes.

A la mañana siguiente se la notaba algo contrita (aunque puede que fuese el efecto moral de su fenomenal resaca), pero según nuestra costumbre no comentamos nada sobre la noche anterior. Lavó el pijama leproso, adecentó la cocina y desaparecieron las huellas externas de nuestro pecado compartido, ella por ingestión y yo por asistencia al delito. Cuando volvieron los dueños de la casa, presenté mi sucinto informe tranquilizador y aquí paz y después gloria. Quedé a la espera de la próxima ocasión: a pesar de los inconvenientes padecidos, me apetecía volver a empezar el juego clandestino y sentía algo más que curiosidad por saber qué habría de pasar en el siguiente episodio de la saga.

Por lo demás, el ajetreo me sentaba bastante bien y hasta mi madre comentó que por las noches solía estar menos nervioso. Después de mucha insistencia por mi parte, me llevó a ver *Abbot y Costello contra los fantasmas*, la única posibilidad tolerada para menores en los cines de nuestra provincia de ver en acción a Bela Lugosi, Lon Chaney Jr. y Glenn Strange como Frankenstein. Por supuesto quedé maravillosamente horrorizado por la película cómica (que aún tengo entre mis preferidas de todos los tiempos), pero conseguí que sólo alterase moderadamente mi reposo nocturno. Aunque la mano enorme, con sus uñas negras, de Frankenstein astillando la puerta tras la que se han refugiado los risibles protagonistas nunca fue ya olvidada...

Habitualmente, los viajes conjuntos de mis padres eran en coche, conducido por el chófer que formaba parte obligada de la expedición. Pero las escapadas a París las hacían en tren. Un mes más tarde, esa circunstancia introdujo un cambio interesante en nuestro habitual y secreto programa de festejos. Me refiero al que teníamos Cristina y yo cuando nos quedábamos solos, claro. A la hora de la cena, la primera novedad fue que ella estaba maquillada y vestida como si fuese a salir, pese a haber bregado toda la tarde en la preparación de un menú particularmente exquisito y abundante. La segunda, que sus libaciones consuetudinarias fueron a mi juicio algo más morigeradas de lo que solían. Me senté a la mesa en la cocina y ella se entronizó ante mí. Mientras daba sorbitos al vaso de vino canturreó, sonriendo con picardía: «Vamos a tener visita». Entonces advertí que había un tercer cubierto sobre la formica.

Llamaron a la puerta y se presentó Manuel, el chófer. Casi no le reconocí sin uniforme. Era un cuarentón desenvuelto, de abundante pelo canoso y buena planta, que me recordaba un poco al Stewart Granger de *Las minas del rey Salomón*. Saludó a la cocinera con un beso y a mí con un cariñoso pescozón. Después ocupó su lugar en la mesa con la misma naturalidad que si cenase allí todas las noches. Pensé que la cosa empezaba a ponerse interesante.

Como ya he señalado, Cristina se había esmerado en los platos: tuve ocasión de probar por primera vez callos con garbanzos a la gallega, una insólita delicia preparada por lo visto en homenaje a nuestro invitado. La charla también fue muy agradable. Manuel conocía mi afición al género estremecedor y me contó con detalle la película *Los crímenes del museo de cera*, el reciente gran éxito de taquilla que me estaba vetado por cuestión de edad. Hasta se había acordado de guardarme las gafas de cartón, con un papel rojo y otro azul en lugar de cristales, que permitían disfrutar del relieve espeluznante de la cinta. Me las puse y los miré a través de ellas, mientras imaginaba los andares contrahechos de Vincent Price con su capa y su negro chambergo, persiguiendo por las calles oscuras a la doncella aterrorizada. Lo que vi en realidad no me produjo escalofríos, aunque también tenía un punto inquietante: la pareja de comensales se hacía pueriles arrumacos. Ya estaba el coñac en la mesa, Manuel en mangas de camisa todo despechugado y ambos tórtolos, a cual más alto, en color: él de un rojizo tono ladrillo y ella ya casi violácea. Claro, que podían ser efectos cromáticos debidos a las gafas cinematográficas que me había puesto...

Todo iba ahora envuelto en carcajadas, para mí inexplicables, aunque las seguía con embelesada simpatía. El chófer había acercado su silla a la cocinera todo lo posible, con el pretexto de darle fuego, pues ambos estaban ya fumando. Manuel, con la mano que no ocupaba el cigarrillo, hacía atrevidos tanteos en el escote de la gorda, que chillaba con falso falsete y le daba golpes nada crueles en los dedos. Finalmente se soltaron un par de botones complacientes y apareció de pronto por la ampliada abertura una especie de enorme calabaza rosácea. Por lo visto había olvidado ponerse el sujetador *king size* y la gravedad imponía el rigor de su ley. Más risas y más grititos de espúreo escándalo. Manuel comentaba con tono de conocedor: «¡Joder, así me gustan a mí!». Luego, mientras ella recomponía un poco su desarreglo aunque sin demasiado empeño, nuestro visitante me comentó:

—Oye, se me olvidaba: te he traído unos tebeos. A ver si son de los que te gustan.

Pues sí, claro que me gustaron, aunque eran casi todos de vaqueros: Hopalong Cassidy, Red Ryder, Roy Rogers, Gene Autry... Pero también había uno de El Hombre Enmascarado, el Fantasma, El Duende que Camina... mi favorito, sin lugar a dudas. Le agradecí el regalo con mi habitual falta de elocuencia y empecé a hojearlos. Entonces concluyó, con lengua algo torpe y un tono a medio camino entre la insinuación y la orden:

—¿Y por qué no te vas a tu cuarto a leerlos tranquilamente? Se va haciendo tarde, ¿no?

Remoloneé un poco, por simple perversidad, pero luego vi que ya no se prestaban atención más que entre ellos, de modo que gruñí un entrecortado «buenas noches» y me retiré. Mientras me lavaba los dientes, a lo lejos, les oía cuchichear y reír ahogadamente. Como solía hacer, sustituí mis jaculatorias nocturnas por la entrega a los tebeos: un cuarto de siglo más tarde me enteré de que, según Hegel, la lectura del periódico es la oración matutina del hombre moderno. Bueno, los tebeos fueron la plegaria vespertina del niño antiguo. Con los ojos seguía las rutinarias hazañas del *sheriff* de Dos Ríos, secundado por su noble Centella: «¡Ríndanse, pillos! ¡Blam, blam!». Mientras, escuché a la pareja tropezar pesadamente por el pasillo y luego oí cerrarse la puerta del dormitorio de Cristina. Castorcito bromeaba traviesamente con Red Ryder y recibía una reprimenda de la Duquesa. Queriendo o sin querer —queriendo, queriendo...— me llegaban ruidos sordos y rítmicos, una silla o algo pesado que cayó al suelo, un estribillo jadeante, obsesivo, incansable, «¡más, más, más...!». En el corazón de la selva, el nativo mandaba la señal del tam-tam y avisaba: «Chica... llama Fantasma... chica llama Fantasma... cerca de Cerro Verde».

Ni rastro de todo ello cuando llegaron mis padres. Muy contenta pero nostálgica mi madre, como siempre que volvían de París. En el almuerzo, a modo de aperitivo, abrieron el último tesoro de Fauchon, una lata de *foie* de las Landas. Lo untaban con parsimoniosa delicadeza en tostadas y a mí me dieron a probar un poco, «no puedes comer demasiado, ¿eh? Esto es muy indigesto». Yo estaba ya empezando a acostumbrarme a que si algo debía ser considerado exquisito tendría también necesariamente que verse calificado de poco sano, peligroso para la digestión o los nervios, o cualquier forma de pureza higiénica. Quedaba sobrentendido que era pecaminoso, aunque de vez en cuando —en las debidas circunstancias y con los oportunos miramientos— resultaba aceptable, incluso de buen tono, esa domesticada transgresión. En cualquier caso, la blandura grasienta y dulzona del *foie* nunca figuró entre mis vicios avasalladores. Mastiqué con expresión de deleite mi tostada, pero luego resistí sin esfuerzo ni virtud a la tentación de pedir otra. Mi madre me sonrió, indulgente y comprensiva ante mi inocencia gastronómica: ése, no el raro manjar, fue el mayor placer de la jornada.

Luego llegó el viaje decisivo, la ausencia que había de revelarse más fructuosa. Naturalmente, yo no podía sospecharlo. Todo lo definitivo ocurre sin avisar: no hay auspicios o, cuando se dan, nadie escucha la voz agorera de los idus de marzo. Mis padres se fueron a Granada, a un congreso que permitiría algo de turismo por la Alhambra y el Generalife, no más de cuarenta y ocho horas. Iban en coche, desde luego, de modo que Manuel era de la partida y no podría hacernos visitas subrepticias a quienes nos quedábamos en casa. Como siempre, yo esperaba la ocasión con bastante curiosidad y algo de secreta excitación. En la despedida me mostré alegre y nada mimoso, hasta el punto de que mi madre —quizá un poco celosa por no verme más desolado— le comentó a su marido: «Hay que ver lo bien que se entiende el niño con Cristina». A lo que él contestó, con su acrisolado y poco imaginativo pragmatismo: «Mejor así, mejor así».

Sin embargo, la velada empezó de modo un poco decepcionante. Comparado con el tono festivo y desmadrado de anteriores ocasiones, el perfil se presentaba bajo y hasta algo tristón. La cena era muy rica, en eso no hubo fallos, y siguiendo la pauta habitual Cristina bebió enormemente, como si el vino estuviera a punto de ser prohibido en nuestro país igual que tantas otras cosas. Pero su humor no mejoraba, seguía más bien sombría y creo que melancólica. La borrachera iba a ser triste, para variar. Pese a mi inexperiencia en esos trances, lo atribuí a la ausencia del chófer. En mi interior, maldije a Manuel, tanto por haber estado el otro día como por no estar hoy. Traté de animarla un poco, aunque evidentemente esa tarea no entraba en mis especialidades. Incluso en un momento pregunté tímidamente: «¿Estás contenta?», en recuerdo de nuestros buenos tiempos. Ella se encogió de hombros, aunque me sonrió un poquito, de modo desgarrado. Luego guardamos un largo silencio, ella fumando y yo mirándola fumar. Apareció la botella de coñac, en la que tenía depositadas algunas esperanzas, pero las cosas no mejoraron. Al servirse la segunda abundante dosis, su vista extraviada la engañó y vertió el licor fuera del vaso. Lanzó un rugido:

—¡Me cago en...! —Esperé con interés la continuación, porque las blasfemias de Cristina, nimbadas con el aura atroz del pecado mortal e irreversible, siempre me producían una emoción acongojada pero entusiasta, difícil de explicar. Vaciló un poco, creo que consciente de mi atención, y por fin remató la faena de modo insólito—: ¡En todo! ¡Me cago en todo!

Exhalé de golpe el aliento que había retenido durante un instante. Ella soltó una carcajada, breve y ronca. Ayudándose con las dos manos logró por fin echar más coñac dentro del vaso que en sus alrededores. Luego, cogiéndolo también a dos manos, se atizó un trago largo. En cuanto acabó, se pasó el dorso de la mano torpemente por la boca: tenía esos ojos en blanco, como vueltos hacia arriba, que ya le conocía de otros momentos críticos. Fue sacudida por un regüeldo monstruoso, que le debió de cambiar de sitio las entrañas y la dejó lívida. Con los ojos cerrados, farfulló para sí misma: «¡Joder! ¡Si sigo dándole a esto voy a reventar, coño!». Esta consideración la dejó sumida en una especie de estupor morboso. Pasó un rato. La acción parecía haber terminado, de modo que me levanté discretamente para hacer mutis. Entonces ella se agitó vanamente en la silla, tratando de levantarse.

—Anda... ayúdame. Quiero ir a mi cuarto...

Lo dijo como quien asegura que quisiera ir a Venecia o a la luna. En su estado, cualquier traslado, fuese grande o pequeño, era igualmente imposible por sí sola. Pero allí estaba yo, al rescate, «chica... llama... Fantasma... chica... pide socorro...». La ayudé a incorporarse y después soporté su peso en los primeros pasos. Me había puesto la manaza en el hombro y apretaba tanto que me hacía daño: intenté pasarle el brazo por la cintura para repartir la carga, pero sólo lo conseguí a medias, porque su perímetro me resultaba inabarcable. Transcurrimos laboriosamente por el (por fortuna) breve pasillo, yo esperando en todo momento verla estamparse contra el suelo. En ella flaquear hubiera sido contradictorio, pero yo tampoco flaqueé: encontré quién sabe dónde la energía desesperada y magnífica del héroe. Para animarme, mi pasajera ronroneaba estropajosamente: «Buen chico... buen chico...». Por fin llegamos a su habitación y cruzó el umbral por sí sola, sin encender la luz, casi como quien se arroja de cabeza al agua. Así di por terminada mi tarea, junto a la diversión del día.

No, la diversión no. Aún me quedaba mi última pasión. Había empezado esa misma tarde a leer «Palomos del infierno» de Robert E. Howard y me estaba gustando tanto que, según mi hábito, suspendí a la mitad la lectura de sus escasas páginas para acabarlo por la noche. Pocos relatos me han aterrorizado en mi vida de modo más radical e indudable. Ese muerto que sin dejar de estarlo, y de manera horrible, baja la escalera de la casona hechizada hacia el protagonista, hacia el lector. Pensaba con un escalofrío impaciente en él mientras me cepillaba los dientes cuando oí ese ruido. Tac, tac, tac... Sonaba en la bañera, pero no era el goteo del grifo mal cerrado. Más bien recordaba a alguien dando golpecitos regulares con una uña afilada sobre una taza. Me asomé a mirar y allí estaba: una buena parte del cuerpo lleno de patas fuera del agujero de desagüe y el resto saliendo trabajosamente. Por fin apareció en su imponente totalidad, desde las antenas que vibraban nerviosas en la cabeza, hasta las amenazadoras pinzas caudales. Podía ser un ciempiés gigantesco, una escolopendra o quizá una mutación producida en las cloacas y que por fin decidía visitar la superficie para buscar presas: hay leyendas urbanas que hablan de cosas así. En cualquier caso algo enorme, amenazador, una visión insufrible. Y que seguía golpeando sonoramente con sus múltiples extremidades el fondo de la bañera: tac, tac, tac...

Retrocedí espantado para no verlo, aunque no podía evitar seguir oyendo su avance. ¿Luchar contra él o ella o ello? Imposible siquiera imaginarlo. Conocía mis límites y esa tarea los rebasaba ampliamente. ¿Meterme en la cama y cerrar la puerta del baño, pero sabiendo que estaba allí, que saldría de la bañera dentro de poco y que me aguardaba, si es que no lograba reptar hasta mi cuarto por cualquier rendija? Ni en broma, totalmente descartado. Sólo me quedaba intentar pedir auxilio.

De modo que llegué a la puerta entreabierta del dormitorio de Cristina. La llamé tembloroso, dando unos golpecitos de aviso. Dentro se oía una respiración pesada, jadeante, pero no hubo más respuesta. De modo que abrí del todo la puerta y me enfrenté a la oscuridad. Reinaba un olor intenso y agobiante, caliente, como de cubil de fiera, mezcla de relentes de alcohol, de sudor y también de vómito. Lancé un gemido de urgencia:

—¡Cris... Cristina... por fa... por favor! ¡Hay... hay... hay... un bicho! ¡Gran... gran... grandí... sísimo!

Desde dentro llegó por fin, soñoliento, un «¿qué?, ¿qué coño...?». Desesperado, encendí la luz. Estaba completamente, inmensamente desnuda sobre la cama revuelta. Una montaña de pliegues carnosos y redondeces colosales.

—¡El bicho! —gemí, todo seguido—. ¡El bicho que... que viene...!

Me miró, primero con ojos entrecerrados, como evaluándome. Luego los abrió del todo, y brillaban. Me lanzó su sonrisa, la de siempre, la que guardaba para mí, mostrando el diente dorado. Después rodó hacia un costado, dejando sitio y palmeó la sábana a su lado.

—Ven aquí.

Di un paso, otro paso, todos los necesarios. Y ya no volví a tartamudear.

DOMINGO

La televisión matutina exudaba una confianza triunfal: el volcán seguía gruñendo, hipaba y tosía aún, pero de modo paulatinamente más amortiguado, como un viejo achacoso y pendenciero a punto de dormirse. Proyectaba una nube de cenizas cada vez menor, ya casi irrelevante: de hecho, era prácticamente seguro que el aeropuerto de Santa Clara comenzaría a funcionar esa misma tarde, para irse normalizando poco a poco hasta que en la mañana del lunes los aviones aterrizasen y despegasen con total normalidad. Desde luego, se daba por inevitable que la congestión producida por tantas cancelaciones y aplazamientos tardaría algo más en solventarse. En cualquier caso, la prueba definitiva de que todo volvía a su cauce es que la señora presidenta había iniciado ya su largo vuelo de regreso y dentro de unas cuantas horas —no precisadas— se incorporaría de nuevo en la patria a sus tareas habituales de gobierno.

Con sentimientos mestizos de alivio y decepción, Xabi Mendia comprendió que la aventura de su forzado confinamiento isleño llegaba al anticlímax. Su primer impulso, el de siempre cuando estaba lejos, fue comunicárselo a su madre. Pero la cobertura telefónica había mejorado mucho menos que las perspectivas del tráfico aéreo. En la línea continuaba el chisporroteo, y las interferencias, y las

267

palabras llegaban —¡cuando llegaban!— algodonosas y mutiladas.

—¡*Ama*! ¿Me oyes? ¡*Ama*, soy yo, Xabi! ¡Parece que ya voy a volver!

—¡Xabi! ¡¿Vas a devolver?! A saber las porquerías que estarás comiendo por ahí, hijo...

—*Ez, ez!* ¡Que no, *ama*! ¡Te digo que igual vuelvo a casa!

—¡No seas *txotxolo*, Xabi, que igual que en casa no vas a comer en ningún sitio! Faltaría más... ¿Me oyes? ¡Dónde te habrás metido...! Ya estarás bebiendo demasiado...

—¡Que no, que no! Que te digo que pronto...

—¡Eso, anda, vuelve pronto! Pero *kontuz*, eh, *kontuz*, no vaya a ser que con las prisas... A ver si ya dejas de perder el tiempo y haces algo de provecho. *Agur, maitia*.

Con fastidio, con regocijo, con algo de nostalgia, pero tranquilizado porque en el útero familiar todo seguía como siempre, Xabi Mendia dio por concluido su parte de incidencias.

La noticia de la inminente reanudación de la actividad aérea había conmocionado, como era de suponer, a los invitados del Festín de la Cultura. Muchos de ellos habían ya perdido sus vuelos de retorno, suspendidos por culpa del volcán, y querían a toda costa conseguir plaza en cualquiera de los primeros con posibilidades de salir, fuesen a donde fuesen. Los que debían partir hacia Roma aceptaban un pasaje para París o Ámsterdam; aquellos cuyo destino era México D.F. o incluso Buenos Aires estaban dispuestísimos a dirigirse a Nueva York; y si uno no tenía más remedio que volver a Madrid, no era desdeñable empezar por dar un salto a Miami. Sin embargo, como era domingo, la agencia de viajes instalada en el vestíbulo del hotel estaba cerrada. Cada cual trataba de buscarse la vida vía internet, pero tampoco resultaba sencillo: los dos ordenadores del *business center* del hotel padecían todo tipo de achaques y tenían lista de espera para su uso, mientras

que los portátiles sólo encontraban wifi, y bastante caprichoso, en el propio vestíbulo del Gran Universo. En cierta
medida daba igual, porque las páginas web de las compa-
ñías aéreas estaban unánimemente bloqueadas por la ava-
lancha acuciante de usuarios.

De modo que cundía esa forma de desesperación pecu-
liarmente contemporánea que nos hace considerar insoportable el mal funcionamiento de prótesis técnicas cuya posibilidad ni siquiera imaginábamos un par de años atrás, pero
que hoy ya forman parte de nuestras expectativas necesarias y hasta de nuestros derechos fundamentales. Las des-
ventajas de las ventajas son las que nos causan mayor frustración. A Xabi Mendia la situación le afectaba poco, porque
desde un comienzo su vuelo de vuelta a Bilbao, vía Madrid,
estaba previsto para el lunes por la tarde. Si el aeropuerto se
abría en la tarde del domingo o la mañana del lunes, lo
único que debía temer era algún retraso mayor o menor,
una amenaza muy soportable en vista de las circunstancias.
De modo que su estado de ánimo era soleado cuando se
sentó a desayunar en la mesa ocupada por Nicolás Nirbano.

—Bueno, parece que a fin de cuentas podremos irnos
a casa, don Nicolás. ¿Tiene usted ya cerrado su vuelo de
regreso?

—Pues la verdad es que no. Dejé esa posibilidad abierta,
por si quería quedarme en Santa Clara algunos días más.
Pero francamente me da igual irme un poco antes o un poco
después. Nada ni nadie me esperan en ninguna parte, de
modo que cedo el paso con todo gusto a la primera estam-
pida de fugitivos. Vea, Mendia, éste es uno de los agridulces
privilegios de la vejez. ¿Y usted?

—Si todo marcha como es debido, me iré mañana a primera hora de la tarde. Y aprovecho para decirle que haberle conocido ha sido para mí lo más grato de este viaje.
Espero que me autorice a seguir manteniendo en España
contacto con usted.

—¡Cómo no! No se lo autorizo, sino que se lo ruego. Pero no hablemos de un futuro tan lejano. Hoy mismo, después del almuerzo, le espero en mi habitación para que me ayude en una tarea importante.

—¡Cuente conmigo! —se emocionó Xabi—. ¿De qué se trata?

—De acabar la botella de Talisker que dejamos a medias. No querrá usted que acabe confiscada en el control del aeropuerto, por culpa de ridículas medidas de seguridad.

—¡Eso nunca! Allí estaré y le garantizo mi colaboración.

En el vestíbulo, la gente iba y venía, agitada pero algo perdida. Pocos apreciaban los anuncios que convocaban a celebrar la festividad de Todas las Aves.

—Supongo que se refiere exclusivamente a las aves de corral —señaló Xabi Mendia, al ver que los cartelones exhibían el jugoso retrato de un asado que bien pudiera ser un pavo navideño.

—Desde luego —corroboró Saúl David, recién llegado—, seguro que los buitres y los colibríes quedan fuera del festejo.

—Y también el Espíritu Santo —apuntó don Nicolás, siempre volteriano. Después, bien pertrechado de periódicos locales (no llegaba ninguno internacional y él se negaba a leerlos por internet), se encaminó a un cómodo butacón situado al fondo del vestíbulo, cerca de una especie de palmera artificial, y se dispuso a pasar en plácida lectura aquella mañana festiva.

—Si quieres, puedo enseñarte algo de esta isla —le dijo Saúl David a Xabi—. Después de todo, estás a punto de marcharte y aún no conoces de ella más que este hotel y poco más.

—Si no te supone molestia, me encantaría. ¿Qué sugieres, pues?

—Bueno, ya que habéis padecido su mal humor, quizá debieras conocer más de cerca a nuestro temible volcán. ¿Te hace?

—Me parece estupendo. Tengo ganas de saludar personalmente a don Ireneo.

—Pues vamos allá. Supongo que no te importará ir en moto, que es mi medio de transporte. Aunque si prefieres puedo dejarla aquí y tomamos un taxi.

Xabi Mendia no había montado en una moto en su vida y las miraba con un respeto cercano al escalofrío. Pero cualquier nueva experiencia que le propusieran, sobre todo si le asustaba, se convertía en un reto obligatorio para él. No en vano soñó un día con hacer una tesis sobre don Quijote... De modo que aceptó el viaje en moto con perfecta desenvoltura y oculta emoción.

La carretera que tomaron era muy sinuosa y más bien angosta: en muchas ocasiones parecía un simple reborde sobre el hermoso y amenazador precipicio que bajaba hasta el mar. Saúl David se demostró enseguida partidario de la velocidad y parecía considerar los riesgos del tráfico como una saludable diversión. Cuando al tomar a todo gas una curva cerrada sin visibilidad alguna se encontraban de frente con otro vehículo, lo esquivaba con lo que Xabi no sabía si atribuir a pericia o a la suerte del suicida, mientras gritaba alegremente, volviendo la cabeza: «¡Cerca, eh! ¡Hemos estado cerca!». De modo que el sobresaltado pasajero lamentaba a veces no haber aceptado el único casco del que disponían y que le fue ofrecido al iniciar la aventura. Con todo, como siempre que se encontraba rehén de su imprudencia o de la ajena pero afrontando un vertiginoso desafío, pugnaban en su ánimo las ganas de llegar de una vez a puerto y el gozo tremendo de la tempestad.

Ascendían y ascendían sin cesar, con giros cada vez más cerrados. La mole del volcán, un cono nítido y casi paradigmático como la ilustración de una enciclopedia cuando se le veía desde lejos, era ahora un enorme talud giboso y tumefacto que a veces parecía inclinarse sobre

ellos como una ola petrificada. La vegetación se había ido
haciendo rala y escasa hasta prácticamente desaparecer
del todo, sustituida por un discontinuo prado vertical de
rocas ennegrecidas, a veces violáceas. Finalmente llegaron
a un ensanchamiento, una especie de rellano donde había
aparcados un par de todoterrenos. Con un crujido alarmante y varios botes que hicieron saltar chorros de metra-
lla pedregosa, Saúl David detuvo la moto.

—Bueno, hasta aquí hemos llegado. Ahora hay que seguir a pie.

Con indudable alivio, Xabi Mendia bajó de su montura.
Incluso tuvo el impulso de besar la tierra, como había visto
hacer al Papa al descender de un avión en un país visitado
por primera vez. Pero le faltó tiempo, porque su guía ya
había emprendido el ascenso por una trocha poco evidente
entre caprichosos restos metamórficos de pasados aluvio-
nes. Aunque llevaba un calzado muy poco propio para tre-
par, Xabi Mendia —no sólo por su casta pirenaica, sino
hasta por su apellido— estaba familiarizado con los pa-
seos por el monte, de modo que siguió a Saúl David con
determinación. Eso sí, a la media hora de marcha cuesta
arriba a paso vivo tuvo que reconocer en su fuero interno
que le faltaba entrenamiento y le sobraban algunos kilos.
De modo que no se llevó ningún disgusto cuando el poeta
bloguero (del que por cierto aún no conocía ni los poemas
ni el blog) se detuvo en un repecho despejado, desde el
que se tenía una buena perspectiva en contrapicado de la
cumbre humeante.

—Ahí lo tienes —exultó Saúl David—, y no parece nada
arrepentido de los trastornos que ha causado.

La ancha cima del volcán Ireneo se erguía imperiosa y
sombría sobre ellos, empequeñeciéndolos. Aún dejaba escapar espesas bocanadas de un vapor amarillento que a
veces se volvía casi blanco y otras se oscurecía en turbio-
nes tenebrosos. A Xabi se le antojaron los pensamientos

variables que atribulaban esa enorme testa altiva y solitaria como la de un Schopenhauer regiomontano. Entonces su compañero tomó su brazo y ordenó:

—¡Escucha...!

De las entrañas del coloso brotaban sordamente roncos gruñidos y colosales regüeldos separados por trechos de un silencio casi ominoso. Ahora Xabi se imaginó que eran los estertores amodorrados del cíclope embriagado por el astuto Ulises, inmenso en su sueño embrutecido, vomitando entre ronquidos pedazos de carne humana sin digerir.

—Vamos a las piscinas —le invitó alegremente el siempre inquieto Saúl David.

Siguieron una senda lateral, resbaladiza por la gravilla de lava seca, hasta encontrar dos o tres hoyas entre rocas, donde burbujeaba y hervía un agua turbia de fuerte olor a azufre. Dentro de una de ellas había una pareja no muy joven, sentados en el fondo poco profundo y con la piel desnuda enrojecida por el calor. Asalmonados y sonrientes, como si esperasen resurgir de esa lenta cocción con una juventud milagrosamente recobrada. Saúl David le explicó que los santaclareños atribuían a tales baños sulfurosos todo tipo de virtudes antirreumáticas y relajantes. Se quedó con ganas Xabi de meterse en una de esas termas naturales y dejarse atontar suavemente por el cosquilleo de las altas temperaturas que subían desde el ígneo corazón de la tierra.

Pero con Saúl David eran imposibles los planes sosegados y ya estaba de nuevo piafando por reemprender la marcha.

—¿No tienes hambre? Seguro que la excursión te ha abierto el apetito. Venga, vamos, voy a llevarte a un sitio donde se come estupendamente y sin esnobismos a la moda.

De modo que desanduvieron el camino, no sin resbalones y tropiezos porque la bajada se prestaba más a ellos, y regresaron a la moto. Xabi Mendia temía el trayecto de vuelta y con razón: el conductor no estaba dispuesto a permitir que la prudencia enturbiase los placeres del vértigo y descendió la estrecha sucesión de curvas con pocos miramientos y apartando de vez en cuando la mano del manillar para señalar entusiasmado paisajes sensacionales a vista de pájaro, que Xabi apenas disfrutó dado que llevó la mayor parte del viaje los ojos cerrados.

Con todo y con eso, llegaron sin percances a los aledaños de la capital, hasta parar en un pequeño restaurante de las afueras. La disposición del local era sumamente sencilla, con pocas mesas —casi todas ya ocupadas— envueltas en una grata penumbra. Como Xabi Mendia vacilase un poco en el umbral, Saúl David le urgió cordialmente:

—¡Adelante, hombre! El sitio es modesto, pero aquí se viene a comer, no a presumir.

Ocuparon una de las pocas mesas vacías y enseguida se les acercó un grandullón ancho y jovial, vestido con mandil blanco.

—Te presento a Abraham Galoppo —medió Saúl David—, un cocinero de verdad en este país de falsos alquimistas de los fogones.

El aludido se echó a reír y les preguntó qué querían comer.

—Lo dejamos en tus sabias manos —repuso el bloguero—. Y la bebida también.

Mientras esperaban, Xabi Mendia no tuvo más remedio que enterarse de la conversación que mantenían en la mesa contigua tres jóvenes vocingleros, dos chicos y una chica, con aspecto de ejecutivos de última generación. Versaba su intenso debate sobre las virtudes comparadas de los teléfonos inteligentes. A Xabi se le ocurrió que para encontrar uno que lo fuera más que ellos no tendrían que esforzarse demasiado. Los nombres de marcas y sistemas operativos se cruzaban como disparos entre trincheras opuestas. «No deja de ser chocante», pensó Xabi, «que esta gente que apenas contará con mil palabras para expresar todos los matices del sentimiento desde la angustia hasta el anhelo se sepa en cambio doscientas o trescientas intrincadas denominaciones comerciales».

En ese momento regresó el dueño de la casa, con dos pequeñas sartenes, en cada una de las cuales triunfaban unos perfectos huevos fritos flanqueados por una salsa untuosa de color tostado y aroma a hongos. Los dos comensales se abalanzaron con sendos trozos de pan hacia la yema tentadora, pero Abraham Galoppo los detuvo.

—Calma, chicos, esperad un poco...

Enarboló una trufa grande como la cabeza de un recién nacido que comenzó a rallar sobre las sartenes, espolvoreando generosamente lo ofrecido en ellas. Después les sirvió dos copas de un blanco muy fresco y afrutado.

—Ahora ya podéis empezar.

No se hicieron repetir la invitación y durante bastantes minutos suprimieron la charla para concentrarse en aquellas suculentas delicias. El cocinero los miraba sonriente, con un punto de irónica malicia al asistir a tan gratificante y sencilla urgencia.

Por fin Xabi Mendia, después de haber rebañado la última gota, se pasó la servilleta por los labios y lanzó un suspiro.

—Y luego dirán que la cocina no es un arte.

—¡Déjanos en paz con tu arte, que bastante trabajo tenemos ya! —dijo en tono jocoso Galoppo. A continuación, mostrándole la sartén perfectamente limpia, añadió—: Mira lo que queda de mi obra maestra... bien poco ha durado.

—Bueno, hay formas efímeras de arte, casi de usar y tirar —aclaró Xabi Mendia, sin darse por vencido—, como las pajaritas de papel. El ikebana japonés, que consiste en arreglos florales, es de ver y tirar, algo así. Y las fallas que arden en Valencia por San José son arte de ver y quemar.

—Pues me temo que entonces la cocina es un arte de usar y cagar, sin remedio —concluyó el cocinero con una risotada.

Nada más llegar al Gran Universo, Xabi Mendia se dirigió a la habitación de Nirbano, temiendo haberse retrasado demasiado en su cita. Pero el anciano, en mangas de camisa y descorbatado —es decir, casi desconocido—, le recibió cordialmente. Sobre la mesa aguardaba ya la más que mediada botella de Talisker y dos vasos de cristal que le sorprendieron.

—Me he permitido sustraerlos temporalmente del restaurante —explicó mefistofélico don Nicolás—. Puede no ser muy correcto, pero la ocasión lo exigía: ¡es nuestra última velada en Santa Clara!

Sirvió las dos copas y alzó la suya, pensativo.

—¿Por qué vamos a brindar?

Xabi Mendia se lanzó de cabeza.

—Si por mí *sería*, brindaríamos por el amor.

—¡Por el amor! —se escandalizó risueño Nirbano—. Pero ¡qué cosas se le ocurren, amigo Mendia! A mis años...

—Me refiero —precisó Xabi, algo avergonzado— al amor como pasión del espíritu, como afirmación incondicional de lo que nos hace vivir. Para eso no hay edad, creo yo. No hablo de esos otros amores...

—Ya veo, Mendia, ya veo y le agradezco el matiz. Pero resulta que con mis años uno cree ya haber conocido todos los tipos y episodios posibles del amor pasional, desde los más sublimes a los muy terrenales. Aunque a veces se tenga un poco de nostalgia, es un capítulo cerrado. En cambio del sexo puro y duro... ¡ah, del sexo siempre queda la impresión de que nos hemos perdido lo mejor! En fin, prefiero que brindemos por otra cosa, o incluso que bebamos sin brindar.

Xabi continuaba obstinado con el vaso en alto, sin tocarlo, como dispuesto a no beber hasta haberse ganado el trago encontrando por fin un buen brindis.

—Permítame una asociación de ideas que igual es un poco rebuscada —dijo al cabo—. Cuando mencionó usted el sexo, he recordado el famoso cuadro de Courbet —Xabi tenía en su casa donostiarra una lámina que lo reproducía en su tamaño original, pero la escondía cuidadosamente de la vista de su madre— titulado *El origen del mundo*. Lo del origen del mundo, en su sentido menos ginecológico, es un tema muy filosófico, ¿cómo empezó todo? ¿Por qué empezó? Ya sé que usted asegura que la filosofía le aburre, pero me lo creo sólo a medias. Como sea, el otro día me dejó usted solo ante el peligro en la sesión filosófica y me debe una pequeña satisfacción. Don Nicolás, brindemos por la filosofía.

—Con mucho gusto, amigo mío. ¡A la salud de la filosofía, que sigue viva porque inquieta a los jóvenes y decepciona a los viejos!

Bebieron solemnemente al unísono. Pero cumplido ese ritual expiatorio, Nirbano quería seguir hurgando en la herida.

—Sin embargo, y con todo respeto, me admira esa obsesión por encontrar el origen del mundo, que hoy ya es cosa de científicos más que de filósofos. ¡Cuánta ingenuidad en los *esprits forts* como Stephen Hawking y compañía, empeñados en lidiar con los teólogos! ¡El *Big Bang!* Pero dígame qué es lo que hizo «¡bang!» y de dónde procedía a su vez. Consideran innecesaria la hipótesis obviamente mitológica de Dios, pero no se dan cuenta de que mientras se pregunten por el origen del universo siguen empantanados en la teología. Es obvio que cada cosa, de la estrella al átomo, tiene su propio origen, pero ¿por qué el conjunto de todas las cosas, o sea, el universo en su sentido más amplio, tiene también que tenerlo? Como dijo una vez Bertrand Russell, que es el filósofo que mejor soporto, cada uno de los seres humanos tenemos madre, pero eso no nos autoriza a suponer que la Humanidad ha de tener también una Madre.

—Tiene usted razón —concedió Mendia—, hay algo de comercial en esa pugna entre científicos y teólogos por la denominación de origen universal. ¡Ni que se tratara de un vino! Quizá lo más sensato sea contentarnos con el dictamen estoico de Marco Aurelio, que decía que nada proviene de la nada ni regresa a la nada.

—No está mal, la materia ni se crea ni se destruye, etcétera. Pero hay una clara excepción, y muy importante, por lo que nos afecta.

—Usted dirá.

—Es la conciencia, lo que antes se llamaba el alma. Brota de la nada, se da un garbeo por este museo de horrores y maravillas que es el mundo, y después regresa a la nada. Inédita e irrepetible. Todo lo demás prolonga lo que hubo y prosigue en lo que habrá... menos la conciencia. Amigo Mendia, si no me equivoco, el alma no sólo no es inmortal como nos contaron, sino que es lo único efectivamente mortal que hay en el universo. ¡Qué fastidio, verdad, ser los únicos llamados a aparecer y desaparecer en la continuidad de lo eterno!

Xabi Mendia aprovechó este razonamiento para reforzar la causa que con más gusto defendía.

—Y por eso filosofamos, don Nicolás. La filosofía es la zozobra del alma porque no sabe de dónde viene ni a dónde va, y no tiene mucho tiempo para hacerse todas las preguntas.

—En efecto, se lo concedo. Si no fuésemos mortales, soportaríamos sin agobio y casi sin curiosidad los enigmas del universo. Pero concédame usted ahora que con ciencia y paciencia vamos contestando a todas las preguntas, salvo las que de verdad nos interesan, las que nos mueven a preguntar.

Siguieron durante unos momentos trasegando whisky en meditabundo silencio. Quedaba poco en la botella y resultaba ya evidente que no iban a tener Talisker suficiente para tantas dudas.

—Permítame una pregunta comprometida y un poco ridícula, don Nicolás, ¿tiene usted miedo a la muerte?

—Enorme y sin tregua. Desde que he dejado de preocuparme por el sexo, apenas pienso ya en otra cosa. Aunque quizá lo que de veras me preocupa no es la muerte, sino el morir. Cuyo preámbulo es, claro, envejecer. Madame de Sévigné dijo que no hay más enfermedad que el extremo dolor físico y el resto es imaginación. Si acierta, la muerte es cosa de la imaginación, pero el morir y los dolores de la vejez son el más auténtico de los males. —Hizo una pausa y se pasó su larga mano, fina y arrugada, moteada de manchas rojizas como la herrumbre, por la aún abundante cabellera—. Mire, Mendia, la vejez es fundamentalmente soledad. Las relaciones humanas se basan en intereses comunes y los viejos apenas los tenemos, porque ya no podemos ofrecer nada a casi nadie. Somos aún obstáculos, pero ya no estímulos. A los otros podemos pedirles, pero no darles. De modo que sólo nos queda elegir entre la soledad en compañía de quienes se resignan con fastidio o compasión a nosotros y la soledad propiamente dicha, la soledad en solitario. Doloroso, en ambos casos. Un amargo preámbulo hasta que llega lo peor...

—Por eso empecé hablando del amor, don Nicolás. —A Xabi Mendia se le había puesto una voz suave y opaca—. Yo creo que sólo quien es amado supera en parte la soledad, tenga la edad que tenga. Porque sólo el amor es tan absurdo y extraño como para enfrentarse al realismo de la soledad.

Nirbano le miró fijamente, como quien ve por primera vez a alguien que llega de lejos.

—Estoy de acuerdo, Mendia —dijo al fin—. Probablemente por eso aseguró Goethe que saberse amado da más fuerza que saberse fuerte. Pero el amor es gracia y azar. Nadie sabe cómo asegurárselo cuando ya todo falta y es más necesario. En ese campo tan importante, temo haber sido poco afortunado o poco previsor... Bebamos este último trago, porque Talisker también se despide de nosotros.

Después de la cena, Xabi Mendia tuvo una fugaz tentación de volver al bar en busca de una posibilidad pecaminosa, pero finalmente renunció, encogiéndose de hombros. La timidez de fondo se convertía en evidente pereza. En su habitación le esperaba la novela de Fred Vargas, de la que aún le quedaban las cuarenta últimas páginas. Acabar de leerla la última noche de su estancia en Santa Clara sería como un broche final de su viaje, el espejismo de una pequeña perfección cerrada en sí misma, algo a lo que era muy aficionado y que solía contentarle, a falta de algo mejor. Y, sin embargo, no logró terminar de leer su novela.

Acababa de sentarse cómodamente con ella en las manos cuando llamaron firmemente a su puerta. Se levantó, fastidiado y un poco inquieto.

—¿Quién es?

—Policía —ordenó fuera una voz grave.

¡Más sobresaltos! Y sin embargo, casi se alegró de que inesperadamente llegase aún otra emoción. Abrió la puerta. Elevada y maciza, allí estaba la guardiana que oficiaba como primera asistente del capitán Dos Ríos.

—Estoy llevando a cabo una inspección —anunció severamente, pero sus ojos se reían. ¿Eran verdes, sus ojos? A Xabi le daba vergüenza ponerse de puntillas para subir a su altura y averiguarlo. Ella le puso la manaza abierta en el pecho y le empujó suavemente hacia atrás. Luego entró y cerró la puerta.

—Me llamo Atila —confesó y siguió antes de que Xabi mostrase extrañeza—. Mi padre creía que era un nombre femenino.

Continuaron hacia la cama, Xabi andando de espaldas y ella avanzando sin dejarle escape. «Me gustas», esa voz ronca pero aterciopelada, «¿te gusto yo?». A él se le ocurrió primero decir «sí, señora», pero afortunadamente no lo dijo, sólo asintió con la cabeza. Y era verdad, porque a él le gustaban las mujeres poco afeminadas.

Cuando estuvo desnuda, lo primero que le impresionó de ella fue todo. Reclinada sobre el lecho, su rotundidad firme y enorme le recordó a Xabi esos mascarones de proa de pechos de madera durísima y larga cabellera leñosa que lucían los veleros de antaño. En uno de sus hombros bronceados comenzaba un tatuaje que luego se enroscaba por la espalda: un dragón chino, o algo parecido. Xabi Mendia se sintió impresionado, sin duda, pero no se intimidó, sino que aceptó el lance con ánimo excitadamente heroico. Un rato después ya se había olvidado del heroísmo, porque todo iba transcurriendo por un camino enérgico pero fundamentalmente dulce.

Hablaron más tarde, tendidos juntos y rozándose gratamente, calor contra calor. Estaban convencidos de que nada había concluido del todo y de que aún quedaba mucha noche por delante. Xabi Mendia le preguntó desde cuándo era policía.

—Desde hace dos años —contestó amortiguadamente Atila—, pero antes estuve otros cinco en una agencia de seguridad. Ya sabes, vigilancia de locales, protección de personas y esas cosas.

—Te habrán pasado muchas aventuras emocionantes —le envidió él.

—Uf, ni te imaginas. Mira, te voy a contar sólo una para que te hagas idea.

TURNO DE NOCHE

Como hay que empezar por algún sitio, elijo uno de mis lugares favoritos: el gimnasio. Me había estado machacando a modo durante toda la mañana (piernas, brazos, espalda, hasta el último músculo) y como siempre me ocurre, cuanto más me exigía mejor me encontraba. Por fin me di la voz de alto, me pegué una buena ducha y me confié a las manos firmes y expertas de Basilisa. Conozco bien esas manos, porque las he disfrutado de varias maneras y no siempre con fines de mera relajación muscular. Además de con mucha destreza, Basilisa sabe prodigar su fuerza con cariño y, llegado el caso, con muy gratificante indecencia. De mí suele decir que soy muy bruta y se ríe de mi torpe brusquedad erótica, pero cuando me pongo a ello puedo dejarla como nueva. Lo hacemos sólo de cuando en cuando, porque demasiados toqueteos y achuchones la ablandan a una. Con mi oficio, no puedo permitírmelo.

Lo malo de Basilisa es su vertiente de misticismo ecológico, al que trata de convertirme con afán misionero. Mientras me aplica su competente masaje, por ejemplo, va y me dice: «Oye, noto que estás demasiado tensa». Yo le gruño adormilada: «Ummmpff». Y sigue: «¿Cuánto hace que no vas al campo?». Por mi parte, más «ummmpff». Ella: «Pues deberías. Vete al campo y allí entonces... abraza un árbol, por ejemplo». Yo: «¿Uuh?». Basilisa es de las que creen que una debe abrazar a los árboles una vez por semana, cuando menos, y besar a las flores y tumbarse boca abajo sobre la hierba para mirar de cerca cómo desfilan las hormigas y cómo flexionan las patas los saltamontes. Según ella, así se libera la tensión y nos sentimos estupendamente. «Ya verás como te sientes mejor... como *eres* mejor». Yo escucho esas chorradas y le prometo que de ese fin de semana no pasa. Pero no le cuento que me siento ya estupendamente y que no tengo ganas de ser mejor, todo lo contrario. Estoy segura de que ser peor me vendría muy bien para mi trabajo.

Suelo desayunar también en el gimnasio, porque tiene una cafetería con productos muy sanos y no fáciles de encontrar en cualquier sitio. Me sale más caro que un desayuno normal, pero todo acaba en mi cuenta de gastos. Un aperitivo de zumo de áloe vera con limón, pechuga de pavo a la plancha (es relajante) sobre tostada integral con salsa de tomate (tiene licopeno, bueno para prevenir el cáncer), yogur natural desnatado con manzana y plátano (para recuperar energía) y café sin azúcar pero con una pastilla que combina omega-3 y ácido fólico. A esas alturas aún suelo estar en albornoz, pero luego llega el momento de vestirse. Llevo siempre ropa holgada sin estridencias, que facilite los movimientos, pero no me dé aspecto de marimacho y no borre mis formas, que las tengo muy firmes, bonitas: no soy lisa, a nadie le gustan las lisas. La funda para la pipa va en el interior de la chaqueta o zamarra que no me abandona: no es muy grande, una Walter PPK (ya sé que es la de James Bond, pero a mí también me gusta). Siempre que puedo calzo zapatillas de deporte o zapato sin tacón. Tacones jamás, antes me pongo un burka de ésos. Además mido uno ochenta descalza, coño, no me faltaría más que andar con zancos.

Aquel día estaba sopesando la posibilidad de ir a la sala de tiro para practicar un poco cuando sonó el móvil. Un

SMS del Jefe, de lo más escueto, según estilo de la casa: nada más que la hora de la cita, maniáticamente precisa («a siete para las once», «a las diez y treinta y tres», cosas así), como si en una capital como la nuestra el tráfico permitiese tanta puntualidad. Lo hace para tener luego motivos que le autoricen a torcer el gesto si me retraso mínimamente o para tenerme esperando en la antesala hasta la hora exacta: supongo que es una especie de acoso laboral, pero los hay peores, de modo que paso de él. Ese día se portó bien porque me concedió nada menos que veintidós minutos para llegar a la oficina. Como voy en moto no debería tener mayores problemas de atascos para llegar, así que cogí mi Honda (una Fireblade CBR 1000, ni más ni menos) y allá que me fui. Supongo que ahora es el momento de decir que así comenzó la gran aventura de mi vida. Bueno, pues dicho queda, aunque he tenido también otras que no le iban demasiado a la zaga.

En la antesala me presenté a nuestra Moneypenny, que es un cincuentón más bien calvo y se llama Leandro. También estaba Ricky, el compañero que menos me apetece para trabajar. No es que sea mal chico, lo único que se le puede reprochar es que se considera demasiado bueno: un as en todas las categorías según su criterio, aunque en realidad no pasa de aprobado por los pelos. Me refiero a sus capacidades profesionales, porque en otros campos no llega al suficiente. Le probé en la cama, como a todos los demás, y me ayudó a reforzar mi convicción de que el órgano sexual más importante es el cerebro. Naturalmente, él se quedó muy satisfecho de sí mismo y convencido de que yo salí igual del trance, por lo que no deja de intentar un segundo *round*. Tiene pocas posibilidades de conseguirlo, en lo que de mí depende. Se mostró encantado de verme:

—Estupendo, niña, otra vez juntos. El *dream team*, ¿eh?

Lo de «niña» no hay modo de curárselo y ya hasta me da igual. No lo dice con retintín ni por molestar, es su forma de hacerse el simpático. No soy quisquillosa, me basta con saberme superior, de modo que le asesto sin más comentarios mi sonrisita de circunstancias. Leandro nos anunció por el interfono y casi inmediatamente pasamos al despacho del Jefe. Le dejé a él ir delante, sé que al pobre le gusta.

El Jefe nos indicó que nos sentásemos con un gesto amplio de ambos brazos. Es un tipo... bueno, es el Jefe: no puedo dar más datos que permitan identificarle. Sólo diré que para introducir los casos que va a encargarnos le gustan los meandros y las revueltas, con bastantes citas de gente ilustre que sólo él conoce, aunque luego a la hora de las órdenes sea por lo común sucinto y concreto. En esta ocasión, se anduvo menos por las ramas que otras veces.

—Se trata de un asunto aparentemente bastante sencillo, una simple escolta. Quién va a ser escoltado y por qué, eso os lo contará personalmente el tipo que contrata nuestro servicio. A mí me ha dicho bastante poco, de modo que prefiero callarme lo que sé y que él os lo explique todo desde el principio. Es muy cauteloso, yo diría que *pomposamente* cauteloso: ésa es una de las dos cosas que me intrigan. La otra es que está dispuesto a pagar una tarifa que me hace la boca agua, pero que no deja de alarmarme. Por supuesto, las prevenciones habituales: nada de policía, confidencialidad absoluta...

—Claro, por eso paga bien —comentó astutamente Ricky.

—Si supieras lo que paga, hasta tú te darías cuenta de que debe haber algo más —repuso el Jefe, pensativo—. Me ha insistido en que debo mandarle lo mejor de mi personal. Después de estudiarlo un poco, he descubierto con sorpresa que sois vosotros dos.

—¿Cuándo empezamos? —pregunté yo.

—No lo sé. Pronto, supongo. Por lo visto, el que tiene que ser escoltado aún no ha llegado a la capital. Cuando esté aquí se pondrá directamente en contacto con nosotros. Pero todos esos detalles os los explicará este señor por la tarde.

Nos pasó una tarjeta, con un nombre y la hora de la cita. Ricky la atrapó casi al vuelo, de modo que yo no pude verla. Bueno, para qué las prisas, pronto sabría tanto como él y aprovecharía lo que sabía mejor que él. La entrevista había acabado y nos levantamos para largarnos. Pero no podía faltar el estribillo acostumbrado. El Jefe me recordó:

—Atila, ya sabes: reflexión y acción.

Era una especie de consigna entre nosotros, con algo de broma ya, pero que empezó en serio. En la primera misión que me encargó, hace tres años y cuando era yo novata total, me despidió con la cita de no sé qué filósofo francés: «No lo olvides, hay que actuar siempre como un hombre de pensamiento y pensar como un hombre de acción. Eso vale para hombres y mujeres, claro está». A partir de entonces, siempre me remachaba lo mismo cuando me mandaba a un trabajo. Era como la clave de su confianza en mí y yo se lo agradecía. Me enorgullecía bastante que a Ricky y los demás ni se molestara en sugerírselo.

Nuestra cita de la tarde era en una mansión de la zona residencial, rodeada por un bonito jardín con árboles frondosos y un disuasorio muro protector. Allí debíamos encontrarnos con el doctor Axel Frimossian, el generoso costeador de nuestros servicios. La cancela metálica de la señorial entrada se abrió automáticamente al decir nuestro nombre en el interfono y después nos recibió en la puerta de la casa un mayordomo que más bien parecía un matón de discoteca o uno de los agentes del FBI que corren junto al coche presidencial en las pelis. Transcurrimos a través de salones y a lo largo de pasillos, con muchos paneles de madera en las paredes, alfombras en las que te hundías como en arenas movedizas, cuadros, jarrones, fotografías enmarcadas... y más cuadros. Para mí, el máximo lujo palaciego de una morada se denuncia por dos características inequívocas: uno, antes o después te encuentras una armadura en su peana y dos, yo siento en lo más hondo de mí que no viviría ahí ni loca.

La armadura montaba guardia a la entrada del gran salón en que acabó nuestro viaje. Ricky se acercó a curiosear a través de la rejilla de la visera, mientras seguramente se imaginaba dentro de esa fortaleza de hojalata, repartiendo sablazos a miembros de Al Qaeda. Por lo menos no dio unos golpecitos con los nudillos en el metal, para comprobar si estaba hueca. La estancia era bastante menor que nuestro estadio olímpico, aunque albergaba muchas más lámparas de bronce y más tapices de... de lo que estén hechos los tapices. Nuestro anfitrión estaba allá lejos, al fondo, de pie junto a una mesa de despacho enorme y maciza, en la que apoyaba una mano como si estuviera posando para un retrato. Era alto y ancho de hombros, pero viejo, lo menos cincuenta años: no se puede tener todo. Iba vestido de punta en blanco o, más bien, de punta en negro, como si fuese a ir luego a una cena de gala.

—Pasen, pasen, por favor. Y díganme: ¿qué saben ustedes de historia del arte? —A pesar de su aspecto imponente tenía una decepcionante voz chillona, como de carroza maricón.

Ricky se encogió de hombros y me lanzó una media sonrisa de complicidad: ¡a nosotros iba a venirnos con ésas! Yo respondí educadamente que nada de nada.

—Me lo figuraba. ¡Ay, la enseñanza de nuestros colegios! En fin, males de la época. Pues deben saber que el arte es la pasión de mi vida. Están ustedes rodeados —hizo un gesto amplio y posesivo— de piezas únicas que he ido coleccionando durante muchos años. Y lo que está a la vista no es ni mucho menos lo mejor, sólo la punta del iceberg, ya me entienden, je, je —rio con ufana malicia—, la puntita del iceberg. Lo mejor lo guardo para mí solo y para unos pocos amigos, no tengo afanes de notoriedad ni pretendo atraer a los turistas. En confianza, les diré que algunas de las mejores piezas de mi colección las he obtenido de modo no muy... o sea, que ciertas autoridades quisquillosas desaprobarían. Pero siéntense, siéntense. ¿No quieren beber algo?

Podíamos pasarnos sin beber y hasta sin sentarnos, de modo que continuó con su perorata.

—El problema de los amantes del arte algo heterodoxos, como yo, es que tenemos que pagar precios muy altos por obras que a veces no tienen su documentación en regla. Vamos, corremos el peligro de que nos engañen. Hay tanto canalla suelto... Y en el mundillo del tráfico artístico, aún más. De modo que todas las precauciones son pocas. El dinero no me importa, si lo que voy a comprar merece la pena. Pero de mí no se ríe nadie, ¿eh? Nadie.

Se le puso la voz un poco más chillona de lo corriente y pegó un puñetazo en la mesa con la mano que le servía de puntal.

—Para abreviar, resulta que me han ofrecido algo prodigioso. Si es cierto que no saben nada de historia del arte, quizá ni conozcan los nombres de Rafael Sanzio y Miguel Ángel Buonarroti. Créanme, fueron dos artistas italianos de hace siglos supremos: nadie ha logrado mejorarlos. ¡El exquisito Rafael, el vigoroso Miguel Ángel! Fueron rivales y compitieron como arquitectos, como pintores, en todos los campos. Se disputaron el apoyo del Papa y de otros mecenas de su época. ¡Un duelo de colosos, al que debemos obras incomparables! Nadie puede decir quién de ambos fue más excelso en mérito, pero lo que no admite discusión es quién triunfó en longevidad, porque Rafael murió muy joven y Miguel Ángel cumplió más de ochenta años.

Hizo una pausa dramática. Ricky se aburría y no lo disimulaba, movía los pies, miraba al techo y estaba a punto de ponerse a silbar. De modo que el erudito doctor Frimossian se centró en mí.

—Señorita, disculpe la pregunta. ¿Ha visitado usted el Panteón en Roma?

—Lo siento, nunca he viajado al extranjero.

—¡Debe usted ir a Italia, señorita, debe ir! Me agradecerá este consejo, porque vivirá algo inolvidable. Si me lo permite, hay en su belleza algo de renacentista... Perdone mi atrevimiento. Bien, en el Panteón, en el mismo centro de la vieja Roma, está enterrado Rafael. Unas memorables palabras en latín constituyen su epitafio: «Ésta es la tumba de Rafael. Durante su vida, la madre naturaleza temió ser vencida por él y, a su muerte, morir también». ¡Sublime! Esa despedida eterna la escribió el cardenal Bembo, amigo y protector de Rafael pero también de Miguel Ángel. Pues bien, según parece, Bembo logró convencer a Miguel Ángel de que pintase un retrato de su gran rival en el lecho de muerte. ¡La imagen del joven Rafael muerto, pintada por Miguel Ángel! Un cuadro de pequeño tamaño, casi secreto, que el cardenal debería guardar para sí mismo como un recuerdo precioso del artista amado. Una obra de valor incalculable, por su tema y por su autor.

Se quedó pensativo y mirándome de reojo, como si esperase algún comentario mío sobre el asunto. Yo sólo pensé «pues bueno», pero no despegué los labios.

—¿Existe de verdad ese cuadro o se trata de una leyenda artística, como el Santo Grial o el cuarto libro de *El señor de los anillos*, en el que Sauron se toma cumplida revancha? A mí me han ofrecido el cuadro, con toda discreción y desde luego por un precio portentoso. La fuente es fiable: según ella, el retrato *Rafael yacente* ha estado durante el último siglo y medio en posesión de una familia de aristócratas polacos, que lo ocultaron celosamente de las sucesivas autoridades del país, de los nazis, de los comunistas y de los demócratas o pseudodemócratas presentes. El actual heredero es un joven perfectamente moderno, es decir, corrupto hasta la médula. Quiere sacar lo máximo posible por su patrimonio y, por tanto, no piensa cederlo al gobierno polaco ni siquiera venderlo legalmente. Necesita un comprador como yo, con mucho dinero y sin escrúpulos... en lo tocante a conseguir cosas bellas, por supuesto. En efecto, si esa obra de Miguel Ángel existe, si es auténtica, estoy dispuesto a pagar lo que sea por conseguirla. Será un inmoderado placer poseerla y aún más saber que nadie podrá contemplarla, salvo quien yo quiera, cuando yo quiera y en las condiciones que yo quiera.

¿Eran figuraciones de mi sucia mente o aquel viejo prepotente se estaba poniendo cachondo con sólo imaginarse dueño del cuadrito?

—Aunque algo debe quedar claro: pagaré lo que haga falta, pero no voy a dejarme engañar. Necesito tener plenamente garantizada la autenticidad del cuadro. ¿Quién puede confirmármela o desmentírmela sin lugar a dudas? No me fío de los expertos oficiales, cargados de títulos académicos y miopía artística. Con un cheque lo suficientemente abultado de por medio, la mayoría de ellos reconocerá las huellas dactilares de Miguel Ángel en cualquier postalita. Y los que no son tan venales son muy vanidosos: mi secreto estaría a las dos semanas en todos los suplementos culturales y en YouTube. En cuanto a los peristas a los que recurro habitualmente, acostumbrados a tratar con mercancías ilegales y a guardar silencio, no tienen a mi juicio suficiente competencia para juzgar un caso tan especial. No, no. Sólo hay una persona *viva* en el mundo que reúne todas las condiciones del experto que necesito: un criterio absolutamente fiable, el máximo de honradez y la capacidad de guardar una reserva plenamente sepulcral. Como habrán adivinado, ésa es la persona a la que he recurrido y a la que ustedes deberán proteger hasta que haya cumplido su misión.

Ricky carraspeó ruidosamente antes de iniciar una pregunta que el doctor Frimossian atajó con un gesto imperioso.

—Sobre él les puedo decir muy poco y, además, cuanto menos sepan, mejor. Viene de Italia y sus problemas de seguridad se deben a una especie de persecución religiosa que una secta violenta ejerce contra él. ¿Recuerdan ustedes la fetua de Jomeini contra Salman Rushdie? Bueno, pues algo muy parecido. El caso es que está obligado a vivir en la clandestinidad y a moverse de un lugar a otro con las mayores precauciones. No puede recurrir a las autoridades policiales de ningún país porque su situación legal es, por decirlo así, comprometedora. Pero naturalmente no accede a desplazarse a ningún sitio si no se le garantizan medidas de seguridad totalmente fiables. De modo que serán ustedes los encargados de protegerle, con la mayor discreción. De hecho, ni yo mismo sé cuándo y cómo va a llegar a esta ciudad. Él mismo se lo hará saber directamente a su jefe, cuando le parezca oportuno. Conmigo se ha comprometido a estar aquí, en esta casa, el próximo jueves, es decir, dentro de tres días, a las diez en punto de la noche. Los actuales dueños del cuadro se avienen a cedérmelo durante doce horas improrrogables en esa fecha, para que hagamos las comprobaciones necesarias. Después deberé tomar mi decisión. Su tarea es garantizar su seguridad estas setenta y dos horas y procurar que llegue a nuestra cita sano y salvo. Es todo lo que puedo decirles al respecto, aunque les aseguro sinceramente que confío en su profesionalidad.

Hizo uno de sus gestos ampulosos, que tanto podían significar «sírvanse más caviar» como «vete, chucho» y nos dimos por despedidos. Ya en la calle, Ricky resopló con indignado alivio.

—¡Habrase visto gilipollas igual! Y qué aires se da. Menudo mareo, niña, todo ese lío de Rafael, don Miguel, el Ángel y demás. Yo creo que lo mejor es no hacer ni caso, ¿no te parece?

—Tienes razón, olvídalo. Nosotros, a lo nuestro. Esperaremos a que nos digan cuándo y dónde llega el pájaro, lo recogemos, se lo facturamos al Jefe y él nos dirá qué debemos hacer. Estate pendiente del móvil, ¿eh? Creo que voy a la piscina a hacerme unos largos.

—Descuida, niña. Siempre vigilante, ya me conoces. Y siempre a punto, por si quieres algo más de mí...

Chasqueó la lengua, libidinoso. Cuando lo intentaba, se ponía tan irresistible como un pinzamiento muscular. Yo le había cogido algo de afecto, a base de no tomarle jamás en serio.

Me fui a la piscina cubierta y apenas había abierto la taquilla del vestuario cuando sonó el puto móvil. El SMS del Jefe decía: «Remo Fantoni, llega de Roma, AZ 1054, 22.50 h». Y se adjuntaba una foto que podía ser de cualquiera, menos mía. Tenía el tiempo justo para mis veinte largos de reglamento. Después cogí mi Fireblade y me largué zumbando al aeropuerto.

Allí me encontré con Ricky, que llevaba un folio donde había escrito «FANTONI» con su aplicada letra mayúscula. Qué mono era, pobrecillo. Nos pusimos en la puerta de llegadas, rodeados por otros portadores de carteles y de los chóferes de las agencias de viaje. El vuelo de Roma sólo se retrasó cuarenta minutos, más el plazo para recoger los equipajes. Después empezaron a salir los viajeros, unos muy decididos porque sabían que nadie los esperaba y otros mirando a derecha e izquierda en busca de sus acompañantes. Yo estaba segura de que reconocería nada más verle a nuestro hombre, pero no acerté. Primero creí que era un gordo acalorado que arrastraba un maletón con ruedas y luego supuse que sería el larguirucho de la bolsa de piel al hombro, pero me equivoqué en ambos casos.

Ya empezábamos a impacientarnos cuando alguien carraspeó discretamente a nuestro lado. Vaya, qué tipo sigiloso, nos cogió por sorpresa. Era más bien bajito, frágil, como chupado, de pelo grisáceo cortado al cepillo. Vestía con una elegancia de toque bohemio bastante anticuada: una chaqueta de pana oscura de buena calidad sobre un jersey de cuello de cisne verde oscuro. Llevaba unas estrechas gafas negras, de laterales anchos, casi un antifaz y no cargaba más que un pequeño maletín.

—Soy Fantoni —declaró, y nos hizo una especie de reverencia ceremoniosa y algo risible. Ni que fuera japonés. Muy bien, asunto resuelto. Nos pusimos en marcha rápidamente hacia la puerta de salida con Ricky abriendo la marcha.

Pensábamos aplicar el protocolo habitual en esos casos. Nuestro cliente iría con Ricky en el coche y yo les seguiría (o les precedería, según conviniese) en la moto. Como habíamos llegado al aeropuerto por separado, nuestros vehículos respectivos estaban algo distantes. Me encaminé hacia la Fireblade y le dije a mi compañero que esperaría a ver pasar el auto para ponerme en movimiento. Cuando me volví, los vi alejarse: Ricky, enorme y ufano empuñando su llavero, acompañado de la sombra pequeña y vulnerable del recién llegado. Tras ellos tres figuras más, con apresurada determinación. No me gustaron nada. Eché a correr, por en medio de la calzada.

—¡Mayday, Ricky! ¡Mayday, mayday!

Me oyó y empezó a volverse a medias, pero no le dio tiempo a más. Oí los taponazos de los disparos con silenciador y cayó de rodillas con la mano en el pecho, no sé si cubriendo su herida o buscando la pipa. Yo también disparaba sin dejar de correr y los atacantes se dispersaron agachados y zigzagueando. Profesionales. La gente gritaba, la cola de los taxis se había vaciado de repente y todo el mundo quería volver a entrar a toda prisa al edificio de llegadas. Iba tan doblada para presentar menos blanco que llegué junto al yacente Ricky casi a gatas. Poco podía hacer ya por él.

—Ricky...

—¡Lárgate, niña, cuida al pájaro! Esos cabrones van en serio.

Tosió un poco y murió. Fantoni permanecía allí inmóvil, como alelado. Podría haber estado esperando el autobús. Le agarré del brazo sin miramientos y le arrastré casi en volandas hacia la moto. No pesaba nada, un saco de huesos, pero se movía a cámara lenta. Yo no podía llevarle en brazos, tenía que ocuparme también de la pistola. Los otros seguían a lo suyo, más taponazos, y un balazo rebotó en el suelo a centímetros de mi pie derecho.

—¡Venga, deprisa, no mire atrás!

Creo que nos salvaron varios taxis que se habían puesto en movimiento para huir de la quema. Desfilaban a toda prisa por nuestro lado y nos cubrían de los disparos. Por fin, tras una carrera que se me hizo interminable, llegamos a mi fiel Fireblade y subí a la grupa a mi cliente, de un tirón. El encendido funcionó casi a la primera, arrancamos a toda leche: para habernos matado. El casco rodó por el asfalto.

—¡Agárrese bien a mí! ¡No se vuelva!

Íbamos en plan suicida, sorteando coches y adelantando a todo el mundo. De vez en cuando me metía a contramano en el carril opuesto. El código de circulación es un buen invento, pero no dice nada de cómo hay que circular para que no te agujereen a tiros. El paquete se sujetaba a mí sin decir palabra ni soltar su maletín. Creo que ni respiraba siquiera.

Habíamos dejado ya atrás las luces del aeropuerto, pero yo seguía sin disminuir la velocidad, aunque estaba casi segura de que no nos seguían. Son cosas que se intuyen por experiencia. Cuando me cansé de blasfemar y maldecir, grité hacia atrás:

—¡Joder, por poco! ¿Está herido?

—No —me susurró al oído. Estaba tenso pero no histérico—. No iban a por mí.

—¿Cómo que no?

—A mí no me hubieran disparado. Iban a por ustedes. Pretendían... dejarme solo.

Vaya, qué noticia. Pero no era momento para ponerse a discutir. Ahora había que decidir a dónde dirigirnos. Mi primera opción fue la oficina, claro, pero Fantoni me previno el pensamiento.

—Por favor, no me lleve a ningún lugar que ellos puedan conocer. Ni a su casa. ¿Hay algún otro sitio seguro?

Quién sabe, quizá tenía razón. Era evidente que nos tenían localizados, nos habían seguido. Una emboscada. De modo que me dirigí a casa de Basilisa.

Cuando llegamos, al bajarnos de la moto, noté que Fantoni se tambaleaba un poco. Un hilillo de sangre le salía del oído y le resbalaba por la cara. Cuando se lo indiqué se sonrió levemente, como disculpándose.

—No es nada, consecuencias del estrés. No me sientan bien estos jaleos.

No rechazó mi brazo para apoyarse y así entramos en el portal. A pesar de la hora, medianoche casi, mi amiga nos recibió con la más cálida acogida. Estaba viendo en el vídeo *El lago azul*, yo creo que se la ponía un par de veces por semana. Qué buena chica: apenas preguntó nada (aunque miró con bastante curiosidad a mi inusual acompañante) y enseguida se empeñó en prepararnos algo para cenar. Lo primero que hice fue llamar al Jefe para contarle lo ocurrido y pedir instrucciones.

—Muy bien, Atila, acción, reflexión. Has hecho lo debido. ¡Qué putada lo de Ricky! No te preocupes por los detalles, yo hablaré con la policía y me encargo de todo lo demás. Ya sabes que eso se me da bien. Lo importante ahora es que os mantengáis a cubierto, el cliente y tú. Si estás en un sitio seguro no os mováis de ahí. Mañana y pasado, hasta la cita, perfil bajo, poca agitación y mantén los ojos bien abiertos. Y mantenme informado, ¿eh?

Basilisa sacó unos bocadillos más bien vegetales y unas cervezas sin alcohol. Después se retiró a su dormitorio, no sin decirnos que la llamásemos a cualquier hora si necesitábamos algo. Lo dicho: admirable. Yo tenía un hambre del carajo, la adrenalina me abre el apetito, de modo que me puse a comer como una ogresa. Fantoni me miraba con aire cansado, palidísimo, pero con una leve sonrisa de simpatía. No probó bocado ni bebió nada. Dijo que no tenía apetito. Con la boca llena le pregunté quiénes eran los hijos de mala madre que nos habían atacado.

—De muy mala madre, en efecto: la Madre Iglesia. Son una banda secreta de fanáticos religiosos violentos que se hacen llamar la Cofradía. En realidad debería ser la Cofradía Monoteísta, porque en esa piara hozan juntos judíos, cristianos y musulmanes. Han logrado suspender la animadversión teológica que se profesan, unidos por el odio común a los infieles de cualquier credo. Durante más de una década han dado su escarmiento, como ellos dicen, a clínicas abortistas, locales donde se reúnen homosexuales, escritores blasfemos y políticos propugnadores de medidas laicistas. Hace dos años eligieron a un nuevo Cofrade Mayor, cuya identidad no conozco, claro, pero que se caracteriza por su feroz inquina contra una minoría muy especial.

Se calló por un momento y permaneció mirándome con los ojos invisibles tras sus gafas oscuras.

—Dígame de qué minoría se trata.

—Ahora mismo, pero antes, ¿no es mejor tutearnos? Después de todo, podría ser tu... en fin, tu padre, por lo menos. Además, ya hemos pasado una aventura juntos. Me llamo Remo, ¿y tú?

—Atila —me encogí de hombros—. Mi padre creía que era un nombre de mujer.

—Bueno, no te preocupes. Lo malo no es llevar el nombre de un bárbaro, sino serlo. Como el Cofrade Mayor del que te hablaba. Su obsesión es exterminar a los pocos supervivientes que quedan de una minoría a la que por desgracia pertenezco. Ha jurado acabar con los últimos vampiros.

—¡Coño! —Me levanté a medias, sobresaltada.

—Es lo menos que puede decirse. De modo que ya sabes de qué va esto. Estoy en tus manos.

—Pero ¿cómo...? Vamos, Remo, menos cachondeo, es imposible. ¿Te estás quedando conmigo?

—Por favor —suspiró con tono fatigado—, dispénsame de las vulgaridades que me hartan. No me parece que seas una mujer vulgar y, créeme, he tenido tiempo para aprender a conocer a la gente. Soy un vampiro, qué le vamos a hacer, y esos hijos de mala madre quieren matarme por odio teológico a lo que no entienden. Pero no a tiros, desde luego. A mí las balas... Por eso te dije que primero querían mataros a vosotros.

—Pero, entonces, ¿qué haces tú aquí? Y ¿cómo han sabido ellos...?

—Vamos por partes, como decía Jack el Destripador (algún día te contaré cosas de él, si quieres, le conocí bastante). Empiezo por la segunda pregunta. Desde hace un año me tienen acosado, no me dejan en paz, me han obligado a vivir en las catacumbas... bueno, es una forma de hablar. Por eso tengo que ir protegido a todas partes o permanecer oculto. En cuanto a tu primera cuestión, pues tienes que saber que paso por ser una autoridad mundial en cuestiones de arte del Renacimiento italiano. Lo cual no tiene mucho mérito, pues fue en esa época donde yo viví antes de... antes de mi transformación. Conocí personalmente a esos grandes artistas, los amé y admiré, colaboré con ellos... ¿Sabes? Yo también fui pintor. Estas manos...

—me las enseñó, pequeñas y finas, algo temblorosas; en la

izquierda lucía un anillo de preciosa filigrana, con una gran amatista—, estas manos han estrechado las de Leonardo, las de Miguel Ángel, las de Rafael de Urbino...

Yo guardé silencio. ¿Qué va una a decir ante semejantes chaladuras?

—De modo que cuando me propuso Frimossian autentificar ese cuadro, acepté por dos razones. Primero, francamente, por curiosidad. Y hasta por nostalgia. Yo sé que Miguel Ángel pintó esa obra para el cardenal, incluso la vi en su día. La verdad, estaba convencido de que se había perdido y me sigue resultando muy raro que haya aparecido ahora de una forma tan rocambolesca, pero ¿quién sabe? A fin de cuentas, debo de ser el único en este mundo o en el otro que puede decir con certeza si es auténtica o no. La segunda razón es menos elevada. Es triste decirlo, pero necesito mucho dinero. Hace siglos que renuncié a la vía de alimentación clásica de nuestro gremio, que no necesito explicarte cuál es: la casa Hammer y otras productoras cinematográficas ya han poetizado exageradamente sobre el tema. Utilizo alternativas (no te diré cuáles son, suenan un poco repugnantes para la gente común), pero todas salen bastante caras. Y además me encanta viajar, pero por culpa de la Cofradía debo hacerlo con una serie de medidas de seguridad que tampoco resultan baratas. De modo que unos honorarios suculentos como los que me han prometido aquí no son desdeñables...

—¿Y cuándo te pasó, ya sabes, tu transformación?

—Yo tenía treinta y dos años —suspiró—. Supongo que puede decirse que es la edad que sigo teniendo ahora. Ya sé que parezco mucho más viejo, pero ¡qué le vamos a hacer! La inmortalidad no me ha sentado nada bien. En aquella época, ya te he dicho cuál, vivía en la Toscana, mi querida Toscana. Entonces me gustaban los muchachos. Ahora ya... eso se acabó, los chicos, las mujeres, todo. Apenas recuerdo por qué me gustaban tanto. Una tarde, en el estudio de un pintor amigo, conocí a un joven muy guapo, al modo tenebroso que me era irresistible. Nos fuimos a su guarida, cerca del camposanto. Iba a ser el polvo de una noche, intrascendente, aquí te pillo y aquí te mato. Y lo fue, lo fue, aunque luego seguimos casi medio siglo cazando juntos. Entonces los de nuestra raza abundábamos mucho más que hoy. Nos vamos extinguiendo.

—¿Por culpa de la Cofradía?

—No, mujer, qué va. La cosa viene de mucho antes. Nuestra plaga endémica es el suicidio. Es curioso, pero en cuanto sabes que no vas a morir, lo primero que te preocupa (tras correrte unas cuantas juergas sanguinarias) es averiguar cómo puedes matarte. Por si acaso, sólo por si acaso. Luego, la tentación va haciéndose más acuciante, a medida que el paso de los años nos hace languidecer. Comprendemos que no es lo mismo no haber muerto que estar vivo: somos vivos imperfectos. No vivimos, tan sólo existimos. La perfección de la vida es su casi insoportable pero intensa fugacidad y el hecho de que su perfil se realza sobre el fondo obstinado de la muerte. Cuando falta la fugacidad, todo sobra: el sexo es una insufrible parodia, por ejemplo. Y de la lucha política, para qué hablar: la burla de los siglos hace igualmente superfluo el afán de cometer injusticias que el de remediarlas. En cuanto al conocimiento, ¿qué más da poder explicar lo que es o dejarlo envuelto en el misterio, si en cualquier caso nunca dejará de ser como es? Y así, poco a poco, la muerte voluntaria se va convirtiendo en la tentación irresistible, la verdadera novedad, el último entretenimiento.

Vaya jaleo, no le entendía ni la mitad de la cháchara. Pero me gusta intentar dar ánimos.

—Sin embargo, tú te has salvado.

—De todo, menos de la melancolía. A mí me rescata, de momento, la afición al arte. La bella imagen, la página de emoción irreprochable, el solo de violín... En el arte uno puede acatar el temblor fugaz de la vida sin venerar a la muerte. Al disfrutar una obra de arte todos los humanos somos inmortales, los vampiros y los demás. El tiempo ya no destruye, la eternidad parece soportable. La afición artística es el único y verdadero instinto de conservación. Yo lo tengo, por eso me paso este simulacro de existencia viajando de aquí para allá en busca de un icono olvidado en una ermita búlgara o para escuchar un aria de Cecilia Bartoli. Aunque, para serte sincero, el arte actual cada vez me ayuda menos. Un tiburón conservado en un tanque de formol o una instalación de trapos de cocina rematados por una escoba... en fin, la cosa se va poniendo realmente más difícil.

No pude remediar un bostezo. Era ya muy tarde y el día había tenido mucho ajetreo. Sugerí que debíamos dormir un poco. Yo sabía que en el dormitorio de Basilisa había sitio para mí y quizá Remo, en el sofá.

—Claro que sí, ahí descansaré estupendamente, no te preocupes. He dormido en sitios más incómodos.

De pronto me asaltó otra preocupación. Por la mañana, la luz del sol... Fantoni se echó a reír suavemente.

—Tampoco debes hacerle caso a la Hammer en todos los detalles, Atila. No me convertiré en un montón de polvo putrefacto cuando llegue la mañana. Aunque la verdad es que me encuentro mucho mejor a la caída de la tarde y por la noche. En fin, a lo mejor tengo suerte y amanece nublado.

Al día siguiente, me levanté a las siete. Como sé que Basilisa no debe ir a sus masajes hasta las nueve y media, le encomendé que cuidara del cliente hasta mi regreso. Fantoni yacía boca arriba en el sofá, con las manos cruzadas sobre el pecho, totalmente vestido y con las gafas oscuras puestas. La manta que le ofrecimos estaba en el suelo a su lado, sin desdoblar. No rebullía en sueños, no roncaba, no se le oía ni respirar. No parecía dormido, sino otra cosa.

Si no hubiera sabido lo que sabía, me habría preocupado por él.

Tomé prestado un chándal con capucha de mi amiga y salí sin hacer ruido. No pensaba desde luego acercarme al gimnasio, que era uno de los lugares lógicos para ser localizada por alguien con malas intenciones. De modo que fui a correr por el Jardín Municipal, convenientemente encapuchada. Lo necesitaba, no puedo empezar el día sin hacer algo de ejercicio. Galopé durante más de una hora, aunque sin perder de vista nunca lo que me rodeaba y a los otros deportistas, no demasiados, que compartían los gratos caminos arbolados. En efecto, atendiendo a los deseos de Remo, el cielo estaba nublado, aunque ya apuntaban claros. Qué curioso ese cielo tan familiar, con jirones de azul entre pelotones oscuros, como cualquier otra mañana: ahora ya sabía que su rutina indiferente cubría cosas que nunca antes había imaginado.

Cuando volví a casa de Basilisa, mi amiga charlaba con Fantoni, que estaba recostado en el sofá y evidentemente aún con pocas ganas de levantarse. Mientras me encaminaba a la ducha, oí al vuelo un fragmento de diálogo bastante divertido.

—Voy a preparar el desayuno. ¿Tú qué quieres? Tengo de todo, menos beicon.

—Eres muy amable, pero no tomo nunca nada por la mañana.

—Pero si anoche tampoco cenaste nada.

—Soy poco comilón.

—Claro, así tienes ese color tan... tan desmejorado. ¿Tomas el aire?

—Siempre que puedo y mientras pueda.

—Te conviene el campo. ¿Vas al campo?

—¿Al campo? Claro, con frecuencia. Suelo dormir debajo.

La generosa Basilisa se marchó por fin a su trabajo, aunque noté que había tomado la firme decisión de regenerar la quebrantada salud de su nuevo huésped. Me dije, con íntima diversión, que por fin había tropezado con un caso realmente difícil, hablando en términos ecológicos. Cuando acabé de ducharme y desayuné abundantemente sin complejos, llamé al Jefe. Se las había apañado muy bien con la policía y con los medios de comunicación para despistar a todos sobre el tiroteo del aeropuerto. Ricky estaba en las manos carniceras de los forenses y el entierro sería probablemente dentro de dos o tres días. Aunque no suelo ir a esas ceremonias, me prometí asistir. Por lo demás, no había muchas novedades. Me insistió en que no se me ocurriera aparecer por la oficina: no había visto ningún movimiento raro por los alrededores, pero estaba convencido, por intuición, de que la vigilaban.

De modo que puse la televisión y así tuvimos ocasión Remo y yo de comprobar hasta qué asombroso punto las trolas del Jefe habían tenido éxito. Mi protegido parecía especialmente divertido con lo que veía y oía.

—Oye, creo que tu jefe es un tipo realmente admirable. Los Borgia no lo habrían hecho mejor.

—No hay otro como él. Estás en buenas manos.

—Eso nunca lo he dudado, Atila, desde que te he visto en acción.

Vaya, me gustó oírlo. Amable por su parte, ¿no? Otro no hubiera perdido la ocasión de quejarse, porque la operación del aeropuerto no fue precisamente un éxito. Lo siguiente que dijo ya me gustó menos.

—Atila, ¿crees que podríamos salir?

—Pues, no sé. Según. ¿A dónde quieres ir?

—Me gustaría mucho ir al Museo de Bellas Artes. No ahora, por la tarde, un par de horas antes de que vayan a cerrar. Me han dicho que tiene una colección muy estimable. En particular hay un cuadro que tengo muchísimas ganas de ver.

No diré que el museo es uno de mis rincones favoritos, la verdad. Sólo he estado allí tres o cuatro veces, siempre acompañando a visitantes extranjeros a los que debía proteger y francamente no me parece el sitio más divertido del mundo. Además, podía resultar peligroso si los de la Cofradía conocían bien a Remo y eran capaces de sumar dos y dos. Pero en fin, los escoltas estamos precisamente para que nuestros clientes puedan hacer una vida más o menos normal.

—Bueno, si te empeñas... Pero procuraremos que la visita sea rápida, ¿de acuerdo?

—Naturalmente, como digas.

De modo que a eso de las seis nos fuimos hacia allá. Naturalmente renuncié a la moto, que cantaba demasiado. Tomamos un taxi y, al bajarnos, Fantoni me dijo que era mejor que entrásemos separados.

—No sé si dejarte solo es lo más oportuno.

—Lo es, créeme. Estaremos siempre cerca. Y además, yo puedo resultar poco visible cuando quiero.

¡Y tanto! Me puse en la breve cola, saqué mi entrada y cuando miré discretamente alrededor para situarle había desaparecido. Me quedé sorprendida, porque no es cosa fácil despistarme. Hasta se me ocurrió pensar por un momento que lo de la visita al museo era un truco para darme esquinazo. Me paseé despacio por el vestíbulo, fingiendo admirar la fétida estatua de una tía danzarina acompañada por una cabra, un ciervo o algo así. Como ya no quedaba mucho más de una hora para el cierre, no había demasiada gente: incansables y agrupados, los japoneses hacían el mayor bulto.

—¿Te gusta esa Diana cazadora? —Remo estaba a mi lado, ni visto ni oído.

—Me parece horrible —confesé.

—Lo es. ¿Entramos?

Recorrimos dos o tres salas, casi sin detenernos. Yo creía que en los museos había que ir de un cuadro a otro, parándose con cara de preocupado interés ante cada uno hasta pasar al siguiente. Un coñazo. Pero mi guía no observaba ese ritual. Entraba en la sala, echaba desde el centro una mirada alrededor y por lo general murmuraba: «Aquí no hay nada». A veces, en cambio, me arrastraba suavemente hasta un cuadro y me hacía algunos comentarios precisos, señalando con su fina mano pálida los detalles: la expresión de unos ojos, los pliegues de un vestido, el paisaje al fondo de un retrato. Y allí estaba, la magia. Si él no me la hubiera mostrado, nunca la habría visto. De vez en cuando, me sometía a prueba. Me llevó ante una imagen pequeña, casi una postal, que representaba un raro ambiente de lagunas y colinas, con figuras minúsculas.

—¿Qué es lo que más te gusta de éste?

—No sé, tiene algo. Ese azul...

Se rio bajito.

—Muy bien. Es un Patinir.

Más adelante paramos ante un cuadro más grande, una mujer medio desnuda de pelo muy largo y dorado. Anunció como esperando impresionarme: «Botticelli». Como vio que no me producía ni frío ni calor, se impacientó un poco.

—Pues te pareces bastante a las modelos que pintaba. En más robusto, claro.

Yo miraba los cuadros, pero no quitaba ojo a lo que nos rodeaba: quién entraba, quién salía, quién se nos acercaba... Ahora compartíamos la sala con un colegio, una clase de pequeñajos de siete u ocho años. La maestra, con santa paciencia y en un tono alegre, les describía los cuadros mientras hacía preguntas sobre ellos. A la zaga del grupo había una parejita, él con gafas y ella con trenzas y aparato de ortodoncia. El crío no le quitaba ojo a Remo, se lo señalaba a su amiga y le contaba algo muy excitado al oído. Ella negaba con la cabeza, muy suficiente. Por fin el gafitas se separó de los demás, se acercó tímidamente a mi acompañante y le tiró de la manga.

—Oye, señor, ¿eres un...?

Remo le miró, le sonrió un poquito y se llevó un dedo a los labios pidiendo silencio.

El chaval abrió los ojos como platos, sacudió la mano derecha para mostrar su admiración y murmuró:

—¡Jo, qué fuerte!

Corrió al lado de su amiga para confirmarle su descubrimiento, pero ella volvió la cabeza y se encogió de hombros como señal de fastidio. Las chicas a veces somos así.

Por fin llegamos a la sala que evidentemente más interesaba a Fantoni. Se detuvo respirando hondo —o así me pareció— ante el retrato de un joven distinguido, tocado con una curiosa gorra negra como de terciopelo. Luego suspiró:

—Es Rafael.

A continuación me mostró otros cuadros del mismo autor, una Virgen con su Niño jugando, varias figuras en una especie de plaza con grandes edificios de mármol al fondo. Me señaló detalles delicados, contrastes suaves de color. Me pareció que estaba emocionado, como no le había visto antes.

—Era un artista inmenso y todo el mundo le quería. Un verdadero seductor. Pero adulaba a los grandes, pretendía gustar a toda costa. ¿Sabes? En el fondo no creo que fuese personalmente admirable. A pesar de su malhumor y de su genio insoportable, Miguel Ángel era más decente que él.

—Bueno, ahora eso ya no importa, ¿no?

Se volvió para mirarme, con sus ojos velados que yo no podía ver. Como si por fin hubiese dicho algo interesante.

—Tienes razón, Atila. Ya no importa cómo fueron en su vida. Sólo importa lo que hicieron. Vamos, tengo que enseñarte otra cosa.

Recorrí tras él toda la sala hasta que en el ángulo más cercano a la puerta de salida se detuvo frente a un cuadro no muy grande. Representaba a un muchacho de barbilla levantada y aspecto insolente, con pelo rubio rizado. El rótulo correspondiente informaba: «Retrato de un joven. Anónimo. Escuela de Rafael». Remo lo contempló largamente, con especial concentración. Después hizo un gesto breve, como diciendo «¿qué más da?».

—Éste lo pinté yo. ¿Qué te parece?

No quise ni fijarme en el siglo de la pintura. Tampoco puse en duda sus palabras, aunque me sentía medio pirada por aceptarlas sin protesta.

—Pues creo que está muy bien, de veras. Y además que lo tengan aquí, junto a los demás, ya es algo, ¿no? Oye, Remo, ¿no has seguido pintando?

—Nunca más. —Su tono era brusco, seco—. Se acabó, eran cosas de la otra vida, de la vida. A partir de mi cambio, sólo puedo ser ya simple espectador. Ver, pero no tocar, ¿comprendes?

Pues no, francamente no. Demasiadas cosas para entenderlas en unas pocas horas. Pero ya estaban sonando los avisos que anunciaban el cierre del museo dentro de veinte minutos. Iniciamos la retirada y le pedí que me esperase un momento a la puerta del lavabo de mujeres. Era una urgencia menor: como suele pasar, la regla me llegaba en el momento menos oportuno. Afortunadamente, llevaba encima lo necesario para remediar el asunto. Me aseé un poco y volví a salir cuanto antes, me preocupaba dejar a Remo solo. Estaba en un rincón, junto a la pared, pero sin apoyarse en ella, perfectamente inmóvil y con el aire absorto que ya le conocía. Cuando me acerqué a él, seguía distraído, pero de pronto se volvió hacia mí sin decir nada ni cambiar de expresión. Las aletas de su nariz se estremecieron un poco, como si olfatease algo. Después se llevó la mano a la boca fugazmente, para taparla. Yo me estremecí y supongo que me sonrojé, pero apenas me atrevo a imaginar por qué razón. Salimos por separado, igual que entramos, y yo acababa de parar un taxi cuando noté que volvía a estar a mi lado.

Al día siguiente, cuando volvía de correr por el parque, empezó a caer un aguacero. El cielo se puso tan implacablemente oscuro que difícilmente podría creerse que apenas eran las diez de la mañana y llegué a cubierto con el chándal empapado. Por fortuna, la gentil Basilisa me había traído de casa algo de ropa para mudarme, tanto deportiva como de calle. Y calzado, por fin: mis zapatillas habían envejecido mucho en las últimas horas.

Cuando entré en el apartamento, Remo seguía tumbado en su habitual posición de estatua funeraria, aunque despierto porque me saludó al pasar cuando me dirigí apresuradamente a la ducha y a por una muda caliente. Después desayuné todo lo que pude en la cocina, lo que no es mucho decir porque francamente mi leal amiga exageraba un poco en la sobriedad espartana de sus provisiones. Yo procuro comer higiénicamente, pero como: en cambio, Basilisa parece creer que para mantenerse basta abrazar a los árboles con sincero afecto o, por lo menos, eso es lo que se deduce del contenido de su frigorífico.

En la sala me encontré a Fantoni ya levantado, mirando caer la lluvia a través de la ventana azotada por el agua. Sin volverse, declamó unas palabras en una lengua desconocida. Luego se dignó a traducirlas:

—«La tormenta rejuvenece a las flores». —Se volvió hacia mí, con su leve sonrisa de excusa—. Es un verso de Baudelaire.

No sé, a lo mejor pretendía ser un piropo. Después comentó, como si fuésemos una pareja en vacaciones:

—Creo que es un buen día para ir a algún espectáculo, ¿no te parece?

—¿Un... espectáculo? ¿A qué te refieres?

—Bueno, si pudiera ser, me gustaría mucho ir al teatro.

Me quedé petrificada. ¡Al teatro, nada menos! No he ido al teatro en mi vida, desde alguna función de marionetas a la que asistí en el colegio, hace ya rato. Aunque no sé si las marionetas cuentan como teatro.

—Teatro, ¿eh? La verdad es que de eso no entiendo mucho. ¿En qué tipo de teatro habías pensado?

—Mujer, pues no conozco la cartelera, pero seguro que algo bueno habrá. Algo de mis tiempos. Shakespeare, por ejemplo.

Consultamos un periódico del día anterior y resultó que en un local pequeño del barrio antiguo representaban *El rey Lear.* De Shakespeare, precisamente.

—¡Estupendo! Si no la has visto nunca representada, te va a encantar, ya verás. Lo malo es que no habrá entradas para hoy.

—¡Bah, habrá todas las que quieras! Puedo reservarlas por internet.

Se puso contento, por lo menos más contento de como yo le había visto hasta entonces. Parecía hacerle verdadera ilusión. Me dijo que cogiese un palco y que no me preocupara del precio. Tendría mucho gusto en invitarme, sería para él un honor, etcétera. Supongo que quería demostrarme que era un caballero «de los de antes». ¡Y tan de antes, desde luego! Le aclaré que no tenía que pagarme nada, porque todo figuraría en mi cuenta de gastos. A ver si se iba a creer que era su novia. Puse en marcha el ordenador de Basilisa, me metí en la página del teatro y en cinco minutos teníamos nuestro palco. De haber querido, habríamos podido conseguir otros diez.

—Muy cómodo ese invento, realmente —comentó Remo. Evidentemente tenía la misma familiaridad con internet que yo con el teatro.

Llamé al Jefe y me comentó que le estaban haciendo la autopsia al pobre Ricky, paso previo para dar definitivo carpetazo al asunto. No había vuelto a constatar movimientos sospechosos en los alrededores de la oficina, aunque no las tenía todas consigo. Por mi parte, le conté someramente nuestra visita al museo —sin detalles, sin detalles— y le comuniqué que por la tarde íbamos a ir al teatro. Al oírlo también pareció extrañarse, aunque algo menos que yo, y cerró el asunto suspirando: «Bueno, ya sólo queda otro día más».

Le pregunté a Remo si para ir al teatro había que vestirse de algún modo especial y le advertí que disponía de un guardarropa muy sucinto. Se rio un poco por lo bajo y me aseguró que podía vestir como quisiera.

—Los tiempos en que al teatro se iba de etiqueta y traje largo pasaron hace mucho. Seguro que estarás mejor que ninguna con cualquier cosa que te pongas.

Lo dicho, la perspectiva de asistir al rancio espectáculo le inclinaba a galanterías no menos rancias. Incluso se empeñó esta vez en que entrásemos los dos juntos, en lugar de hacer una de sus habituales desapariciones-apariciones. Aunque la verdad es que hacíamos una pareja poco armoniosa, porque me llegaba al hombro pese a ir todo tieso y la anchura de mi espalda triplicaba la suya. Pero no por ello se desanimó, sino que multiplicaba sus atenciones pasadas de moda. Me cedía el paso en las puertas con una especie de breve reverencia y cuando llegamos al palco se empeñó en acercarme la silla para que me sentara como si yo no supiese hacerlo sola. En fin, cada cual tiene sus manías y hasta empezaba a darme un poco de pena cariñosa el hombrecillo.

El teatro, qué quieres que te diga, olía a apolillado, con tanto terciopelo rojo gastado por el frote de muchos culos y sus volutas doradas que recordaban la decoración de algunos viejos *pubs* ingleses. La mayoría de los palcos permanecieron vacíos, aunque el patio de butacas estaba lleno en sus tres cuartas partes. De la obra poco puedo decir, porque la seguí a medias: a ratos dejaba de interesarme y me distraía. Trata de un viejo rey tan presuntuoso como para creer que todo el mundo va a seguir respetándole y mimándole los caprichos después de haber renunciado por simple estupidez a la corona. Si me hubiera preguntado a mí, le habría contado algunos casos de gente conocida que cometió el mismo error y acabó mal. Además, el tipo en cuestión no conoce ni a su familia y maltrata a la única hija que le quiere: cuando comprende su equivocación, ya es demasiado tarde porque la pobre niña —que me pareció demasiado buena para este mundo— muere, no me preguntes cómo. En fin, todo bastante rebuscado y contado con un lenguaje lleno de palabras raras. Probablemente hace siglos hablaban todos así.

Pero lo que más me interesó de la función, larguísima por otra parte, no fue lo que ocurría en el escenario, sino lo que pasaba en nuestro palco, a mi lado. Desde que se levantó el telón, yo diría que Remo entró en trance, como si estuviera hipnotizado. Seguía tan atentamente la representación que no se mantenía erguido como de costumbre sino inclinado hacia delante, igual que una flecha a punto de ser disparada por el arquero. Literalmente vibraba al compás de la palabrería que declamaban los actores. Era evidente que se sabía la obra de memoria y le vi mover los labios, musitando con antelación lo que después oíamos retumbar en la sala. En ocasiones alzaba un poco el tono, como gimiendo.

—Si quieres llorar mi desgracia, toma mis ojos...

Otras veces hacía un gesto de fastidio o desagrado cuando el protagonista engolaba la voz o algún otro gritaba demasiado. «No, así no», murmuraba con ira. Hacia el final, cuando Lear lamenta la muerte de su hija —«¿Por qué un perro, un caballo, una rata tienen vida y tú ni un suspiro? Ya no volverás. Nunca, nunca, nunca, nunca...»—, estaba tan emocionado que me pareció que tenía una especie de convulsiones. Y al oír «por favor, desabróchame este botón», se llevó bruscamente una mano al cuello, como si él también se estuviera ahogando. Instintivamente, casi sin dame cuenta de lo que hacía, le cogí la otra mano, que tenía crispada sobre su rodilla. Al apretarla la noté pequeña y delgada, seca, muy fría. Permanecimos así un instante, mientras hacía un ruido extraño con la garganta, algo que no llegaba a ser un sollozo. Después cayó el telón, se encendieron las luces y los actores saludaron cuando sonaban los aplausos. Remo seguía inmóvil, sin aplaudir. Después se levantó de golpe y me dijo en un tono, no sé, a la vez brusco y suave: «Venga, vámonos».

Fuera empezaba a llover ligeramente otra vez y tuvimos que caminar un poco hasta encontrar un taxi. La noche era oscurísima y las luces de la ciudad no podían con ella. Volvimos a casa sin decir ni una sola palabra en todo el trayecto.

Y por fin llegó el tercer día, el último, cuando Fantoni cumpliría con el encargo que le había traído a nuestro país y yo podría dar por finalizada mi labor de protección. Lo menos que cabía decir es que no había sido una misión como cualquier otra. El Jefe quería que mantuviésemos durante toda la jornada el perfil más bajo posible. Cuantos menos riesgos corriésemos, mejor. De modo que decidimos pasar todo el día sin salir del apartamento de Basilisa, después de haber convencido a su generosa dueña de que me trajese las provisiones de boca menos ascéticas que fuesen compatibles con sus dogmas dietéticos. Con decir que hasta pude prepararme un gigantesco bocadillo de pastrami y una ensalada de falafel con lentejas al curry... Basilisa era una joya. Remo le informó de que su nombre tenía etimología griega y significaba 'reina': si fuese así, ojalá todas las reinas de este mundo se pareciesen a ella.

El Jefe había trazado un plan minucioso para que pudiésemos llegar a la casa de Frimossian con la mayor seguridad posible. A lo largo de toda la jornada, dos parejas de nuestro mejor personal harían contravigilancia por los alrededores para prevenir otra emboscada de la Cofradía. El tiempo estimado que tardaríamos en trasladarnos desde el apartamento era de veinte minutos: si todo estaba despejado y en orden, a las nueve y media de la noche el Jefe me mandaría un mensaje al móvil dándome luz verde. Pregunté a Remo si le importaba que fuésemos en mi Honda. Quizá guardase un mal recuerdo de nuestro último viaje.

—¡Magnífico, me encanta la moto! ¿Sabes? Nunca había montado en una hasta... hasta el otro día.

De modo que ya no quedaba más que esperar. A mí las horas de inacción siempre se me hacen muy largas, sobre todo cuando luego me aguarda un trance que puede ser peligroso. Lógicamente, la casa de Frimossian era el sitio que nuestros enemigos deberían tener más vigilado y donde nos estarían acechando, aunque no supieran exactamente cuándo íbamos a ir por allí. Tanto la entrada como la salida de esa casa serían momentos de alto riesgo. De modo que aunque procuré estar relajada todo el día, los nervios y la impaciencia por acabar la misión no me dejaban tranquila.

Por el contrario, Remo no demostraba ninguna inquietud, ni mucho menos temor. Sólo me pareció especialmente melancólico —solía ser su humor habitual, por otra parte—, como si lamentase que nuestra rara aventura se acercase a su final.

—Lo hemos pasado bien estos días, ¿no, Atila?

—Bastante, a pesar de las circunstancias.

—Créeme, las circunstancias nunca suelen ser favorables. No hay que depender de ellas. Lo importante es lo que uno siente, lo que uno quiere, lo que uno sabe. Tenemos que vivir a pesar de la realidad e incluso contra ella, sin esperar a que nos sea propicia como hacen los ilusos, o los cobardes. —Después una larga pausa, mientras me miraba fijamente con esos ojos que yo nunca podía ver—. Atila, cuando todo esto acabe, quisiera poder enseñarte Italia. Te gustará mucho, estoy seguro. Si vienes a verme...

Me eché a reír, con un poco de azoro. ¡Menudo momento para pensar en hacer turismo! Qué cosas tenía este hombre... o lo que fuese.

—Bueno, mira, mejor esperemos a salir de este lío. Luego ya me lo pensaré.

A las nueve y media en punto recibí el SMS del Jefe: «Despejado. Adelante». Cabalgamos mi Fireblade a través de la ciudad noctámbula y aún bulliciosa, que se fue desvaneciendo para dejar paso a un paisaje urbano más sombrío y callado según nos acercábamos a nuestro destino. El tiempo era desapacible, aunque no tanto como la noche anterior. Tras su muro defensivo, el palacete del doctor Frimossian tenía un aire altivo y poco acogedor. Al acercarnos, vi en una esquina a uno de nuestros chicos, discretamente amparado en la puerta de un garaje. Bien, la vigilancia continuaba. Decidí cruzar con la moto la verja y dejarla aparcada en el jardín, para que nadie nos preparase una broma explosiva mientras estábamos en la casa.

El mismo gorila con ínfulas de mayordomo nos franqueó la entrada. También seguía montando guardia a la puerta del salón la armadura que tanto intrigó a Ricky y que quizá le hubiera venido bien llevar puesta pocas horas después. Y Axel Frimossian nos recibió de nuevo junto a la gran mesa de su despacho, que estaba igual que en nuestra visita anterior salvo por un detalle: en el centro había un caballete con un cuadro de mediano tamaño, cubierto con un paño de color carmesí.

—Buenas noches, amigos. Puntuales, como debe ser. *Signor* Fantoni, bienvenido. Es para mí un honor que haya decidido prestarme este importante servicio. Aquí tienen la obra, a mi modesto entender, inestimable. Pero es su opinión la que cuenta, no la mía. Por favor, acérquese.

Remo se dirigió casi con ansia al caballete y yo le seguí también. No puedo negar que me picaba la curiosidad por ver el dichoso cuadro. Frimossian se inclinó y, con un gesto de prestidigitador, retiró el paño que cubría la tela. Al verla, Remo lanzó un grito ahogado y retrocedió de un salto.

No era para menos. El cuadro representaba un cuerpo yacente, desde luego, pero no el de Rafael sino el del propio Remo Fantoni. Tenía los ojos enrojecidos y desorbitados, la boca contorsionada en una mueca atroz que enseñaba los largos colmillos y una estaca de madera clavada en el pecho, de donde brotaba un chorro de sangre negra. La pintura no era probablemente una obra maestra delicada, pero impresionaba por su horroroso realismo.

Frimossian lanzó una carcajada carente de alegría, aunque llena de amenazas.

—¿Qué te parece, vampiro? ¿Te gusta? Dame tu maldita opinión de experto.

—El Cofrade Mayor, por fin. —La voz de Fantoni era severa y triste, aunque no podía disimular su crispación.

—En efecto, yo mismo. —El tono engolado y chillón de Frimossian vibraba con acento triunfal—. Sabía que no podrías resistirte a la tentación de este cebo. La vanidad te pierde, como perdió en el origen a tu amo Satanás.

Se parapetó rápidamente detrás de su mesa, mientras entraban en el despacho tres matarifes, el matón de la puerta y otros dos gigantones del mismo volumen muscular. Todos llevaban catanas y uno de ellos, en el cinturón, una estaca aguzada de madera oscura. No hacía falta preguntarles a qué venían.

—Ponte ahí detrás, Remo, y no te muevas —le ordené—. Déjamelos a mí, éste es mi curro.

El primero llegó balanceándose con unos andares que seguramente le parecían de lo más intimidatorios. A mí sólo me pareció lento. Ahora se han puesto de moda diversos tipos de luchas orientales, con nombres chorras y cuyos movimientos se parecen demasiado al *ballet*, al menos para mi gusto. Yo he seguido fiel al kárate y nunca he tenido motivo para arrepentirme, de modo que le recibí con una patada a fondo con la pierna izquierda en el plexo solar, que probablemente le partió el esternón. Cayó al suelo a cuatro patas y le arreé un puntapié con la derecha en la sien que suprimió todas sus preocupaciones y quehaceres, al menos por esa noche. Recogí del suelo su catana, para que no fuera a hacerse daño con ella.

Ya tenía encima al segundo molusco, que no era otro que nuestro familiar portero de discoteca mayordomizado. No tuve más que ver su forma de empuñar la espada, como si fuese una escoba con filo, para darme cuenta de que no tenía ni idea de cómo utilizarla. Personalmente detesto la catana —como todos los demás pinchos—, pero profesionalmente me he entrenado muchas horas con ella. Si hubiésemos tenido tiempo, podría haberle enseñado a ese mamonazo dos o tres cosas sobre el arma, para una próxima ocasión. Pero era desperdiciar mi ciencia, porque no iba a haber próxima vez para él. Le paré un par de golpes torpes, sólo para desequilibrarlo un poco, y luego de un tajo le amputé la mano derecha por encima de la muñeca. El despojo rodó por el suelo sin soltar la catana, la muy jodida, mientras el tipo berreaba y daba saltos por la habitación, echando chorros de sangre por el muñón y poniéndolo todo de color matadero. Acabó caído en un rincón, lloriqueando y dándose con la cabeza contra la pared.

Mientras estaba así entretenida, el tercero, que era precisamente el que llevaba la estaca al cinto, se fue a por Remo, obedeciendo los gritos histéricos de Frimossian, que chillaba: «¡A por el vampiro, a por el vampiro!». Fantoni estaba con la espalda pegada a una estantería llena de libros y aún más pálido que de costumbre: ya no podía retroceder más. El esbirro levantó a dos manos por encima de su cabeza la catana, supongo que para decapitarle primero y clavarle la estaca luego o algo así. Por lo visto, ninguno de ellos quería utilizar armas de fuego, quizá para que no les oyesen desde el exterior. Pero yo no tenía esa preocupación y además no había otro modo de llegar a tiempo para impedir la ejecución. De modo que requerí mi pistola y le pegué un tiro desde atrás, algo no muy noble si nos ponemos exigentes, que le entró por debajo de la oreja izquierda y supongo que salió más o menos a la altura del ojo derecho. Fin de sus penas y de las nuestras.

Sin detenerme a verle caer, me abalancé sobre Frimossian, que pretendía hacer mutis por una puertecita al fondo del despacho. En un momento le alcancé, le derribé con una zancadilla elemental y me arrodillé sobre su pecho. Jadeaba, babeaba y escupía, el muy puerco. Para calmarle, le metí el cañón de la pistola por el orificio de la nariz.

—¡No te atreverás, puta! —farfulló. Todavía creía poder darme órdenes.

—A lo que no me atrevo es a dejarte vivo, cabronazo. Tú mataste a Ricky.

Puede que él lo hubiera olvidado, pero yo no. Ya iba a apretar el gatillo cuando oí la voz de Remo detrás de mí.

—Espera.

Se inclinó sobre nosotros y me apartó suavemente pero con firmeza.

—Me prometí no volver a practicar, aunque contigo voy a hacer una excepción.

Se agachó sobre la yugular de Frimossian, abriendo una boca enorme que no le conocía y de la que brotaba un rugido sordo, a medias entre el gruñido de un oso y el siseo de una cobra. Por encima de su hombro vi los ojos enloquecidos del Cofrade Mayor, que expresaban un pánico indecible. Remo no quiso darse prisa, allí agachado. Luego se irguió, dejando en el suelo un guiñapo descoyuntado. Se pasó brevemente el dorso de la mano por los labios.

—Si no tiene la suerte de que lo incineren, dentro de poco se despertará con un problema de conciencia que no le envidio.

Después se volvió hacia mí con su media sonrisa habitual. Ya no estaba pálido, tenía rosadas las mejillas. Reconozco que di un paso atrás, sin poderlo remediar.

—Has estado magnífica, Atila. Si te hubiera visto en acción mi señor César Borgia, seguro que te ofrecería un buen empleo.

Tres horas después estábamos en el aeropuerto, delante de la puerta de embarque para el vuelo nocturno a Roma.

—Bueno —me dijo—, llegó la hora de volver a casa.

Asentí, sonriendo, aunque sabía que era sólo una manera de hablar. Él no tiene casa, sólo guaridas: su casa la perdió junto a todo lo demás.

—Prométeme que vendrás a verme a Italia. ¡Tengo tantas cosas que enseñarte! Veremos juntos la Galleria degli Uffizi, la Paulina Borghese... Y Verona, y Venecia. También habrá que ir a alguna representación de la Comedia del Arte. ¡Te encantará Goldoni, ya verás!

—Lo intentaré, Remo. Coño, ya es hora de que viaje un poco. Pero, dime, si voy a Italia, ¿cómo te localizaré?

—Eso es fácil. Toma, te lo regalo. —Se quitó el anillo de amatista y me lo ofreció—. A mí me lo dio hace muchos años un amigo, Benvenuto Cellini. Pero quizá lo he llevado ya demasiado tiempo. Póntelo cuando llegues a Italia y no te preocupes: yo te encontraré.

Aunque nunca llevo joyas, para darle gusto lo cogí y traté de ponérmelo. En el anular no me entraba, claro, pero con un poco de presión logré encajarlo en el meñique. Por los altavoces llamaron para el embarque del vuelo a Roma. Estaba frente a mí, mirándome con esos ojos que aún no había logrado ver. Entonces me di cuenta de que prácticamente nunca nos habíamos tocado en todo el tiempo que estuvimos juntos, salvo cuando le cogí la mano en el teatro. Tampoco nos tocamos entonces, en la despedida. Me hizo una especie de reverencia deliciosamente anticuada, nada más.

—*Arrivederci*.

Luego se dio la vuelta y caminó hacia la puerta, pequeño y erguido, con su maletín negro en la mano. ¿Quién sabe lo que llevaría ahí? Una voluminosa señora que arrastraba una maleta con ruedas y llevaba a un niño de la mano me lo ocultó un momento. Después ya no estaba, o al menos yo no logré verle.

Me fui a buscar la moto en el aparcamiento. A la mañana siguiente me esperaba un mal trago, el entierro de Ricky. Detesto esas ceremonias, pero en este caso no había modo de escaquearse, se trataba de un colega al que habían matado cuando trabajábamos juntos. ¿Por mi culpa? Me pareció oír su voz, amable y fatua: «Niña, tú no puedes faltar».

EPÍLOGO

El día en que por fin la Princesa iba a reunirse con sus invitados fue el primero de esa semana en que llovió desde muy temprano. El aguacero, aplastante y furioso, machacaba las calles de Santa Clara como si quisiera vengar algún viejo agravio. Frondosos, los goterones restallaban sobre el empedrado para después salpicar desafiantes hacia el negro cielo. Las bocas del alcantarillado traicionaban su misión y, en lugar de absorber los ríos que borboteaban por la calzada, expulsaban turbios géiseres que empeoraban la inundación. El vestíbulo del Gran Universo mantenía todas las luces encendidas como si fuese noche cerrada, con la puerta principal asediada por el rigor constante de la espesa cortina de agua.

Dentro triunfaba la desfachatez de la alegría sin miramientos. Ante el mostrador de la agencia de viajes se apiñaban aquellos participantes del Festín de la Cultura que aún no estaban en posesión del anhelado billete aéreo capaz por fin de rescatarlos. Todavía algo nerviosos, desde luego, pero ya fundamentalmente contentos porque el confinamiento forzoso había concluido. Intercambiaban bromas y se lanzaban pullas en las que el espíritu festivo desautorizaba la aparente malicia. Lo peor había pasado ya. Aún más felices se veía a los afortunados que habían conseguido pasaje: rodeados por sus equipajes que

bloqueaban el paso en el vestíbulo, se despedían ruidosamente de los demás y del personal del hotel mientras
esperaban el autobús que les habían prometido para el
traslado al aeropuerto. Los más lanzados, que solían ser
vejetes incontinentes, plantaban sonoros besos en las
mejillas de la azafatas, entre las cuales la pandémica Marina estaba especialmente solicitada. ¿Quién da más? En
un ángulo cerca de la puerta, tres irlandeses sentados sobre sus maletas se habían puesto a cantar a coro *Danny
Boy*.

La señora presidenta había anunciado su llegada y el
acto de salutación al congreso, retrasado una semana por
culpa de lo que todos sabían, para las diez de la mañana.
Pero la mayoría de los congresistas se mostraban tan esca-
samente preocupados por esa convocatoria como por los
carteles que inútilmente urgían a celebrar la Jornada
Mundial del Rodaballo. «Las ratas abandonan la isla», le
gruñó con perversa satisfacción Nicolás Nirbano a Xabi
Mendia cuando ambos llegaron a las puertas del Salón
Imperial. Sin duda, estaba lleno de gente, pero la mayoría
poco o nada tenía que ver con las actividades del Festín:
muchos cargos públicos, dignatarios y burócratas de toda
laya, abundantes periodistas, cámaras de televisión y
desde luego un amplio despliegue de fuerzas de seguridad, encabezado por el capitán Dos Ríos, al que se le veía
hoy más dueño de sí mismo y habiendo recuperado en
gran parte su habitual galanura. Como siempre en primera fila, malencarado y chulesco, Augusto Recio, el director de *Todo Público*, repasaba de vez en cuando el cota-
rro con su mirada chantajista, como para asegurarse (y de
paso persuadir a los demás) de que todo estaba bajo *su*
control.

A las once menos cuarto un enorme revuelo en la puerta,
empujones y voces nerviosas de «¡ya viene, ya viene!»
alertaron de la proximidad de la primera dama. Llegaba

tan rodeada de guardaespaldas y aduladores que prácticamente no hubo forma de verla hasta que subió al estrado, donde la recibió con un gesto de rendición incondicional el moralmente genuflexo secretario Fulgencio. Inmediatamente estalló una prolongada salva de aplausos, como si la mandataria hubiera dado un triple salto mortal o acabasen de rescatarla del fondo de una mina. Nirbano, que aplaudió un momentito con la punta de los dedos, le recordó a Xabi en tono cáustico uno de sus aforismos predilectos:

—Lo que nos corrompe políticamente no es la pasión de mandar, sino el afán de obedecer.

Acto seguido, el secretario pronunció una entrecortada bienvenida en la que no omitió cuanto tópico podía esperarse en la ocasión: «el tan esperado momento», «culmina así nuestro encuentro», «amainada la intemperancia de los elementos», «esta presencia ilustre y deseada», «inspiración y alma del Festín de la Cultura», «broche de oro», «como en las bodas de Caná, el mejor vino se sirve a los postres», «escuchemos su mensaje...». Luego empezó a repetirse, se lio, confundió las bodas de Caná con el festín de Baltasar y acabó con un gorgoteo ininteligible. Entonces la presidenta, puesta en pie, tomó la palabra.

Doña Luz Isabel Artigas tenía cincuenta y tres años, aparentaba poco más de cuarenta y se expresaba con el fervor retórico de los veinte. Su discurso era magro de contenido, pero retumbaba bien. El Pueblo era sabio y orgulloso, la misión de la Cultura sagrada, los enemigos del Progreso tenaces en sus maquinaciones, la Igualdad necesaria, la Libertad irrenunciable y Santa Clara eterna e indómita. Recordó a su marido, al que se refería como «nuestro Mártir». Proclamó la derrota definitiva del terrorismo y anunció magnanimidad para los arrepentidos que entregasen las armas. Proclamó el inminente rebrote de la pujanza económica, en contra de agoreros y especuladores.

Etcétera. Su tono tenía un patetismo monótono pero casi hipnótico y cada cierto tiempo alcanzaba un trémolo que igual podría haber desembocado en sollozos o en un aria de ópera. Se la notaba segura ante su público y no tuvo inconvenientes para triunfar. Con todo, a los menos adictos (es decir, a los escasos supervivientes del Festín presentes en el acto) la hora y tres cuartos de la homilía se les hizo un poco larga.

En cuanto terminó y tras disfrutar con orgullosa modestia de la previsible ovación, abandonó la sala envuelta en la barricada de su obsequioso séquito. Su salida dejó una impresión general de fin de época: caía el telón y en el escenario sólo seguían agitándose vanamente los peores actores, saludando interminablemente al público que ya se marchaba. Fastidioso y espástico hasta última hora, el secretario bailaba la danza de sus siete desvelos tratando de interesar a los fugitivos en una magna sesión de clausura —«¡Llena de sorpresas, de estupendas sorpresas!»— que iba a tener lugar esa tarde. La mayor sorpresa era la propia jornada de clausura, porque en principio nada más estaba programado para ese día. Pero la Princesa había llegado al fin y era evidente que los oficiantes oficiales querían proporcionarle al menos el simulacro de una sesión del Festín, con ponencias, debate y alguna personalidad ilustre remoloneante cazada a lazo para la ocasión.

En cualquier caso, el asunto ya no era de la incumbencia de Xabi Mendia. Su misión allí había concluido y el primer balance de su semana en Santa Clara le resultaba positivo. Tenía material para un artículo de cinco o seis mil palabras —quizá lo mejor fuese dividirlo en dos entregas, porque los lectores de *Mundo Vasco* se cansaban pronto— sobre los *highlights* del magno evento, en el que no habrían de faltar las anécdotas que indicaban brotes verdes de nuevas corrientes intelectuales en distintos campos, así como toques de encomio multicultural. También estaba dispuesto a permitirse pinceladas eruditas (siempre peda-gógicas, nunca pedantes) y frecuentes concesiones a la ironía. A fin de cuentas toda tarea intelectual es humorís-tica, como bien dijo... ¿Bernard Shaw? Dudaba entre varios títulos para su reportaje: «El congreso se divierte» podía sonar demasiado frívolo, y «Un menú de platos fuertes: el Festín de la Cultura» quizá resultaba algo indigesto.

Pero en su fuero interno Xabi reconocía que todo eso era lo de menos. Porque lo importante para él era la expe-riencia de esos días en la isla paulatinamente descubierta, compartidos en forzosa clausura con personajes insóli-tos, admirados o, bueno, deseables. Afortunadamente aún tenía clara su jerarquía de valores y sabía que las páginas que debía escribir para justificar su viaje ante quienes pa-gaban los gastos extras serían competentes pero prescin-dibles, como cualquier otro trabajo del mismo género: en cambio lo que allí había vivido él, únicamente él y de modo intransferible, ya fuesen conversaciones, sabores, caricias o desengaños, contribuyó en conjunto a modelar el yo siempre inacabado que quería ser y aumentar. Xabi Mendia aspiraba a esculpirse en cuerpo y alma, pero sin programa previo, al vaivén del mundo. Así continuaba joven.

Consultó su reloj y comprobó que, después de preparar la maleta, lo que no le llevaría mucho tiempo, aún podría disfrutar por última vez con las repetitivas pero gratuitas delicias del bufé del hotel antes de salir para el aeropuerto. Se encaminó a la puerta del salón cuando oyó que le lla-maba una voz apremiante:

—¡Señor Mendia, señor Mendia!

Para su sorpresa era el secretario Fulgencio, que se apresuraba hacia él con la mueca de zalema y angustia que constituía su expresión habitual.

—Es usted el señor Mendia, ¿verdad? El joven perio-dista vasco. Joven pero muy prometedor, me han dicho.

Sin duda, sin duda. Lamento no haber tenido tiempo de saludarle antes. Ya sabe usted cómo son estos congresos, no da uno abasto, tantos compromisos, tantas contrariedades grandes o pequeñas... Yo hubiera querido charlar con usted, preguntarle cosas de su país, pero siempre se presentaba alguna interferencia. En fin, lo pasado, pasado está. ¿Puede usted dedicarme ahora un momento?

—Desde luego, aunque no tengo mucho tiempo. Debo hacer la maleta porque me marcho a primera hora de la tarde.

—Precisamente de eso quería hablarle, señor Mendia. Verá, tengo que pedirle un favor, un enorme favor, ¿no podría retrasar usted su viaje veinticuatro horas?

—¿Retrasar el viaje? Pues no sé si...

—Permítame antes que se lo explique. No se trata de ningún capricho, como puede usted suponer. Ya conoce usted las fastidiosas e insuperables razones que han impedido a nuestra señora presidenta estar presente en el congreso desde el primer día, como hubiera deseado. ¡Le hacía tanta ilusión, lo había preparado con tanto esmero! Y sin reparar en gastos, bien lo saben ustedes. Pero el maldito volcán... muy hermoso, una vista magnífica, todo lo que usted quiera, y, sin embargo, sumamente inoportuno. El caso es que ella, la Princesa, como la llamamos cariñosamente aquí, se ha perdido todo el Festín.

—Muy lamentable, sin duda.

—¡Veo que se hace usted cargo! Para compensarla un poco, sólo un poco, hemos improvisado para esta tarde una última sesión, extraordinaria, fuera de programa. Contaremos con nuestros mayores talentos locales, con todos nuestros cocineros, incluso va a estar presente el director de nuestra institución internacionalmente más reputada, el Santa Clara's Culinary Center, imagínese... Queremos que sea como un regalo para ella.

—Pero la mayoría de los invitados ya se han marchado.

—¡Exacto, ése es el problema! Pilla usted las cosas al vuelo, no en vano me lo han recomendado tanto. Lo que quisiera pedirle, rogarle más bien, suplicarle, es que interviniera usted esta tarde en esa jornada especial, un poco en representación de todo el resto de los ilustres participantes que nos han acompañado estos días.

—Es que yo he venido aquí como periodista, no como conferenciante. No tengo ningún tema preparado para una ocasión así.

—¡Naturalmente, ya lo sé, estoy abusando de su generosidad! Y claro que no me atrevería a pedirle que hablase de ninguna cuestión que exija preparación o estudio. No, lo que queremos (todos los organizadores, todos, créame, cuánto se lo agradeceríamos...) es que improvise usted una breve ponencia sobre algo que conoce perfectamente, de lo que sin duda puede disertar con los ojos cerrados, si me permite la expresión. —Hizo una pausa mirándole ansioso y luego exclamó con tono de triunfo inapelable—: ¡La cocina vasca!

«¡Como si *sería* un palurdo!», pensó Xabi, bastante dolido. «Como soy vasco sólo puedo entender de chuletones y besugos. ¿Por qué no me pide que trate de la obra de Xabier Zubiri, Jon Juaristi o Gabriel Celaya o así? ¡O de la de Platón, que también la he leído!».

—¡En Santa Clara apreciamos muchísimo la gran cocina vasca, sin duda una de las mejores del mundo! —continuó el secretario con estereotipado entusiasmo—. ¡El bacalao en su tinta, el gazpacho, tantas exquisiteces! Qué le voy a decir, usted sabe de eso mucho más que yo. ¡Y los grandes cocineros vascos, figuras legendarias para nosotros, homéricas! ¡Arzak, Arguiñano, Ferran Adrià...!

—Adrià no es vasco —refutó automáticamente Xabi, cada vez más enfurruñado.

—¿Ah, no? Pues fíjese si aquí le tenemos aprecio que creíamos que era vasco. Naturalmente, si accede, nosotros nos encargaremos de conseguirle otro vuelo para mañana o pasado, cuando prefiera. Y desde luego percibirá usted una compensación económica por tantas molestias. Sugiérame usted mismo la cantidad que le parece adecuada.

—No es cuestión de dinero.

—Lo sé, lo sé. Usted es un caballero, señor Mendia. Y yo apelo a su caballerosidad para que nos ayude a dar una alegría a la egregia dama que... ¡está tan decepcionada! Si fuera usted tan generoso, tan gentil...

«¡Ni hablar!», pensó Xabi Mendia. «Conmigo que no cuenten. Para oírme hablar de guisotes ya pueden esperar sentados. Me gusta comer, pero nada más. De la poética de la olla ni sé ni quiero saber. Además, los amigos...». Claro, ¿qué iban a pensar de él? Virginia Pueris se había marchado ya, pero quedaba don Nicolás, que aún no se había levantado de su asiento y parecía dormitar. Aunque seguro que estaría bien despierto cuando Xabi hablase. Después de las charlas tan interesantes que habían tenido, se sentiría decepcionado: ¡otro tripero más! Y Saúl David, tan sarcástico, ¿qué iba a decir de él en su blog? Y Futurano, que ya le miraba por encima del hombro...

Al fondo, junto a la puerta, bien firme sobre sus piernas algo separadas y con las manos a la espalda, elevada y maciza, montaba guardia Atila. Ceño fruncido, una expresión que no permitía bromas ni las admitía. A Xabi, que le conocía otras muy distintas, le pareció sin embargo que parpadeaba un poco cuando notó que él la estaba mirando. Y ahora le ofrecían quedarse una noche más, dos quizá, las que quisiera, con sus prometedoras posibilidades. La alternativa era marcharse dentro de un rato, probablemente para siempre.

—De acuerdo, señor secretario. Intentaré echarles una mano, en vista de las circunstancias. ¡Sea la cocina vasca, pues! Hasta se me ocurre un título para mi ponencia: «Las kokotxas, ¿rebozadas o en salsa?». ¿Qué le parece?

—¡Estupendo, no sabe cuánto se lo agradecemos! —Fulgencio sudaba alivio por todos los poros—. Y ese tema está muy bien elegido. Ya veo que usted ha captado inmejorablemente el espíritu de nuestro Festín de la Cultura.